STEPHEN KELMAN

PIGEON ENGLISH

Roman

Aus dem Englischen von
Clara Drechsler und Harald Hellmann

Berlin Verlag

MÄRZ

Du konntest das Blut sehen. Es war dunkler, als du gedacht hättest. Überall auf dem Boden draußen vor Chicken Joe's. Es fühlte sich einfach verrückt an.

Jordan: »Ich geb dir eine Million Pfund, wenn du es anfasst.«

Ich: »Du hast keine Million.«

Jordan: »Dann eben ein Pfund.«

Du wolltest es anfassen, kamst aber nicht nah genug ran. Ein Absperrband war im Weg:

POLIZEI-SPERRZONE

Wenn du einen Fuß in die Sperrzone setzt, zerfällst du zu Staub.

Wir durften nicht mit dem Polizisten reden, denn er musste sich konzentrieren, falls der Killer zurückkam. Ich sah die Ketten von seinem Gürtel baumeln, aber die Knarre sah ich nicht.

Die Mamma von dem toten Jungen bewachte das Blut. Sie wollte es nicht weglassen, das spürte man. Der Regen wollte kommen und es wegwaschen, aber sie ließ es nicht zu. Sie weinte auch nicht, sie stand unbeugsam und grimmig da, als hätte sie den Job, den Regen wieder in den Himmel hochzuscheuchen. Eine Taube suchte nach etwas zu picken. Sie trapste mittenrein ins Blut. Sie war genauso traurig, das sah man, an ihren Augen, ganz rosa und tot.

Die Blumen hingen schon runter. Da waren Bilder von dem toten Jungen in seiner Schuluniform. Sein Pullover war grün.

Mein Pullover ist blau. Meine Uniform ist besser. Das einzig Schlechte an ihr ist die Krawatte, die ist zu kratzig. Ich hasse es, wenn die so kratzig sind.

Da standen Bierflaschen statt Kerzen, und die Freunde von dem toten Jungen schrieben ihm Botschaften. Alle sagten, was für ein toller Freund er war. Manche Sachen waren falsch geschrieben, aber das störte mich nicht. Sie hatten seine Fußballschuhe mit den Schnürsenkeln ans Geländer geknotet. Es waren praktisch neue Nikes, die Stollen richtig aus Metall und so.

Jordan: »Soll ich mir die krallen? Der braucht sie ja nicht mehr.«

Ich tat einfach so, als hätte ich es nicht gehört. Jordan würde sie nie im Leben klauen, die waren ihm tausendmal zu groß. Sie sahen so leer aus, wie sie einfach dahingen. Ich wollte sie tragen, aber sie hätten mir niemals gepasst.

Ich und der tote Junge waren nur so halb und halb befreundet, ich sah ihn nicht oft, denn er war älter und ging nicht auf meine Schule. Er konnte freihändig Fahrrad fahren, und du wünschtest ihm noch nicht mal heimlich, er würde auf die Nase fallen. Ich sprach im Kopf ein Gebet für ihn. Ich sagte einfach: Es tut mir leid. Mehr fiel mir nicht ein. Ich bildete mir ein, wenn ich nur fest genug guckte, könnte ich das Blut in Bewegung bringen und machen, dass es wieder die Form eines Jungen annimmt. Auf die Art wollte ich ihn wieder ins Leben zurückholen. Es hat schon mal funktioniert: Da, wo ich früher gelebt habe, hat ein Stammesfürst seinen toten Sohn so wieder zum Leben erweckt. Das war lange bevor ich zur Welt gekommen bin. Ichschwör, es war ein Wunder. Diesmal klappte es nicht.

Ich gab ihm meinen Flummi. Ich brauch den nicht mehr, ich hab noch fünf Stück davon unterm Bett. Jordan gab ihm nur einen Stein, den er auf der Erde gefunden hatte.

Ich: »Das zählt nicht. Es muss was sein, was dir gehört hat.«

Jordan: »Ich hab aber nichts. Ich wusste nicht, dass wir ein Geschenk mitbringen sollten.«

Ich gab Jordan ein Kaugummi mit Erdbeergeschmack, damit er es dem toten Jungen schenken konnte, dann zeigte ich ihm, wie man ein Kreuzzeichen macht. Beide machten wir ein Kreuzzeichen. Wir waren sehr still. Es fühlte sich richtig bedeutend an. Wir rannten den ganzen Weg nach Hause. Ich schlug Jordan um Längen. Ich kann jeden schlagen, ich bin der Schnellste im 7. Schuljahr. Ich wollte bloß schnell weg, bevor das Sterben uns anstecken konnte.

Die Häuser hier sind alle gigantisch. Mein Hochhaus ist so hoch wie der Leuchtturm von Jamestown. Es gibt drei Hochhäuser, alle in einer Reihe: Luxembourg House, Stockholm House und Copenhagen House. Ich wohne in Copenhagen House. Meine Wohnung ist im 9. Stock von insgesamt 14. Und es macht mir gar keine Angst, ich kann jetzt aus dem Fenster gucken, ohne dass sich mein Bauch rumdreht. Ich fahr supergern mit dem Aufzug, das ist krass, besonders, wenn du allein drin bist. Dann könntst du ein Geist sein oder ein Spion. Du vergisst sogar den Pissegeruch, so schnell fährt der.

Unten ist der totale Wirbelwind, fast so wie ein Strudel. Wenn du unten stehst, wo das Hochhaus auf den Boden trifft, und die Arme ausbreitest, fühlst du dich wie ein Vogel. Du spürst, wie der Wind dich hochzuziehen versucht, das ist fast wie fliegen.

Ich: »Mach die Arme weiter auseinander!«

Jordan: »Weiter kann ich nicht! Das ist voll schwul, ich mach da nicht mehr mit!«

Ich: »Das ist nicht schwul, das ist genial!«

Ichschwör, das ist das Beste, um sich lebendig zu fühlen. Der Wind darf dich bloß nicht hochheben, weil du nicht weißt, wo er dich dann hinweht. Der könnte dich in die Sträucher schleudern, oder ins Meer.

In England gibt es für alles höllenviele verschiedene Wörter. Damit du, wenn du eins vergisst, immer noch Ersatz hast. Das ist unheimlich praktisch. Schwul, doof und bescheuert heißen alle das Gleiche. Pissen, Strullen und Schiffen bedeuten alle das Gleiche (das Gleiche wie den Porzellangott grüßen). Es gibt eine Million Wörter für Bulla. Als ich in meine neue Schule kam, wisst ihr, was das Erste war, was Connor Green mich gefragt hat?

Connor Green: »Bist du hier Mitglied?«

Ich: »Ja.«

Connor Green: »Bist du sicher, dass du hier Mitglied bist?«

Ich: »Ja.«

Connor Green: »Bist du ganz sicher?«

Ich: »Ich denk schon.«

Er fragte mich immer weiter, ob ich Mitglied wär. Er hörte gar nicht auf damit. Am Ende hat es mich nur noch genervt. Dann war ich unsicher. Connor Green hat gelacht, und ich wusste nicht mal, warum. Am Schluss hat Manik mir erklärt, was der Trick dabei war.

Manik: »Der fragt dich nicht, ob du Mitglied bist, sondern ob du ein Glied hast. Das macht er bei jedem. Das ist ein Trick.«

Es hört sich wie Mitglied an, heißt aber »mit Glied«.

Mit Glied.

Connor Green: »Reingefallen! Voll verarscht!«

Connor Green macht ständig solche Tricks. Er ist einfach ein Konfusionist. Das ist das Erste, was man von ihm mitkriegt. Wenigstens hatte ich nicht verloren. Ich *bin* mit Glied hier. Der Trick gildet nicht, wenn es stimmt.

Manche Leute benutzen ihre Balkone, um Wäsche aufzuhängen oder Pflanzen zu ziehen. Ich benutz meinen nur, um Hubschrauber zu beobachten. Es ist ein bisschen schwummerig. Man kann nicht länger als eine Minute draußen bleiben, sonst wird man ein Eiszapfen. Ich sah, wie X-Fire seinen Namen an die Wand vom Stockholm House sprayte. Er wusste nicht, dass ich ihn sehen konnte. Er war ziemlich schnell, und trotzdem kamen die Wörter supergut raus. Ich würde meinen eigenen Namen auch gern so groß aufsprayen, aber die Farbe in Dosen ist zu gefährlich: Wenn man die auf seine Sachen kriegt, geht sie nie wieder raus, auch in Ewigkeit nicht.

Die Babybäume stecken in Käfigen. Sie stellen einen Käfig um den Baum auf, damit er nicht geklaut wird. Verrückt! Wer stiehlt denn überhaupt Bäume? Wer ersticht einen Jungen, nur um ihm sein Chicken Joe's wegzunehmen?

Wenn Mamma das Telefon auf Lautsprecher stellt, klingt es, als wären sie weit weg. Papas Stimme hallt, als wär er in einem U-Boot auf dem Grund des Meeres gefangen. Ich stelle mir vor, er hätte nur noch für eine Stunde Atemluft, wenn er bis dahin nicht gerettet wird, ist alles vorbei. Da krieg ich jedes Mal Angst. Ich bin der Mann im Haus, bis Papa entkommt. Hat er ja selbst gesagt. Es ist meine Pflicht, mich um alles zu kümmern. Ich hab ihm von meiner Taube erzählt.

Ich: »Eine Taube ist am Fenster reingeflogen. Lydia hatte voll Schiss.«

Lydia: »Wie? Stimmt ja gar nicht!«

Ich: »Hatte sie wohl. Sie hat gesagt, das Flügelflattern macht sie verrückt. Ich musste die Taube fangen.«

Ich hab die Taube mit Mehl in der Hand angelockt, und sie ist darauf gelandet. Sie hatte bloß Hunger. Man muss voll langsam gehen, wenn man sich zu schnell bewegt, kriegt die Taube bloß Angst und fliegt weg.

Lydia: »Schnell! Sonst beißt sie noch einen!«

Ich: »Du spinnst wohl! Sie will doch nur wieder nach draußen. Sei still, du machst ihr Angst.«

Ihre Füße waren ganz kratzig auf meiner Hand, wie die von Hühnern. Es war wunderbar. Ich machte sie zu meiner Spezialtaube. Ich sah sie mir ganz genau an, um mir ihre Farben einzuprägen, dann hab ich sie raus auf den Balkon gelassen, und sie flog einfach weg. Man muss sie also gar nicht töten.

Papa: »Gute Arbeit!«

Papas Stimme lächelte. Ich find es toll, wenn seine Stimme lächelt, das bedeutet, man hat etwas gut gemacht. Ich musste mir danach auch nicht die Hände waschen, meine Taube hat keine Bazillen. Sie sagen dir immer, du sollst dir die Hände waschen. Ichschwör, es gibt so viele Bazillen, du glaubst es nicht! Alle haben ständig Angst vor denen. Bazillen aus Afrika sind die allertödlichsten, deswegen ist Vilis vor mir weggerannt, als ich ihm hallo sagen wollte, er denkt, wenn er meine Bazillen atmet, muss er sterben.

Ich wusste nicht mal, dass ich die Bazillen mitgebracht hab. Man spürt sie nicht und kann sie auch nicht sehen und so. Verdammt, Bazillen kennen alle Tricks! Mir ist es ganz egal, ob Vilis mich hasst, er ist ein gemeiner Treter und spielt mich nie an.

Agnes macht gern Spuckeblasen. Das darf sie ruhig, weil sie ein Baby ist. Ich will sogar, dass sie viele Blasen macht. So viel sie will und für immer.

Ich: »Hallo, Agnes!«

Agnes: »O!«

Ich schwöre bei Gott, wenn Agnes hallo zu dir sagt, dann klingeln dir die Ohren wie verrückt! Aber du liebst es trotzdem. Wenn Agnes hallo sagt, weint und lacht Mamma gleichzeitig, ich kenne sonst keinen Menschen, der das kann. Weil Mamma die ganze Zeit arbeiten muss, konnte Agnes nicht mit uns kommen. Grandma Ama kümmert sich darum um sie. Nur so lange, bis Papa all die Sachen aus seinem Laden verkauft hat, dann hat er Geld für Flugtickets, und wir werden wieder alle zusammen sein. Wir sind erst zwei Monate von ihnen weg, und du fängst frühestens nach einem Jahr an, sie zu vergessen. Aber so lange wird es nicht mehr dauern.

Ich: »Kannst du schon Harri sagen?«

Papa: »Noch nicht. Lass ihr Zeit.«

Ich: »Was macht sie?«

Papa: »Nur neue Blasen. Du machst jetzt besser Schluss.«

Ich: »Okay. Komm bald. Bring mir Ahomka mit, hier find ich keine. Ich liebe dich.«

Papa: »Ich lie–«

Da war dann die Telefonkarte alle. Ich hasse es, wenn das passiert, obwohl es immer dasselbe ist, ist es jedes Mal ein Schock. Es ist wie nachts, wenn ich Hubschrauber beobachte, und sie werden plötzlich still. Dann denke ich immer, sie fallen auf mich runter. Ichschwör, wenn der Motor wieder angeht, ist es eine Riesenerleichterung!

Ich hab einen toten Menschen in echt gesehen. Nämlich da, wo ich früher gelebt hab, auf dem Markt in Kaneshie. Eine Orangenfrau ist von einem Trotro überfahren worden, keiner hat es kommen sehen. Ich tat so, als wären die davonrollenden Orangen ihre glücklichen Erinnerungen, die nach einem neuen Herrchen suchten, damit sie nicht verschwendet wären. Die Schuhputzjungen haben versucht, ein paar Orangen zu stehlen, die nicht plattgefahren worden waren, aber Papa und noch ein Mann haben sie ermahnt, sie wieder in den Korb zu legen. Die Schuhputzjungen sollten wissen, dass man die Toten nie bestehlen darf. Es ist die Pflicht der Rechtschaffenen, den Gottlosen den rechten Weg zu zeigen. Du musst ihnen helfen, wann immer du kannst, selbst wenn sie es nicht wollen. Sie denken nur, sie wollen es nicht, aber in Wirklichkeit wollen sie es wohl. Du bist erst dann rechtschaffen, wenn du jedes Kirchenlied singen kannst, ohne ins Gebetbuch zu gucken. Nur Pastor Taylor und Mr Frimpong können das, und die zwei sind beide ganz alt. Mr Frimpong ist so alt, dass Spinnen in seinen Ohren sind, ich habe sie mit meinen eigenen Augen gesehen.

In der Kirche haben wir ein besonderes Gebet für den toten Jungen gesprochen. Wir haben darum gebetet, dass seine Seele auffahren und in den Armen des Herrn liegen wird und dass der Herr die Herzen seiner Mörder erweiche, damit sie sich stellen. Pastor Taylor hat eine besondere Botschaft an alle Kinder gerichtet. Er hat gesagt, wenn wir jemanden mit einem Messer kennen, sollen wir es sagen.

Lydia schälte die Süßkartoffeln für Fufu.

Ich: »Du hast ein Messer! Das sag ich!«

Lydia: »Blödmann. Womit soll ich sie sonst schälen, mit einem Löffel?«

Ich: »Du kannst sie mit deinem Atem schälen. Der ist wie Feuerspucke.«

Lydia: »Du hast Atem wie ein Hund. Hast du wieder an Arschlöchern geleckt?«

Es ist unser Lieblingsspiel – wer wen am besten beleidigen kann. Ich bin normalerweise Sieger. Ich hab bis jetzt tausend Punkte, und Lydia hat nur zweihundert. Wir spielen nur, wenn Mamma nichts hören kann. Ich habe mich mit der Gabel gestochen. Aber nur in meinen Arm. Ich wollte wissen, wie weh es tut und wie lange die Löcher bleiben. Ich wollte allen sagen, das wären meine magischen Zeichen von meiner Geburt, und dass sie bedeuten, dass ich in deinen Kopf sehen kann. Aber sie sind nach einer Minute wieder verschwunden. Es tut trotzdem noch wie verrückt weh.

Ich: »Ich frag mich, wie es sich anfühlt, wenn man echt ein Messer reingerammt bekommt. Ich möchte wissen, ob man da wohl Sterne sieht.«

Lydia: »Möchtest du es rausfinden?«

Ich: »Oder verbrennen. Ich wette, man sieht Flammen.«

Mein Mustang hat Flammen. Ich habe vier Autos: einen Mustang, einen Käfer, einen Lexus und einen Suzuki-Jeep. Mein bestes ist der Mustang, der ist total super. Er ist blau mit Feuer auf der Motorhaube, und das Feuer sieht wie Flügel aus. Er hat keine Schrammen, weil ich nie Autounfall spiele, ich gucke ihn bloß an. Ich kann das Feuer auch noch sehen, wenn ich die Augen zumache. Genauso muss Sterben sein, nur dass das Feuer nicht mehr schön ist, weil es echt brennt.

Wie man eine Krawatte bindet, hat Maniks Papa mir gezeigt. Es war am ersten Tag in der neuen Schule. Ich hatte die Krawatte in meiner Tasche verschwinden lassen, ich wollte sagen, sie wär gestohlen worden. Aber als ich zur Schule kam, kriegte ich Angst. Alle trugen ihre Krawatte. Maniks Papa war mitgekommen. Das Ganze war seine Idee.

Maniks Papa begleitet ihn jeden Tag zur Schule. Er muss ihn vor den Räubern beschützen. Einmal haben sie Manik die Turnschuhe geklaut. Einer von der Dell Farm Crew war das. Weil sie nicht passten, warfen sie sie in einen Baum. Und weil Manik zu fett ist, um auf einen Baum zu klettern, konnte er sie nicht wieder runterholen.

Maniks Papa: »Das sollen sie bloß noch mal versuchen. Beim nächsten Mal geht's anders aus, ihr kleinen Ratten.«

Maniks Papa ist brandgefährlich. Er macht immer voll rote Augen, und er kann Schwertkampf. Ichschwör, Manik möchte ich nicht zum Feind haben! Maniks Papa hat mir die Krawatte umgebunden und geknotet. Er hat mir gezeigt, wie man die Krawatte abnimmt, ohne den Knoten aufzumachen. Die Schlinge muss nur groß genug sein, dann kann man sie einfach über den Kopf ziehen. Auf die Art braucht man nicht jeden Tag die Krawatte neu zu knoten. Das geht. Jetzt muss ich für den Rest meines Lebens keine Krawatte mehr knoten. Harri eins – Krawatte null.

In meiner neuen Schule singen wir keine Kirchenlieder.

Das Beste an meiner alten Schule war, wenn Kofi Allotey seinen eigenen Text dazu gedichtet hat:

Kofi Allotey: »*Lieber Vater im Himmel,*
auf deiner Hostie ist Schimmel,
und noch was schmeckt mir nicht,
nämlich das Jüngste Gericht.«

Ichschwör, der hat es so oft mit dem Stock gekriegt, dass wir Kofi-Klatsche dazu sagten!

Anfangs waren Lydia und ich in den Pausen immer zusammen. Jetzt steht jeder von uns bei seinen Freunden. Wenn wir uns begegnen, tun wir so, als ob wir uns nicht kennen. Wer zuerst hallo sagt, hat verloren. In der Pause spiel ich immer Selbstmordattentäter oder Zombies. Bei Selbstmordattentäter rennt einer auf den anderen zu und muss ihn so doll anrempeln, wie er kann. Wenn der andere hinfällt, gibt es hundert Punkte. Wenn er nur wackelt, aber nicht umfällt, sind es zehn Punkte. Einer steht immer Schmiere, denn Selbstmordattentäter ist verboten. Wenn ein Lehrer dich dabei erwischt, musst du nachsitzen.

Bei Zombies bewegt man sich einfach wie ein Zombie. Für Genauigkeit gibt es Extrapunkte.

Entweder spielen wir Spiele, oder wir spielen Sachen tauschen. Die beliebtesten Sachen zum Tauschen sind Fußballsticker und Süßigkeiten, aber man kann alles tauschen, wenn ein anderer es haben will. Chevon Brown und Saleem Khan haben Uhren getauscht. Saleem Khans Uhr gibt die Zeit auf dem Mond an, aber die von Chevon Brown ist fetter und aus echtem Titanium. Jede davon ist voll schick. Beide waren mit dem Geschäft zufrieden, aber dann wollte Saleem Khan zurücktauschen.

Saleem Khan: »Ich hab meine Meinung eben geändert, darum.«

Chevon Brown: »Wir haben eingeschlagen, Mann.«

Saleem Khan: »Ich hab aber meine Finger über Kreuz gehabt.«

Chevon Brown: »Du Arschkeks. Zweimal mit der Faust.«

Saleem Khan: »Nee, Mann. Einmal.«

Chevon Brown: »Dann aber vorn Kopf.«

Saleem Khan: »Auf die Schulter, die Schulter.«

Chevon Brown: »Flasche.«

Chevon Brown hat Saleem Khan voll hart geboxt, dass er einen tauben Arm bekam. Aber es war ja Saleems eigene Schuld, weil er den Handel rückgängig machen wollte. Er hatte Angst, dass seine Mamma rote Augen macht.

Ich hab noch keine Uhr, ich brauch auch keine. Die Klingel sagt dir, wo du sein musst, und im Klassenzimmer hängt eine Uhr. Außerhalb der Schule brauchst du die Uhrzeit nicht zu wissen. Dein Magen sagt dir, wann Essenszeit ist. Du gehst nach Haus, wenn du genug Hunger hast, so einfach ist das.

Ich war der tote Junge. X-Fire brachte uns Messerkampf bei. Er benutzte kein echtes Messer, er nahm nur die Finger. Die piksten trotzdem ganz schön. X-Fire sagt, wenn man zusticht, muss man das richtig schnell machen, denn man selber spürt es auch.

X-Fire: »Das Messer geht rein, und du spürst, was es trifft. Wenn es auf Knochen oder so was stößt, das fühlt sich ekelhaft an, wa. Du suchst dir besser was Weiches wie den Bauch aus, wo es leichter reingeht, dann spürst du nichts. Das erste Mal, als ich einem ein Messer reingestochen hab, war voll schlimm, Mann. Da sind seine ganzen Innereien rausgekommen. Das war voll ekelhaft. Da wusste ich noch nicht, wohin ich zielen sollte, und hab ihn zu tief unten erwischt, ja? Deswegen ziele ich jetzt auf die Seiten, wo das Hüftgold sitzt. Dann fällt da nichts Widerliches raus.«

Dizzy: »Das erste Mal, wo ich mit dem Messer auf einen

los bin, ist das Messer stecken geblieben. In ner Rippe oder so. Ich musste tierisch ziehen, um das Ding wieder rauszukriegen. Ich quasi so, gib mir mein Messer wieder, du blöde Sau!«

Clipz: »Verstehste? Man will ja bloß zustechen und dann nichts wie weg. Kein großes Hin und Her, wa.«

Killa hat nichts gesagt. Der war ganz still. Vielleicht hat er ja noch keinen gemessert. Oder so viele, dass es ihn jetzt schon langweilt. Wahrscheinlich heißt er deswegen Killa.

Ich war der tote Junge, weil X-Fire mich dazu bestimmt hatte. Ich musste bloß stillhalten. X-Fire wurde sauer, wenn ich mich bewegte. Dauernd hat er an mir rumgezerrt. Mir war irgendwie schlecht, aber ich musste weiter zuhören. Ich wollte ja sogar zuhören. War genauso, als ich das erste Mal Erbsenpüree probiert hab: Das war eklig, aber ich musste es aufessen, denn Essen umkommen zu lassen ist eine Sünde.

Sogar als er weg war, hab ich seine Finger noch zwischen meinen Rippen gespürt. War nicht so schön. X-Fires Atem riecht nach Zigaretten und Schokomilch. Angst hatte ich aber keine.

Samstags gehen wir auf den Markt. Es ist alles draußen, und dir wird total kalt, wenn du darauf wartest, dass Mamma bezahlt hat; du musst den Mund zulassen, damit dir die Zähne nicht rausfallen. Der Markt lohnt sich überhaupt nur wegen der superguten Sachen, die man angucken kann, ferngesteuerte Autos oder Samuraischwerter (die sind zwar aus Holz, aber immer noch voll gefährlich. Wenn ich die Mittel hätte, würde ich sofort eins kaufen, ich würd damit Eindringlinge verjagen).

Mein Lieblingsgeschäft ist der Süßigkeitenladen. Da kriegt man alle Sorten Haribo, die man sich vorstellen kann. Ich hab mir vorgenommen, jede einzelne Sorte durchzuprobieren. Bis jetzt habe ich ungefähr die Hälfte durch. Haribo bekommt man in einer Million verschiedener Formen. Ichschwör, von allem, was es auf der Welt gibt, gibt es auch eine kaubare Haribo-Version. Sie machen Colaflaschen, Würmer, Milchshakes, Teddybären, Krokodile, Spiegeleier, Schnuller, Draculazähne, Kirschen, Frösche und unzählige mehr. Colafläschchen sind am besten.

Bloß Weingummi-Babys mag ich nicht. Das ist grausam. Mamma hat schon in echt tote Babys gesehen. Sie sieht die jeden Tag auf der Arbeit. Ich kauf nie Weingummi-Babys, wegen weil es sie daran erinnern würde.

Mamma hat den ganzen Markt nach einem Taubennetz abgesucht. Ich hab heimlich gebetet, dass sie keins findet.

Ich:»Das ist nicht fair. Nur weil Lydia Angst vor denen hat.«

Lydia:»Hör bloß auf! Ich hab keine Angst!«

Mamma:»Es geht nicht, dass ständig Tauben in der Wohnung rumfliegen. Die machen überall hin, das ist doch ekelhaft.«

Ich:»Das war nur einmal. Sie hatte Hunger, nur deshalb.«

Mamma:»Keine Widerworte, Harrison, ich diskutiere nicht.«

Manche Leute spannen Netze über ihren Balkon, damit keine Tauben reinkommen. Damit bin ich gar nicht einverstanden, die tun doch keinem was. Meine Taube soll wiederkommen. Ich hab extra Fufu-Mehl für sie in meiner Kommode versteckt. Ich will sie nicht essen, ich will sie zähmen, damit sie auf meiner Schulter sitzt. Am Schluss wurde mein Gebet erhört: Die verkaufen auf dem Markt gar keine Taubennetze. Ichschwör, mir fiel ein Stein vom Herzen

Ich:»Keine Sorge. Wenn sie zurückkommt, sag ich ihr, sie soll woanders ein Zuhause finden.«

Mamma:»Stell bloß kein Futter mehr für sie raus. Glaub ja nicht, ich hätte das ganze Mehl auf dem Balkon nicht gesehen; du hältst mich wohl für blöd.«

Ich: »Tu ich nicht!«

Ich hasse es, wenn Mamma meine Gedanken liest! Von heute an warte ich einfach, bis sie schläft.

Ich tat so, als hätte ich nicht gesehen, wie Jordan der Frau das Handy klaute. Ich wollte nicht, dass Mamma glaubt, ich wär damit einverstanden, sie hasst Jordan eh schon, weil er ins Treppenhaus spuckt. Es passierte an Noddys Kleiderstand. Ich sah die ganze Geschichte, während Mamma mein Chelsea-Trikot bezahlte. Eigentlich waren es X-Fire und Dizzy, die sich das Handy schnappten. Sie waren sehr trickreich: Sie warteten, bis sie telefonierte, dann haben sie sie angerempelt, damit sie ihr Handy fallen lässt. Bei ihnen sah es aus wie ein Versehen. Das Handy fiel hin, dann war urplötzlich Jordan da, schnappte sich das Telefon und rannte damit los. Er quetschte sich durch die Menge und war in Sekundenschnelle weg. Er löste sich einfach in Luft auf, fast wie ein Geist. Die Frau hat sich nach ihrem Handy umgesehen, aber da war schon nichts mehr zu machen. Der Coup war echt gelungen. Jordan kriegt kein Geld dafür, dass er ihnen hilft, er kriegt bloß ein paar Zigaretten, oder eine freie Woche, in der sie ihn mal nicht umzubringen versuchen. Kein gutes Geschäft, finde ich. Ich würde an seiner Stelle jedes Mal einen Zehner nehmen.

Mein neues Chelsea-Shirt kratzt ein bisschen. Ich musste mir Pflaster über die Brustwarzen kleben, um sie nicht aufzuscheuern. Es ist trotzdem noch voll stylisch. Der tote Junge war auch für Chelsea. Er hatte das richtige Trikot mit Samsung drauf, das Auswärtstrikot sogar. Ich hoffe, im Himmel gibt es richtige Tore mit Netzen drin, damit man nicht immer meilenweit laufen muss, wenn man ein Tor geschossen hat.

Hier gibt es eine Million Hunde. Ichschwör, fast so viele Hunde wie Menschen. Die meisten sind Pitbulls. Saugefährlich sind die; die kannst du als Waffe benutzen, wenn dir die Patronen ausgehen. Harvey ist der schlimmste von allen. Er gehört X-Fire. Auf dem Spielplatz lässt er Harvey immer in die Schaukeln beißen, um ihn in Rage zu bringen. Er hängt dann richtig mit den Zähnen dran und schaukelt in der Luft rum wie ein betrunkener Hubschrauber. Wenn ich Harvey kommen sehe, halte ich einfach den Atem an, damit er meine Furcht nicht riechen kann.

Mein Lieblingshund ist Asbo, der ist ganz friedlich und lustig. Ich und Dean Griffin hatten im Park Fußball gespielt, da kam ein Hund und schnappte sich unseren Ball. Das war Asbo. Wir sind hinter ihm her und haben versucht, ihn zu tackeln, aber er war zu schnell. Er wollte bloß spielen und hat dann aus Versehen den Ball kaputtgemacht. Jetzt haben wir bloß noch meinen Plastikball. Der fliegt immer weg, weil er zu leicht ist. Das ist echt nervig. Bald krieg ich einen richtigen Ball, aus Leder, damit er nicht wegfliegen kann.

Hunde können niesen, ichschwör, das stimmt. Ich hab es selbst gesehen. Asbo hat laut geniest. Alle waren geschockt. Wer hätte das gedacht. Er hat ungefähr hundertmal geniest. Er konnte nach dem ersten Mal nicht aufhören, es war wie ein Maschinengewehr. Jedes Niesen brachte ein neues Niesen. Sogar Asbo war überrascht. Er konnte ewig lang nicht aufhören.

Terry Takeaway: »Der ist allergisch gegen Bier, was?«

Terry Takeaway hatte einen Schluck Bier in seine Hand geschüttet und es Asbo zum Trinken hingehalten, aber Asbo wollte nicht. Er hat bloß ein trauriges Gesicht gemacht und den Kopf weggedreht, und dann hat er angefangen zu niesen. Die Bläschen sind ihm bestimmt in die Nase gestiegen.

Terry Takeaway heißt so, weil er immer Sachen mitgehen lässt. Es ist bloß ein anderer Name für Klaumann. Wenn man ihn trifft, hat er immer irgendwas frisch Geklautes dabei. Meistens sind es DVDs und Handys, weil die am leichtesten gehen. Er fragt dich dann, ob du was kaufen willst, auch wenn du noch ein Kind bist und keine Mittel hast.

Terry Takeaway: »Wollt ihr die kaufen? Anständiges Kupfer, ganz schön was wert.«

Dean: »Was sollen wir denn mit einem Haufen Kupferrohre?«

Terry Takeaway: »Keine Ahnung. Du kannst sie ja verkaufen.«

Dean: »Warum verkaufst du sie nicht selbst?«

Terry Takeaway: »Ja, was mach ich denn jetzt grade?«

Dean: »Ich meine, warum verkaufst du die nicht an wen, der die brauchen kann?«

Terry Takeaway: »Is ja gut, Kleiner, spring nicht gleich aus dem Hemd. War ja nur ne Frage.«

Hemd? Mein Hemd bleibt in der Hose! Ichschwör, Terry Takeaway hat einen Hau. Das kommt davon, dass er Bier zum Frühstück trinkt.

Ich erleichtere mich am liebsten, wenn Mamma gerade WC-Reiniger ins Klo getan hat. Der Reiniger macht riesigen Schaum, das ist dann, als würde man auf eine Wolke machen. Ich warte immer extra, bis ich richtig Druck auf der Blase habe. Keiner darf die Spülung drücken, bis ich auf die Wolke gepinkelt hab. Ich tu dann so, als wär ich Gott, der auf seine Lieblingswolke pinkelt. Ich hab schon auf eine Wolke runtergeguckt. Als wir in dem Flugzeug waren nämlich. Wir waren tatsächlich über den Wolken. Wisst ihr, was da ist? Himmel und noch mal Himmel. Ichschwör. Einfach Himmel ohne Ende. Und das Paradies ist noch mal dahinter.

Mamma: »Das Paradies kannst du erst sehen, wenn du so weit bist. Deswegen versteckt Gott es hinter dem Himmel.«

Ich: »Aber es ist trotzdem da irgendwo.«

Mamma: »Natürlich!«

Ich wollte es auf der Stelle sehen. Ich wollte sehen, was Grandpa Solon gerade machte.

Ich: »Ich wette, er spielt Schere-Stein-Papier mit Jesus.«

Lydia: »Ich wette, er schummelt!«

Ich: »Was? Das ist gar kein Schummeln!«

Lydia: »Du spinnst wohl!«

Grandpa Solomon sagt, dass die Schere in Wirklichkeit den Stein schlägt, denn am Schluss ist der Stein so mürbe von all den Stichen, dass er auseinanderfällt. Alle, die behaupten, Stein schlägt Schere, sind bloß zu faul, bis zum Schluss zu warten. Von allem, was er gesagt hat, kann ich mich nur daran erinnern, denn er ist schon gestorben, als ich noch ein Baby war. Es stimmt aber trotzdem. Jeder, der sagt, das wäre geschummelt, ist ein Dummkopf.

Lydia hat geglaubt, das Flugzeug würde abstürzen. Das war im zweiten Flugzeug, dem von Kairo nach England. Wir saßen direkt neben der Tragfläche. Man konnte sie im Flug wackeln sehen. Ich hatte keine Angst. Wenn ein Flugzeug abstürzt, ist der beste Platz der gleich neben dem Flügel, da ist es am stabilsten. Sagt Papa auch. Das Wackeln ist normal.

Ich: »Guck mal! Jetzt wackelt er noch schlimmer! Gleich fällt er ab!«

Lydia: »Hör auf damit!«

Mamma: »Harrison! Schluss mit dem Palaver. Und schnall dich an.«

Wir sind nicht abgestürzt. Dafür hatte ich gebetet, bevor wir abhoben.

Als ich von der Schule nach Haus kam, war Polizei draußen vor den Wohnungen. Es waren zwei Polizeiautos da und Unmengen von Cops, die in den Büschen und Mülltonnen suchten, als hätten sie etwas Wichtiges verloren. Einer der Cops war eine Frau. Verrückt. Sie wollte glatt ein Mann sein. Sie hatte die gleichen Polizeiklamotten an und alles. Sie stellte den Kindern Fragen, keiner konnte ins Haus, ohne vorher verhört zu werden. Das war krass. Ich finde ja Frauenpolizisten eine super Idee. Die reden bloß mit dir, statt immer direkt drauf zu hauen.

Ein Versoffener: »Zeigen Sie mir, wie die Handschellen funktionieren? Ich war ein böser Junge, mir gehört der Hintern versohlt.«

Polizistenfrau: »Pass bloß auf!«

Die Polizistenfrau hat uns nur nach dem toten Jungen gefragt. Ob wir wissen, wo er an dem Tag war, und ob ihm einer gefolgt ist. Ob wir etwas Ungewöhnliches gesehen hätten. Wir sagten einfach nein. Wir wüssten nichts. Wir wünschten, wir wüssten mehr, aber wir könnten nichts tun.

Dean: »Haben Sie schon nen Anhaltspunkt?«

Ich: »Sie ist doch keine Ampel!«

Dean: »Sehr witzig, Blödarsch.«

Polizistenfrau: »Wir arbeiten daran.«

Dean: »Wenn wir was hören, simsen wir Ihnen. Wie ist denn Ihre Nummer?«

Polizistenfrau: »Frechdachs.«

Dann mussten die Cops weg, denn Harvey versuchte, den Seitenspiegel von einem der Polizeiautos abzubeißen. X-Fire hat ihn dazu abgerichtet. Killa und Dizzy feuerten ihn an. Sie hauten erst ab, als die Cops ihr Pfefferspray rausholten und es in Harveys Gesicht sprühen wollten. Menschen macht es nur blind, aber Hunde tötet es in fünf Sekunden.

Ich: »Ich war da, wo der tote Junge umgebracht wurde, überall war Blut.«

Dean: »Das hätte ich auch gern gesehen.«

Lydia: »Ich auf gar keinen Fall!«

Ich: »Hättest du wohl. Du ärgerst dich nur, weil du nicht dabei warst. Es war wie ein Fluss. Man konnte richtig darin schwimmen.«

Lydia: »Du spinnst ja wohl.«

Ich wollte glatt reinspringen wie ein Fisch. Wenn ich die Luft lang genug anhielte, könnte ich bis zum Grund tauchen. Wenn ich dann wieder hochkäme und noch am Leben wäre, wäre das, als wär der tote Junge noch hier, vielleicht in meiner Atemluft oder im Licht, das ich sah, wenn ich die Augen aufmachte. Ich hielt den Atem an und versuchte zu fühlen, wie mein Blut kreiste, aber ich fühlte gar nichts. Wenn ich wüsste, dass mein Blut in fünf Minuten auslaufen würde, würde ich diese fünf Minuten einfach mit all meinen Lieblingssachen füllen. Ich würde höllenviel Chinazeug essen, auf eine Wolke pinkeln und Agnes mit meinem komischen Gesicht zum Lachen bringen, dem, wo ich total die Augen verdrehe und mit meiner Zunge die Nasenspitze berühre. Wenn du es vorher wüsstest, wärst du wenigstens bereit. Anders ist es unfair.

Paradiddle heißt einfach Trommelwirbel. Das ist für diesen Tag mein Lieblingswort. In Musik haben wir heute Schlagzeug gespielt. Ein Trommelwirbel ist, wenn man die Trommel richtig schnell mit zwei Stöcken schlägt und es lange durchhält. Ich finde Paradiddle toll, weil es klingt, wie es sich anhört. Ichschwör, das ist ganz schön clever.

Die große Trommel unten (die Bassdrum) hat ein Pedal. Man schlägt sie mit dem Fuß, in echt. Das ist krass. Die meisten Leute hauen zu doll auf die Trommeln, als wollten sie sie kaputtmachen. Die machen sich da einen Spaß draus. Ich schlage sie nur gerade so doll, dass man es gut hört. Ich habe Poppy Morgan gezeigt, wie man den Fuß so bewegt, dass die Bassdrum immer im Rhythmus bleibt. Es ist leichter, wenn man im Kopf mitzählt. Man tritt das Pedal immer auf eins. Etwa so:

1 2 3 4
1 2 3 4

Und das wiederholt man einfach so lange, wie es okay klingt. Oder man tritt das Pedal auf eins und drei, um den Rhythmus schneller zu machen:

1 2 3 4
1 2 3 4

Aber das ist schon ein bisschen zu schnell, macht einen irgendwie wirr, als würde man gleich rauskommen. Als ich Poppy Morgan gezeigt hab, wie man die Bassdrum spielt, hab ich versehentlich ihr Haar gerochen. Ich kam zu nah ran und da hab ich es eben gerochen. Poppy Morgans Haar ist gelb wie die Sonne. Wenn sie lächelt, zieht sich mein Magen zusammen, ich weiß gar nicht, warum.

Von meinem Balkon kannst du nur den Parkplatz und die Mülltonnen sehen. Der Fluss ist nicht zu sehen, weil die Bäume im Weg sind. Du siehst Häuser und noch mal Häuser. Reihen und Reihen davon überall wie ein Nest von Schlangen. In den kleineren Wohnungen leben ältere Leute und die Nicht-ganz-Richtigen. (Nicht-ganz-Richtige nennt Jordans Mamma Leute, die sie nicht alle haben. Manche von ihnen werden so geboren, und andere sind so, weil sie zu viel Bier getrunken haben. Manche sehen genau wie echte Menschen aus, nur dass sie nicht rechnen oder vernünftig reden können.)

Mamma und Lydia schnarchten beide wie verrückte Schweine. Ich hab meinen Mantel angezogen und mir etwas Mehl geholt. Es war sehr spät. Die Hubschrauber suchten wieder nach Dieben, ich konnte sie etwas weiter weg hören. Der kalte Wind biss mir wie ein durchgedrehter Hund in die Knochen. Die Bäume hinter den Hochhäusern rauschten, aber der Fluss schlief. Papa, Agnes und Grandpa träumten mich, es war, als sähen sie mich im Fernsehen. Die Taube fühlte, dass ich auf sie wartete, sie würde heute Nacht wiederkommen, das wusste ich einfach.

Ich wartete, dass der Wind wegging, dann legte ich einen schön großen Haufen Mehl auf das Geländer. Ich verteilte es der Länge nach, damit die Taube es schon meilenweit sehen konnte. Auweh, der Wind kam husch-husch zurück und blies es weg! Ich musste einfach hoffen, dass sie meinen Plan gewittert hatte und wiederkommen würde. Ich mag ihre orangenen Füße, und wie sie den Kopf bewegen, als hörten sie eine unsichtbare Musik.

Ich finde es toll, im 9. Stock zu wohnen, du kannst runtergucken, und solange du dich nicht zu weit vorbeugst, merkt keiner unten am Boden, dass du da bist. Ich wollte runterspucken, doch dann sah ich einen bei den Mülltonnen und schluckte die Spucke wieder. Er kniete auf dem Boden und hatte den Arm unter dem Glascontainer, als hätte er da was verloren. Ich sah sein Gesicht nicht, weil er die Kapuze übergezogen hatte.

Ich: »Vielleicht ist das der Räuber! Schnell, Hubschrauber, hier ist euer Mann! Leuchtet mit euren Taschenlampen hier runter!« (Ich sagte das nur im Kopf.)

Er zog was unter der Tonne raus. Es war ganz eingewickelt. Er schaute sich um, ehe er es auspackte, und ich sah irgendwas Glänzendes. Ich sah es nur eine Sekunde lang, aber es musste ein Messer gewesen sein. Mir fiel nichts anderes ein, das so glänzt und so spitz ist. Er wickelte es wieder ein und steckte es in seine Hose, dann rannte er husch-husch runter zum Fluss. Das war ja mal eine komische Sache. Die Hubschrauber haben ihn überhaupt nicht gesehen. Sie verfolgten ihn nicht oder so, sie waren viel zu hoch. Er rannte voll komisch wie ein Mädchen, so mit abstehenden Ellbogen. Ich wette, ich bin schneller als der.

Ich wollte warten, ob noch etwas passiert, aber der Porzellangott rief mich. Ich wartete, so lange ich konnte. Ich weiß auch nicht, warum die Taube nicht zurückkam. Die denkt, wir würden sie umbringen, würden wir aber nie tun. Ich will bloß was Lebendiges, um es zu füttern und ihm Kunststücke beizubringen.

Ich schaute mir den Sonnenaufgang an und sah dem Jungen nach, der sich auf den Schulweg machte. Ich beginne jeden Tag mit dem Geschmack seiner Träume im Mund. Dem Geschmack all eurer Träume. Von hier oben seht ihr so untadelig aus, so geschäftig. Darin, wie ihr euch um ein Objekt eurer Neugier schart oder vor einer Einmischung die Flucht ergreift, sind wir uns ähnlicher, als ihr uns zubilligt. Aber nicht allzu ähnlich.

Hier sitze ich neun Stockwerke hoch auf einer Fensterbank und teile mir die Reste meiner letzten Hirsemahlzeit ein. Hier sitze ich und bemitleide euch, weil Menschenleben so kurz sind und es nie gerecht zugeht. Ich kannte den Jungen nicht, der gestorben ist, er war keiner von meinen. Aber ich kenne die Trauer einer Mutter, ich weiß, wie sie an dir hängen bleibt, wie diese unverwüstlichen Brombeeren, die an den Böschungen der Autobahnen gedeihen. Sorry und so weiter. Und nun achtet auf eure Köpfe, ich muss mal. Ab geht die Post. Ich hab euch gewarnt.

Wenn einer seine Tür fest zuschlägt, wackelt jedes Mal unsere ganze Wohnung. Du spürst es richtig. Irgendwer macht seine Tür zu, und alle kriegen es mit. Das ist, als wohnten wir alle zusammen unter einem Dach. Du kannst so tun, als wäre es ein Erdbeben. Mr Tomlin hat gesagt, ein Erdbeben passiert nur in Teilen der Welt, wo die Felsen kitzlig sind.

Da mussten alle lachen. Mr Tomlin ist sehr lustig. Er macht glatt noch bessere Witze als Connor Green.

Ich mag es nur nicht, wenn die Schreierei zu laut wird. Da kriege ich jedes Mal einen tierischen Schreck. Das klingt, als kämen die Eindringlinge, um uns umzubringen. Wenn das Geschrei zu nahe kommt, stelle ich einfach den Ton am Fernseher lauter, um es zu übertönen.

Falls Eindringlinge kommen, ist es meine Aufgabe, sie zurückzuschlagen. Das macht immer der Mann im Haus. Wir legen die Kette an der Tür vor und schließen ab, damit Eindringlinge nicht reinkommen. Wenn sie doch reinkommen, müssen wir sie mit einer Gabel erstechen. (Du darfst nicht mit einem Messer zustechen, weil das Mord wär. Bei Gabeln aber nicht. Gabeln sind nur Selbstverteidigung.) Ich stelle mich vor Lydia, um sie zu beschützen. Und vor Mamma, wenn sie zu Hause ist. Während ich mit den Eindringlingen kämpfe, rufen Lydia oder Mamma die Polizei. Ich werd auf die Augen zielen, denn das sind die weichsten Stellen. Das macht sie nur blind. Wenn sie dann nichts sehen können, schubse ich sie nach draußen und in den Lift. Im Aufzug ist sicher.

Natürlich nur, wenn Eindringlinge kommen. Das muss ja nicht passieren.

Ich guckte durch den Türspion. Es waren nur Miquita und Chanelle. Ich schloss auf und ließ sie rein.

Miquita: »Was soll das denn, biste Türsteher?«

Lydia: »Jetzt lass sie schon rein, Harrison.«

Ich: »Nenn mich nicht Harrison, du bist nicht Mamma.«

Ichschwör, Lydia spielt immer den Boss, wenn ihre Freundinnen zu Besuch sind. Sie macht sich wichtig und schickt mich in mein Zimmer, Hausaufgaben machen. Ich will nicht in mein Zimmer gehen. Sie will mich nur loswerden, damit sie *Hollyoaks* gucken können. Das finden sie ja sooo toll. Dabei küssen sich da die Leute bloß die ganze Zeit. Manchmal küsst sogar ein Junge einen anderen

Jungen! Ich schwöre bei Gott, es stimmt. Sie sind einfach widerlich.

Ich: »Ich sag Mamma, dass ihr euch Küsserei anguckt! Das ist widerlich.«

Dann knallt mir Lydia die Tür vor der Nase zu. Sie wartet, bis ich richtig nah dran bin, dann knallt sie die Tür zu. Das ist so gemein. Früher hat sie das nie gemacht, und jetzt andauernd. Nur damit ihre doofen Freundinnen über mich lachen können.

Ich: »Lass mich rein!«

Lydia: »Miquita will nicht, dass du reinkommst. Du kneifst sie immer in den Hintern.«

Ich: »Hau bloß ab! Das stimmt gar nicht.«

Ist alles gelogen. Ich hab noch nie in Miquitas Hintern gekniffen. Da würde ich meine Finger lieber in einen Haufen Feuerameisen stecken. Miquita und Chanelle haben beide einen Hau, sie geben damit an, welche Jungs sie schon gelutscht hätten (so nennt man dolleres Küssen). Miquita benutzt kirschroten Lippenstift. Er schmeckt auch noch nach Kirsche. Dauernd malt sie sich damit an. Sie sagt, sie will schön süß schmecken, wenn sie mich küsst.

Ich: »Du wirst mich nie küssen. Ich haue einfach ab.«

Miquita: »Wohin? Du kannst nirgendwo hin. Hab keine Angst, bloß weil du mich wahnsinnig liebst.«

Ich: »Ich liebe dich kein bisschen. Ich wünschte, du würdest in ein tiefes Loch fallen.«

Miquita könnte hübsch sein, sie müsste nur den Mund halten. Sie hat sich mal auf meine Hand gesetzt, und mir wurde ganz heiß. Ich wollte gar nicht an ihren Hintern fassen. Na, jedenfalls ist sie eine Angeberin, sie macht immer unseren Fernseher runter, nur weil der aus Holz ist und sehr alt. Wir haben ihn aus dem Krebs-Laden, und er gehörte früher mal einem Toten. Das Bild kommt nicht sofort, man muss warten, bis er warmgelaufen ist. Anfangs ist das Bild total dunkel, dann kommen erst die richtigen

Farben. Das dauert und dauert. Nach dem Anstellen kann man ruhig noch den Porzellangott grüßen gehen, bevor das Bild kommt; hab ich selbst ausprobiert, es klappt.

Miquita geht nicht zu der Beerdigung von dem toten Jungen. Sie kannte ihn nicht.

Miquita: »Was soll ich da, Alter? Beerdigungen sind doch alle gleich, oder?«

Ich: »Das macht man aus Respekt.«

Miquita: »Ich respektiere ihn aber gar nicht. Ist seine eigene Schuld, dass er umgebracht worden ist, er hätte sich halt mit keinem anlegen sollen. Wer mit dem Feuer spielt, verbrennt sich die Finger, wa.«

Ich: »Du hast doch keine Ahnung, du warst ja nicht mal dabei. Er hat selbst überhaupt nichts gemacht, der Mörder wollte bloß sein Chicken Joe's.«

Miquita: »Mir doch egal. Was weißt du schon, du bist doch bloß ein kleiner Junge.«

Ich: »Du weißt auch nichts. Ichschwör, du bist einfach bloß bescheuert.«

Miquita: »*Ichschwör, ichschwör! Ichschwör bei Gott!* Du klingst wie ein lästiger kleiner Pinscher. Geh mir aus dem Gesicht, du nervst.«

Ich: »Pah, dein Gesicht nervt *mich*, Fischmaul.«

Ich bin gegangen, bevor ich noch voll rote Augen mache. Wenn Miquita mir irgendwann einen ablutscht, bring ich sie um. Sie ist zu widerlich, und sie hat fette Hände.

Die Türen des Einkaufscenters öffnen sich magisch. Man muss sie nicht mal berühren. Es gibt ein großes Schild, auf dem alle Regeln stehen:

ALKOHOLKONSUM VERBOTEN
RADFAHREN VERBOTEN
HUNDE VERBOTEN
SKATEBOARDFAHREN VERBOTEN

RAUCHEN VERBOTEN
BALLSPIELEN VERBOTEN

Unter die echten Regeln hat jemand mit einem Kugelschreiber eine neue Regel geschrieben:

HÄSSLETTEN VERBOTEN

Hässletten sind Mädchen, die unbedingt ein Baby von dir wollen. Dean Griffin hat mir von ihnen erzählt.

Dean: »Wenn du eine Hässlette küsst, kriegt die jedes Mal ein Baby. Du musst die nur zu lange ansehen, und schon hat die nen Braten im Ofen, ich schwöre. Die sind echt voll ranzig, Alter, halt dich von denen fern.«

Man will denen auch gar nicht zu nahe kommen, die haben Schorf im Gesicht und stinken nach Zigaretten. Ihre Babys stinken auch nach Zigaretten. Wir haben so getan, als wären die Hässletten hinter uns her; sie waren die Zombies und wir mussten schnell abhauen. Wenn eine von ihnen uns küsste, würden wir auch zu Hässletten-Zombies werden. Das war voll lustig. Wir sind gerade noch entkommen.

Dean ist mein zweitbester Freund. Er ist mein bester Freund in der Schule, und Jordan ist mein bester Freund außerhalb der Schule. Es war Dean, der mir gesagt hat, ich soll mir mein Essensgeld in die Strümpfe stecken, damit es die Räuber nicht finden. Er macht das immer so und wird deshalb jetzt gar nicht mehr überfallen.

Ich habe es versucht, aber es war so klumpig, dass ich nicht darauf laufen konnte. Mein Essensgeld bleibt einfach in der Tasche. Mich raubt sowieso keiner aus, ich hab keinem was getan.

Ich: »Glaubst du, der tote Junge ist selber schuld, dass sie ihn erstochen haben? Das hat die Freundin von meiner Schwester gesagt. Ich glaube ihr nicht. Ich glaube, sie ist vielleicht eine Hässlette. Meinst du, die fangen den, der das getan hat?«

Dean: »Würd ich nicht drauf wetten, die Bullen hier haben das nicht drauf. Die sollten CSI auf den Fall ansetzen, die knacken den in null Komma nichts.«

Ich: »Wer ist denn CSI?«

Dean: »Das sind so Superdetektive aus Amerika, die kennen die besten Tricks und finden Hinweise, auf die andere überhaupt nicht kommen. Das ist nicht bloß in der Glotze so, auch in echt. Ich hab eine Folge gesehen, wo so eine Gang rumlief und Leute plattgemacht hat, so richtig mit Baseballschlägern und auf dem Kopf rumtrampeln und alles.«

Ich: »Warum?«

Dean: »Keine Ahnung, nur so. Und es gab keine Zeugen und nichts, aber die bei CSI hatten ein spezielles Computerprogramm, das allein am Muster der Sohle erkennen kann, was für Turnschuhe du anhast. Und damit haben sie die Fußabdrücke auf dem Gesicht des Toten den Fußabdrücken des Mörders zugeordnet, so haben sie ihn geschnappt. Das war voll clever.«

Ich: »Das ist voll clever. Das Gleiche sollten sie hier machen. Vielleicht finden wir die Fußabdrücke.«

Dean: »Vielleicht, aber unsere Technologie ist doch scheiße. Wir haben nicht mal die richtige Ausrüstung. Oi, aufpassen!«

Terry Takeaway wär beinah in uns reingeknallt. Er rannte wie ein Verrückter. Er hat uns gar nicht gesehen. Er trug ein großes Tablett mit Hähnchen. Ich sah gleich, dass es zu schwer war. Ein paar Hähnchen fielen runter, als ihm das Tablett verrutschte. Terry Takeaway blieb gar nicht stehen, er rannte einfach weiter, mit ganz großen Augen, voll konzentriert. Superlustig. Wir mussten aus dem Weg springen.

Metzger: »Bleib stehen, du kleiner F—er!«

Der Metzger war zu dick, um ihm nachzurennen, keine Chance. Auf der Treppe von der Bücherei warteten die anderen Saufnasen. Alle griffen sich ein Hähnchen und rannten dann in verschiedene Richtungen weg. Sogar Asbo rannte weg. Er dachte wohl, es wär ein Spiel, und bellte wie verrückt. Dean und ich drückten die Daumen, dass keiner erwischt wurde. Voll lustig, ichschwör. Dean meinte, wir sollten jeden Tag hier langgehen. Wir machten uns das zur neuen Regel.

Ich weiß gar nicht, wo hier die richtigen Hühnchen leben. Alle kaufen sie schon tot und gerupft. Das ist doch nicht normal. Ich vermisse ihre Gesichter. Ihre toten Augen sind wunderschön, als ob sie von all den schönen Tagen träumen, an denen sie in der Sonne rumliefen und sich gegenseitig in den Kopf pickten.

Hühnchen: »Pick pick pick!«

Anderes Hühnchen: »Verpick dich!«

Wenn ein Baby stirbt, muss man ihm einen Namen geben, sonst kommt es nicht in den Himmel. Manchmal sind sie zu traurig, um sich einen Namen auszudenken. Dann macht Mamma das. Gewöhnlich nimmt sie einen aus der Bibel. Wenn die andere Mamma nicht an die Bibel glaubt, nimmt sie stattdessen einen Namen aus der Zeitung. Heute ist ein Baby gestorben. Es war ektopisch.

Mamma: »Das heißt, dass sie außerhalb der Gebärmutter wachsen. Da kann man dann nichts machen. Manchmal verliert man sie einfach.«

Mamma hatte dem toten Baby einen Namen geben müssen. Sie hat es Katy genannt, nach einer Lady aus der Zeitung. Die Mamma des Babys hat sich sehr gefreut. Sie fand den Namen schön.

Ich: »Wenn das nächste Mal ein Baby stirbt, kannst du es Harrison nennen. Davon wäre sie auch begeistert.«

Mamma: »Kann ich nicht, das bringt Unglück.«

Ich: »Wieso?«

Mamma: »Ist eben so. Harrison ist dein Name. Ich will nicht, dass ein anderer ihn bekommt.«

Einen Namen hast du, damit Jesus dich findet. Sonst wüsste Jesus nicht, nach wem er suchen soll, und du würdest auf ewig durchs All treiben. Das wär ultragefährlich. Was, wenn du in die Sonne fällst und als menschlicher Toast endest!

Es ist okay, die toten Babys werden im Himmel groß. Ichschwör, da war ich sehr erleichtert. Ich fände es schrecklich, wenn ich immer ein Baby bleiben müsste. Du würdest nie lesen und schreiben lernen. Du wärst nutzlos. Ich kann mich nicht mal daran erinnern, wie es war, ein Baby zu sein. Die meiste Zeit hab ich geschlafen. Das war sehr langweilig. Wenn das für die Ewigkeit so wäre, würde ich von Kopf bis Fuß durchdrehen.

Eigentlich müsste man Fußabdrücke bei den Mülltonnen finden, sie müssten doch zu sehen sein, wie wenn du in die Pfütze reinspringst und dann wieder raus. Ich hab danach gesucht, ehe ich zur Schule ging, aber da war nichts. Vielleicht hatte der Mörder spezielle Turnschuhe ohne Muster, oder er hat nicht fest genug aufgetreten. Ich trete immer ganz fest auf, so bekommt man die besten Abdrücke. Das ist was für die große Pause. Wenn es nass ist und für Selbstmordattentäter zu viele Lehrer in der Nähe sind, kannst du immer noch in Pfützen springen. Ich war gerade voll reingesprungen, blieb aber dann stehen wie angewurzelt, falls die Taube auf mich scheißen wollte, aber sie flog einfach vorbei. Ich konnte nicht erkennen, ob es meine Taube war, denn sie war zu weit weg. In England bringt Vogelscheiße Glück. Das sagen alle.

Ich: »Auch wenn man sie auf den Kopf kriegt?«

Connor Green: »Es ist egal, wohin, Hauptsache, sie landet auf dir. Das kann überall sein.«

Ich: »Und wenn man sie ins Auge kriegt? Und wenn man sie in den Mund kriegt und runterschluckt?«

Connor Green: »Das bringt trotzdem Glück. Scheiße bringt immer Glück. Weiß doch jeder.«

Vilis: »Dann muss Harri irres Glück haben, denn er stinkt nach Scheiße.«

Ichschwör, als er das sagte, kriegte ich wie wild rote Augen. Ich wollte ihn abschlachten, aber es waren zu viele Lehrer da. Also schluckte ich meine Wut runter.

Dean: »Mit dir hat keiner geredet, Spasti. Zisch ab und geh Kartoffelstechen mit deiner Mum.«

Connor Green: »Zisch ab und f– ne Kuh.«

Vilis sagte irgendwas in seiner Sprache und rannte weg, mitten durch die Pfütze, um uns das Spiel zu versauen. Wenn er mich das nächste Mal beleidigt, trete ich ihm in die Eier.

Ich möchte als Sarg ein Flugzeug. Der Sarg von dem toten Jungen war ein ganz normaler, nur mit dem Abzeichen von Chelsea drauf. Er sah trotzdem noch voll schick aus. Seine Familie war sehr traurig. Es war richtig düster, wegen dem Regen und weil alle schwarze Sachen trugen. Gesungen wurde nicht.

Mamma: »Gott schenke ihm die ewige Ruhe.«

Mamma drückte mich und Lydia die ganze Zeit. Du konntest ihr nicht sagen, dass sie es lassen soll. Du konntest nicht tanzen, weil sonst niemand tanzte und es im Regen sowieso zu glitschig ist. Sie ließen uns nicht in die Kirche, weil wir ihn nicht gut genug kannten, deshalb warteten wir draußen und sahen kaum was vor lauter Leuten. Ich sah den Kameramann vom Fernsehen. Die Lady, die die Nachrichten erzählte, unterbrach immer wieder, um was an ihrem Haar machen zu lassen. Das dauerte. Sehr ärgerlich. Ich hätte ihr am liebsten gesagt, sie soll den Mund halten, weil ich die Reden hören wollte.

Ich: »Was für Songs die wohl spielen werden?«

Älterer Junge: »Dizzee Rascal! Die sollten Suk My Dick spielen, Alter!«

Noch ein älterer Junge: »Du sagst es, Alter!«

TV-Nachrichten-Lady: »Könntet ihr bitte eure Ausdrucksweise mäßigen, wir drehen hier gerade. Herzlichen Dank.«

Älterer Junge: »Mäßige das mal, Bitch.«

Er tat so, als würde er seinen Bulla packen und auf die Lady richten. Sie bekam es gar nicht mit, sie hatte sich schon umgedreht. Angeber. Er sagte es nicht laut genug, dass sie es überhaupt hören konnte.

Anderer älterer Junge: »Ätzend.«

Da, wo ich herkomme, lassen sich manche Leute spezielle Särge machen, die aussehen wie irgendwas, das sie geliebt haben, als sie noch lebten. Wenn eine Lady immer gern genäht hatte, war ihr Sarg eine Nähmaschine. Wenn der Mann Bier gemocht hatte, war es eine Bierflasche. Hab ich alles schon gesehen. Der Sarg sagt dir, was der Mensch am liebsten hatte. Einmal war der Sarg ein Taxi. Der Tote war Joseph, der Taxifahrer. Ich war aus Respekt an dem Trauerzug stehen geblieben, auf dem Rückweg von Samson's Kabin, wo ich Leergut hingebracht hatte. Eine der Ladys im Trauerzug hat mich gepackt und mit mir getanzt. Das war superschön. Alle waren gut gelaunt. Jeder durfte mitmachen. Ich hab glatt vergessen, dass jemand gestorben war.

Ich: »Sie hätten ihm einen Sarg wie ein Fußballschuh machen sollen. Das wär viel schöner gewesen.«

Mamma: »Still, Harrison. Sei nicht pietätlos.«

Ich: »Entschuldigung!«

Ich hätte gern ein Flugzeug, weil ich das noch nie gesehen hab. Dann wäre meiner der erste von der Sorte.

Vom Blut des toten Jungen ist jetzt nichts mehr da, alles vom Regen weggewaschen. Das war nicht zu verhindern. Ich wollte seinen Körper sehen, vor allem die Augen, ob sie so waren wie die der Hühner und welche Träume sie verrieten, aber als ich hinkam, war der Sarg schon zu.

Ich schlich mich von Mamma und Lydia weg, die es gar nicht mitbekamen. Dean wartete auf dem Parkplatz auf mich. Wir waren Spione. Wir hielten Ausschau nach verdächtigen Aktivitäten. So nennt man es, wenn Leute heimlich tun, weil sie was zu verbergen haben, das weiß Dean aus diesen wahren Fernsehkrimis.

Dean: »Manchmal kommt der Killer zurück und sieht sich die Beerdigung an, um sich über die Cops lustig zu machen. Als würde er sagen, ihr kriegt mich nicht, ihr Vollidioten. Als würd er ihnen den Finger zeigen. Aber er will nicht geschnappt werden, so dumm ist er nicht. Sieh dich nach Typen um, die ihre Kapuze aufhaben.«

Ich: »Alle haben ihre Kapuze auf. Es regnet Bindfäden.«

Es stimmte: Man sah nichts als Kapuzen, höllenviele Kapuzen, wie Boote auf dem Meer. Die standen hinten, die Leute weiter vorne, die den toten Jungen tatsächlich liebten, teilten sich stattdessen Regenschirme. Ob es wohl doppelt Unglück bringt, wenn du in der Kirche einen Regenschirm aufspannst? Wahrscheinlich. Wahrscheinlich fällst du auf der Stelle tot um. Aber wenigstens wärst du dann am richtigen Ort, du könntest beerdigt werden, noch bevor die Fliegen an dich rankämen!

Dean: »Gut, kannst du dich an die Farbe von dem Hoodie erinnern, das dein Typ anhatte? Nein, vergiss es, er hat es mittlerweile bestimmt verschwinden lassen. Denk nach, denk nach.«

Ich: »Ich weiß was: Wir könnten alle begrüßen, und wer uns nicht die Hand gibt, muss was zu verbergen haben. Warum sollte er dir sonst auf einer Beerdigung nicht die Hand geben? Wir gehen einfach zu jedem hin und gratulieren, dann sehen wir ja, wer kneift.«

Dean: »Kondolieren, nicht gratulieren.«

Ich: »Auch egal. Wir sagen einfach Beileid. Los, komm.«

Wir quetschten uns in die hinteren Reihen, wo die ganzen Hoodies standen, Kippen qualmten und auswichen, wenn die Fernsehkamera sich auf sie richtete. Wir taten so, als wären wir offizielle Trauerbegleiter, gingen die Reihen ab, gaben jedem die Hand und sagten Beileid. Die meisten schüttelten uns die Hand und sagten Beileid zurück, sie wussten, es war etwas Ernstes und dass sie Respekt zeigen mussten. Alles ging schnell und still vor sich.

Ich und Dean: »Mein Beileid.«

Hoodie: »Beileid.«

Ich und Dean: »Beileid.«

Nächstes Hoodie: »Beileid.«

Einige von ihnen waren schwarz und andere waren weiß. Ein paar von ihnen warfen sogar ihre Kippen weg, bevor sie uns die Hand gaben, als wäre es das einzig Richtige unter diesen Umständen. Nur ein paar wenige machten nicht mit.

Ich und Dean: »Beileid.«

Hoodie zehn oder elf: »Willste mich verarschen?«

Ich: »Nein. Aber weil es doch ein Trauerfall ist.«

Dean: »Haben Sie ein Problem damit?«

Hoodie zehn oder elf: »F– euch, ihr frechen kleinen F–.«

Das wäre uns verdächtig vorgekommen, aber es war bloß der Metzger, und der war zu fett, um der Mörder zu sein. Der war einfach zu jedem gemein. Danach mussten wir aufhören, denn sie trugen den Sarg raus. Beinahe hätten sie ihn fallen lassen, einer der Träger hatte zu tief ins Glas geschaut und kam ins Stolpern. Alle hielten den Atem an, aber sie fingen sich gerade rechtzeitig. Am Schluss wurde es noch mal kritisch. Killa fuhr auf seinem Fahrrad vorbei. Er kam zwischen den ganzen Autos auf dem Parkplatz schlecht durch. Er eierte ganz schön, als er sich durchschlängeln wollte, und der Leichenwagen hätte ihn beinah überrollt. Er bremste erst in letzter Sekunde. Killa rutschte im Regen aus und fiel vom Rad.

Beerdigungsmann: »Pass doch auf, wo du langfährst!«

Ich dachte, jetzt gibt's Klatsche, oder Killa würde ihm zumindest den Stinkefinger zeigen, aber er stieg bloß wieder aufs Rad und machte husch-husch, dass er wegkam. Als er am Heck des Wagens war, wo der Sarg stand, begann er wieder zu eiern. Auf den Blumen am Sarg stand »Sohn« und »In Ewigkeit«. Aber für mich war es so, als wär die Ewigkeit für ihn schon vorbei, bevor sie angefangen hatte. Als hätte sie jemand weggenommen, als der Junge ermordet wurde. So was sollte nicht sein. Kinder dürften gar nicht sterben, nur alte Leute. Ich machte mir sogar schon Sorgen, ob ich der Nächste wär. Ich spuckte meinen Atomic Apple Hubba Bubba aus, damit ich ihn nicht aus Versehen verschluckte und mir meine ganzen Eingeweide verklebte.

Die Stufen vor der Cafeteria gehören der Dell Farm Crew. Keiner sonst darf da sitzen. Es ist der begehrteste Platz in der ganzen Schule. Sie sind unterm Dach, also wirst du nicht nass, wenn es regnet, und du kannst die ganze Schule von dort aus überblicken, daher kann sich kein Feind ungesehen anschleichen. Nur Klasse 11 darf überhaupt in die Nähe, und das auch nur, wenn X-Fire einen dazu einlädt.

Wenn man ohne Erlaubnis auf den Stufen sitzt, bekommt man gemeine Schläge. Selbst wenn genug Platz für alle da ist, hast du da nichts zu suchen. Die Treppe gehört der Dell Farm Crew. Sie haben sie in einem Krieg erobert. Nun gehört sie ihr für alle Zeiten. Sie nennen sich Dell Farm Crew nach der Dell Farm Siedlung. X-Fire ist der Anführer, denn er ist der beste Basketballer und der beste Kämpfer. Das finden alle. Er hat die meisten Leute gemessert. Er hat mir meine Schultasche weggenommen. Dabei ging ich bloß vorbei. Ich war gar nicht darauf gefasst.

Dizzy: »Schmeiß sie aufs Dach, Mann.«

X-Fire: »Willste sie wiederhaben?«

Ich: »Ja.«

X-Fire: »Was würdest du dafür tun?«

Alle sahen zu. Ich versuchte nicht weiter, mir meine Tasche zurückzuholen. Ich wusste, ich würde nie rankommen, denn sein Arm war zu weit oben. Ich wollte den Lehrern einfach erzählen, ein Adler wäre herabgestoßen und hätte sie gestohlen.

X-Fire: »Aus welchem Land bist du überhaupt?«

Ich: »Ghana.«

Dizzy: »Haben die Cops da Knarren? Haben sie garantiert.«

Clipz: »Die machen ihre Häuser da aus Kuhscheiße, echt. Hab ich gesehen.«

X-Fire: »Sei nicht so ein Schwanz, Mann. Der is in Ordnung. Pass auf, du kriegst die Tasche wieder, wenn du für mich n Job erledigst.«

Ich: »Ich brauch keinen Job. Ich sperr bloß die Türen ab und trag die schweren Sachen.«

Killa: »Wovon labert der da? Du bist witzig, Mann.«

Dizzy: »Wenn du dich uns anschließt, hast du's gut. Wir stehen hinter dir, verstehste.«

X-Fire kann einen Basketball meilenweit werfen. Er trifft immer. Ich kann überhaupt nicht treffen, denn der Basketball ist zu schwer. Ich glaube, sie tun einen Stein rein, um dich reinzulegen. Ich dribbel nur und geb dann an Chevon oder Brayden ab. Wenn ich in der 11 bin, werden meine Muskeln so dick sein wie die von X-Fire. Der Schnellste bin ich schon. Der Stärkste könnte ich auch noch sein.

Am Schluss hat X-Fire mir meine Tasche zurückgegeben. Das war eine große Erlösung.

X-Fire: »Keep it real, Ghana. Wenn du Ärger kriegst, kommste zu mir, klar?«

Ich wollte keinen Ärger, ich wollte nur an mein Essen, bevor Manik alles wegputzte. Du darfst nicht mit den Fingern essen, du musst die Gabel benutzen, sonst schicken dich die Dinner-Ladys raus. Ich benutz trotzdem noch manchmal die Finger, nur um alles auf die Gabel zu schieben. Keiner kann mir das verbieten, es ist ein freies Land.

Eine Lady aus den Häusern mit den Nicht-ganz-Richtigen fährt ein Sesselauto. Das ist bloß ein Sessel mit Rädern dran. Man setzt sich einfach drauf und fährt damit wie mit einem Auto, nur dass es statt einem Steuerrad einen Lenker hat. Ich würd gerne mal damit fahren. Es ist allerdings sehr langsam.

Sie war unterwegs zum Einkaufen. Ich war unterwegs nach Hause. Zwei kleinere Kinder kamen von nirgendwo. Ich war total überrascht. Sie kamen aus der Gasse gerannt und sprangen hinten auf ihr Auto, ich hab es mit eigenen Augen gesehen. Ichschwör, das war sehr lustig. Sie hielten sich den ganzen Weg bis zur Einkaufspassage daran fest.

Die Lady kannte sie nicht mal. Sie versuchte, sie runterzuscheuchen, aber sie hörten nicht.

Lady auf dem Sesselauto: »Oi, was fällt euch ein? Weg da!«

Aber die störten sich gar nicht dran. Als sie an den Läden waren, sind sie einfach abgesprungen und weggerannt. Sie haben nicht mal danke fürs Mitnehmen gesagt! So was Lustiges hab ich noch nie gesehen.

Die Lady ist auch selber schuld. Sie ist nicht mal krank. Sie kann sprechen und was weiß ich. Die braucht das Sesselauto nur, weil sie zu fett ist zum Laufen.

Sesselautolady: »Was glotzt du so? Warum hast du die nicht aufgehalten, hä?«

Ich sagte nichts. Ich wollte nicht mal mehr mitfahren. Ich rannte lieber, du bist schneller und du fängst dir keine.

Ich hab keinen Lieblingstropfen, sie gefallen mir einer so gut wie der andere. Sie sind alle super, find ich jedenfalls. Ich gucke immer hoch in den Himmel, wenn es regnet. Das ist stark. Es macht ein bisschen Angst, weil der Regen so doll und schnell fällt, und man denkt, man kriegt ihn ins Auge. Aber du musst die Augen offen halten, sonst hast du nichts davon. Ich versuche, einen Regentropfen den ganzen Weg von der Wolke bis zum Boden zu verfolgen.

Ichschwör, es ist unmöglich. Du siehst nur Regen. Du kannst keinen einzelnen Regentropfen verfolgen, da ist zu viel los und die anderen Regentropfen kommen dazwischen.

Das Tollste ist es, im Regen zu rennen. Wenn du beim Rennen den Kopf in den Nacken legst, kommt es dir fast wie fliegen vor. Du kannst die Augen zumachen oder sie offen halten, wie du es lieber hast. Ich mag beides. Du kannst den Mund aufmachen, wenn du es möchtest. Der Regen schmeckt wie Wasser aus dem Hahn, nur dass er ziemlich warm ist. Manchmal schmeckt er nach Metall.

Bevor du losrennst, such dir ein Stück Welt, wo nichts im Weg steht. Keine Bäume, Gebäude oder andere Menschen. Damit du nicht irgendwo gegenknallst. Versuch, eine gerade Linie zu laufen. Dann renn einfach, so schnell du kannst. Am Anfang hast du Angst, irgendwo gegenzuknallen, aber lass dich davon nicht abhalten. Renn einfach. Das ist nicht schwer. Mit dem Regen in deinem Gesicht und dem Wind hast du das Gefühl, superschnell zu sein. Das ist sehr belebend. Ich hab meinen Regenlauf dem toten Jungen gewidmet. Das war ein besseres Geschenk als ein Kaugummi mit Erdbeergeschmack. Ich hatte meine Augen die ganze Zeit zu und bin nicht mal gestolpert.

Einmal waren ich und Lydia gerade im Aufzug, als er kaputtging. Er blieb etwa eine Stunde stehen. War gar kein Grund, Angst zu haben. Lydia kreischte wie wahnsinnig. Ich musste sie mit Schere-Stein-Papier vom Durchdrehen abhalten. Wieder mal war ich der Retter.

Lydia: »Du spinnst wohl! Ich hab nicht geschrien!«

Ich: »Hast du wohl. Lydia hat gesagt: Mach, dass er fährt, mach, dass er fährt! Ich will nicht feststecken!«

Lydia: »Sei still, Harrison. Er lügt.«

Wir zeigten Tante Sonia unseren Aufzug. Tante Sonia hat erzählt, dass sie da, wo sie wohnt, keinen Aufzug haben, nur Treppen. Das ist ungerecht.

Ich: »Nur am Anfang dreht sich dir der Magen um. Brechen musst du aber nicht.«

Lydia: »Halt die Klappe, sie weiß, wie ein Aufzug funktioniert. Sie war schon in Amerika. Da fahren sie bis zu hundert Stockwerke hoch.«

Ich: »Was! Das glaub ich dir nicht!«

Tante Sonia: »Das stimmt. Sie nennen sie Fahrstuhl. Da macht es sogar Plopp in den Ohren wie im Flugzeug.«

Ich: »Cool!«

Tante Sonia war schon überall. Sie hat irre viele berühmte Leute getroffen. Einmal hat sie das Bett von Will Smith kennengelernt (das ist der aus *I Am Legend*). Die sind nicht im Zimmer, wenn sie deren Betten macht, sie warten draußen. Manchmal geben sie Trinkgeld. Einmal waren es zwanzig Dollar. Und einmal hat ein Hotelmann Tante Sonia hundert Dollar angeboten, bloß damit sie mit ihm bumst. Sie hat nein gesagt, weil er zu hässlich war. Mamma hat richtig die roten Augen gemacht, als sie ihr das erzählte. Sie hasst Gerede über Bumserei.

Mamma: »Nicht vor den beiden!«

Ich und Lydia: »Uns stört das nicht!«

Das nächste Mal, wenn Tante Sonia nach Amerika geht, bringt sie Fruit Loops mit. Das sind so ultrasüße Kringel, die man in Milch tut. Ich werd sie für den Rest meines Lebens zum Frühstück essen.

Mamma: »Willst du denn noch mal da hin? Du bist doch gerade erst zurück.«

Tante Sonia: »Das ist schon sechs Monate her.«

Mamma: »Und schon scharrst du wieder mit den Hufen?«

Tante Sonia: »Ich denk da weniger an meine Hufe ...«

Mamma guckte Tante Sonias Finger an, die ganz schwarz und rissig waren. Man musste so tun, als wüsste man nichts davon, und alles war normal. Mein Lieblingswort für heute ist Schwatte. Mamma und Tante Sonia zerquetschten die Tomaten für Palaver-Soße. Es war wie ein Wettbewerb, wer sie schneller killen kann. Ichschwör, ich war froh, dass ich keine Tomate war!

Mamma: »Und dann fragt sie Janette, gibt's hier noch andere Hebammen? Darauf fragt Janette sie, wieso. Darauf sie, es wär ihr erstes Baby, ob ich wüsste, was ich tu. Sie sagt, sie will keine Schwatte, die gerade vom Boot kommt.«

Tante Sonia: »Schwatte? Das ist was Neues.«

Mamma: »Ich schwör bei Gott. Ich sagte, ich bin nicht mit dem Boot gekommen, sondern mit dem Flugzeug. Da, wo ich herkomm, haben sie jetzt Flugzeuge. Ich hätte besser nichts gesagt. Ich musste mich bei ihr entschuldigen.«

Tante Sonia: »Was! Du musstest dich entschuldigen? Der hätte ich was erzählt. Der hätt ich gesagt, ich würd sie verhexen, dass ihr Baby mit zwei Köpfen zur Welt kommt. Das hätte die bestimmt geglaubt.«

Mamma: »So was kann man nicht sagen, das ist unprofessionell.«

Tante Sonia: »Schwatte. Das muss ich mir merken.«

Ich: »Was bedeutet Schwatte?«

Mamma unterbrach ihr Tomatenzerquetschen. Man wünschte, sie würden die Gelegenheit zur Flucht nutzen. Lauft um euer Leben!

Mamma: »So nennt man dich, wenn du noch neu im Krankenhaus bist. Wenn du neu bist, glauben Patienten nicht, dass du deinen Job beherrschst. Das bedeutet nur jemand, der neu ist.«

Ich: »Aber wieso Schwatte? Das versteh ich nicht.«

Mamma: »Weiß ich auch nicht. Stör uns jetzt nicht.«

Tante Sonia: »Das meint das Geräusch, das die Schuhe der Schwestern machen. Wenn die neu sind, quietschen sie beim Laufen. Das Geräusch klingt so ›schwatt-schwatt‹, das ist alles.«

Ich: »Und wieso machen deine Schuhe hier nicht so ein Geräusch?«

Mamma: »Das funktioniert nur auf gebohnerten Böden.«

Klang ziemlich verrückt. Es konnte stimmen. Wenn ich das nächste Mal neue Schuhe bekomme, werd ich das ausprobieren. Die Flure hier in den Häusern haben richtig glatte Böden. Ich wette, das quietscht spitzenmäßig …

Das nächste Mal besuchen wir Tante Sonia bei sich zu Hause. Sie wohnt in Tottenham, dafür muss man mit der U-Bahn fahren. Connor Green sagt, die U-Bahn-Polizei hat Maschinengewehre, und wenn man wegrennt, erschießen sie einen. Ich muss mich also bloß mit dem Rennen zurückhalten, weiter nichts. Nur bis ich am anderen Ende angekommen bin.

Jordan geht nicht zur Schule. Er hat einen Schulverweis, weil er einen Lehrer getreten hat. Schulverweis bedeutet rausgeflogen. Erst hab ich das nicht geglaubt, aber sogar seine Mamma hat gesagt, dass es stimmt. Sie findet das echt krass. Jordans Mamma raucht schwarze Zigaretten. Das Papier hat Lakritzgeschmack. Jordan wiegt weniger als ich, weil seine Mamma *obruni* ist, eine Weiße. Ich sag euch, hier gibt es die verrücktesten Sachen!

Jordan: »Meine Mum versucht, mich auf einer andern Schule unterzubringen, aber keine will mich. Mir ist das doch egal, Alter, Schule ist eh scheiße.«

Ich: »Was machst du denn stattdessen?«

Jordan: »Xbox spielen. DVDs gucken.«

Ich: »Gibt dir deine Mamma auch Aufgaben?«

Jordan: »Natürlich nicht! Wieso, deine etwa?«

Ich: »Manchmal.«

Jordan: »Das ist voll schwul.«

Ich: »Nur Männersachen. Die Türen abschließen, auf Eindringlinge achten, solche Sachen.«

Jordan: »Trotzdem schwul.«

Wir grüßten den Müllschlucker (das ist so eine spezielle Röhre, wo der Müll reinkommt. Sie ist innen aus Metall und riecht nach Scheiße, sie geht ganz runter bis in die Hölle). Wir müssen sie immer grüßen, weil es Glück bringt, das ist ein Brauch. Man steckt einfach den Kopf rein und ruft

Ich und Jordan: »PIMMEL!«

Und es gibt ein spitzenmäßiges Echo. Du darfst den Kopf nur nicht zu weit in die Röhre stecken, sonst schluckt sie dich. Jordan sprang auf meinen Rücken, um mich in die Röhre zu schubsen, aber ich hab mich gerade noch rechtzeitig umgedreht. Dann musste ich die Aufzugtür aufhalten, während Jordan fett auf alle Knöpfe rotzte. Als er rauskam, ging Kippen-Lil rein. Wir warteten, dass die Tür zuging.

Wir hörten es, als sie auf einen Knopf drückte, den Jordan vollgerotzt hatte. Sie wusste ja nichts von der Spucke.

Kippen-Lil: »Hölle und Teufel!«

Sie hat Hölle und Teufel gesagt! War das lustig. Angst kriegte ich erst danach. Kippen-Lil hat ihren Mann abgemurkst und danach als Pastete gegessen. Alle sagen das. Deswegen hat sie so irre Triefaugen, das kommt davon, wenn man Menschenfleisch isst.

Jordan: »Hölle und Teufel, Hölle und Teufel! Dreckiger Bastard!«

Ich: »Bastard!«

Bastard darf man sagen, das bedeutet nur jemand, der keinen Papa hat. Kippen-Lils Papa ist schon gut hundert Jahre tot, also ist es nicht mal gelogen. Pimmel ist das Gleiche wie Penis.

In Kunst fehlte Tanya Sturridge, dafür saß Poppy auf ihrem Platz, also praktisch direkt neben mir. Da blieb sie die ganze Stunde, sie rührte sich keinen Zentimeter weg. Davon wurde mir ganz heiß. Ich konnte mich nicht konzentrieren, weil ich sehen wollte, was Poppy machte. Sie bemalte ihre Fingernägel. Sie benutzte doch echt die Farbe fürs Bildermalen, um ihre Fingernägel damit zu bemalen. Ich sah ihr die ganze Zeit zu. Ich konnte nicht anders.

Sie bemalte einen Fingernagel pink und den nächsten grün. Und dann den nächsten wieder pink, in einem Muster. Es dauerte sehr lange. Sie war sehr sorgfältig, sie machte nicht einen Fehler. Es war sehr entspannend. Ich wurde schon schläfrig nur vom Zusehen. Ich nahm Poppys Haar für mein Gelb. Mrs Fraser sagt, die Inspiration für dein Stimmungsbild kann von überall kommen, aus der Außenwelt oder aus dir innen drin. Meine Inspiration bekam ich von Poppys Haaren. Ich hab es ihr aber nicht gesagt, um nicht alles zu verderben.

In der Farbenlehre werden unterschiedliche Farben auch

für unterschiedliche Stimmungen benutzt, sie können auch eine Geschichte erzählen. Die Farben sagen denen, wie du was erlebt hast. Was du malst, braucht gar keine Form haben, Farben allein reichen schon. Es muss nicht wie irgendwas aussehen. Mein Bild besteht aus Grün, Gelb und Rot. Das Gelb ist Sonnenschein und Poppys Haare. Das Grün steht für das eine Mal, wo Agnes auf dem Gras im Kinderpark herumkroch, eine Grille sah und sie fangen wollte. So lustig. Ihr hättet ihr Gesicht sehen müssen, als die Grille wegsprang, so was von verdutzt. Damit hätte sie in einer Million Jahren nicht gerechnet. Als sie landete, versuchte sie wieder, sie zu fangen. Sie gab nicht auf, sie versuchte es immer und immer wieder. Am Schluss fing ich die Grille für sie. Sie griff nach ihrem Bein. Zuerst packte sie zu fest und hätte es fast zerbrochen, dann fasste sie es vorsichtig und sanft an. Ihre Finger sind ganz klein, aber gleichzeitig dick. Die liebe ich am meisten. Nur Babys können gleichzeitig klein und dick sein, da haben sie es gut.

Das Rot ist das Blut des toten Jungen. Ich kriegte es nicht dunkel genug, deswegen habe ich Schwarz druntergemischt, immer nur ein bisschen. Es sah immer noch nicht so aus, wie ich es im Kopf hatte. Ich bekam es nicht richtig hin. Ichschwör, es war verflixt.

Mrs Fraser: »Pass auf, sonst malst du am Ende noch ein Loch ins Papier!«

Am Schluss gab ich einfach auf. Ich sah schon alles ganz verschwommen, und Poppy guckte mich komisch an, als hielte sie mich für einen Spasti. Da wusste ich, dass es Zeit war, aufzugeben.

Überall gibt es Warnhinweise. Die sind nur da, um dir zu helfen. Sie sind lustig. Der große Zaun vor der Schule hat obendrauf grausige Stacheln, damit die Räuber nicht rüberklettern können. Am Zaun hängt ein Schild:

**KLETTERN VERBOTEN.
ERNSTHAFTE VERLETZUNGSGEFAHR**

Ichschwör, das ist voll lustig. Überall in der Schule gibt es
auch Schilder, die dich erinnern, dein Handy auszumachen.

**HANDY AUS
ODER HANDY WEG!**

Connor Green: »Das ist deswegen, weil die Lehrer alle
Roboter sind und die Signale von den Handys ihre Schalt-
kreise f–, verstehste.«

Nathan Boyd: »An dir sollte auch ein Warnschild hängen. ›Vorsicht, nicht ansprechen. Labert Scheiße.‹«

Connor Green: »Leck mich.«

Am Fluss fanden wir noch ein verrücktes Schild:

VORSICHT:
DIE BRUNNENKRESSE AUS
DIESEM FLUSS IST FÜR
MENSCHLICHEN VERZEHR
NICHT GEEIGNET.

Wir lieben dieses Schild. Das ist unser neues Bestes Schild aller Zeiten.

Ich: »Wir sollten Nathan Boyd herausfordern, die Brunnenkresse zu essen.«

Dean: »Gute Idee. Das traut der sich nie.«

Der Fluss liegt hinter den Bäumen. Er ist ganz dunkel. Zum Schwimmen ist er zu klein, und das Wasser besteht aus Säure; wenn du reinfällst, löst sich deine Haut auf. Über dem Scheißerohr gibt es eine Plattform, die groß genug ist, dass man zu zweit da sitzen kann. Du kannst einfach da sitzen und zusehen, was alles im Fluss vorbeischwimmt. Normalerweise sind das bloß Äste, Dosen oder Papier. Wer als Erster einen menschlichen Kopf sieht, bekommt eine Million Punkte.

Wir waren auf der Suche nach dem Messer, mit dem der Killer den Jungen ermordet hat. Man nennt es das Tatwerkzeug. Wenn wir es sehen, fischen wir es raus und bringen es zur Polizei.

Ich: »Halt die Augen offen, es kann überall sein.«

Dean: »Verstanden. Ich bin am Ball, Captain.«

Wir sind jetzt voll echte Detectives. Ich nehme die Sache persönlich. Als mich die gemeinen Jungen mal verhöhnt haben, hatte der tote Junge ihnen gesagt, sie sollen mich in Ruhe lassen. Sie machten Witze, weil ich eine Hochwasser-

hose anhatte (das ist, wenn die Hosenbeine zu kurz sind).
Ich hab ihn nicht mal darum gebeten, er hat mir einfach so
geholfen. Danach hätte ich ihn gern zum Freund gehabt,
aber er wurde ermordet, bevor es dazu kommen konnte.
Deswegen muss ich ihm helfen, er war mein Freund, auch
wenn er es nicht wusste. Er war mein erster Freund, der
ermordet wurde, und das tut zu weh, als dass man es vergessen könnte. Es mussten Fingerabdrücke und Blut auf
der Mordwaffe sein. Wenn wir sie fänden, könnten wir
den Killer identifizieren, sagt Dean. Er kennt die ganzen
Fernsehserien.

Dean: »Und wenn wir helfen, den Killer zu fangen,
kriegen wir eine Belohnung, verstehste.«

Ich: »Wie viel?«

Dean: »Keine Ahnung, n Riesen. Vielleicht noch mehr.«

Ein Riese ist ein Tausender. Das klang echt viel. Wenn
ich einen Riesen bekäm, würde ich ein Flugticket für Papa,
Agnes und Grandma Ama kaufen, und wenn noch was
übrig wäre, würde ich einen richtigen Lederfußball kaufen,
der einem nicht wegfliegt.

Ich: »Halt die Augen auf. Er ist definitiv hier langge-
gangen.«

Dean: »Bist du sicher, dass es ein Messer war?«

Ich: »Ja! Es war so groß.«

Ich zeigte ihm mit den Händen, wie groß.

Dean: »Gut, du bist der Chief.« (So reden Detectives.
Das ist so eine Regel.)

Wenn der Killer das Messer in den Fluss geworfen hatte,
konnte es mittlerweile schon im Meer sein. Es konnte längst
zu spät sein. Ichschwör, das war eine verdammt nervöse Sache. Ich wollte nicht, dass er davonkommt. Wir schwiegen
wieder, um besser suchen zu können.

Es sind nicht mal Fische im Fluss. Das machte mich voll
traurig. Fische sollte es geben, auch wenn es solche sind,
die nicht schmecken. Enten sind auch keine mehr übrig,

die kleineren Kinder haben sie mit einem Schraubenzieher umgebracht. Die Entenbabys sind einfach zertreten worden. Das Tatwerkzeug haben wir nicht entdeckt. Wir haben nur ein Rad von einem Fahrrad gefunden, ganz verrostet und verbogen. Das nächste Mal bringen wir Taschenlampen mit und Handschuhe, damit wir in dem stacheligsten Unkraut suchen können.

APRIL

Der Waschsalon ist ein Laden nur mit Waschmaschinen. Er ist unten im Luxembourg House. Die Waschmaschinen gehören keinem Bestimmten, sie sind für alle, die in den Hochhäusern wohnen. Du musst sie bezahlen, damit sie laufen. Jede Maschine ist groß genug, dass ein Mensch reinpasst. Eines Tages muss ich das mal ausprobieren. Ich werd darin übernachten, das ist was, das ich im Leben unbedingt mal machen möchte.

Du darfst jede Maschine benutzen, es muss nicht jedes Mal dieselbe sein. Meine Lieblingsmaschine ist die ganz am Fenster, jemand hat ein Gedicht draufgeschrieben:

Hier drehen und wälzen sich mit Tosen
Meine Lieblingsunterhosen
Sie sind schick, sie haben Charme
Sie halten mir die Eier warm

Wir müssen so tun, als sähen wir das nicht, oder Mamma schickt uns an eine andere Waschmaschine.

Es dauert ewig und drei Tage, bis die Wäsche fertig ist. Ich und Lydia spielen ein Spiel. Wir beobachten die Wäsche, die sich in den Maschinen der anderen Leute dreht. Wenn wir ein Höschen sehen, sind das hundert Punkte. Bei einem BH gibt es tausend. Man muss sehr leise sein, wenn man das auszählt, damit Mamma von dem Spiel nichts mitkriegt. Man muss flüsternd rufen.

Ich: »Höschen!«

Lydia: »Wo?«

Ich: »Da, guck doch! Das weiße.«

Lydia: »Das ist doch das von eben!«

Ich: »Nein, das war mit kleinen Blümchen drauf. Das hier ist ohne. Hundert Punkte!«

Lydia: »Du Konfusionist!«

Einmal hab ich ein Paar Cowboystiefel gesehen. Sie waren pink. Die Lady wusch sie tatsächlich in einer Waschmaschine! Das war genial! Das gab eine Million Punkte. Jetzt habe ich Lydia endgültig abgehängt. Nie wieder wird man rosa Cowboystiefel sehen, nie im Leben.

Altaf ist sehr still. Keiner kennt ihn wirklich. Man soll mit Somalis nicht reden, denn das sind Piraten. Das sagen alle. Wenn du mit ihnen redest, gibst du vielleicht einen Hinweis, wo deine Schätze versteckt sind, und dann kommst du nach Haus und deine Frau ist bei lebendigem Leibe erdrosselt worden, und dich verfüttern sie an die Haie. Ich und Altaf müssen nicht zu Reli. Mamma will nicht, dass ich was über die falschen Götter höre, sie sagt, das ist Zeitverschwendung, und Altafs Mamma denkt das Gleiche. Statt zu Reli gehen wir in die Bibliothek. Man soll da lernen, aber meistens lesen wir einfach ein Buch. Ich hab zuerst mit dem Reden angefangen. Ich wollte bloß Altafs Meinung hören. Ob er lieber ein Roboter oder ein Mensch wäre.

Ich: »Ich finde, Mensch ist besser, weil du all die leckeren Sachen essen kannst. Roboter bekommen davon nie was ab, weil sie keine Nahrung brauchen.«

Altaf: »Aber Roboter ist besser, weil du dann nicht umgebracht werden kannst.«

Ich: »Das stimmt.«

Am Schluss waren wir beide uns einig, wir wären am liebsten Roboter.

Altaf will Autos designen, wenn er groß ist. Ihr solltet

mal seine Zeichnungen sehen, die sind voll hammermäßig. Er zeichnet immer Autos und so verrücktes Zeug. Er hat ein Auto mit Vierradantrieb mit einem MG hintendrauf gezeichnet.

Altaf: »Um feindliche Angriffe abzuwehren. Es ist ein Spezial-MG, dem nie die Munition ausgeht. Außerdem sind alle Fenster und die Karosserie kugelsicher, ein Panzer könnte drüberfahren, und es wär trotzdem nicht zerquetscht.«

Ich: »Super! Wenn sie so ein Auto bauen, kauf ich garantiert eins!«

Ich glaub nicht, dass Altaf ein Pirat ist, wo er doch nicht mal schwimmen kann. Er hat Angst vor Wasser, sogar mit Schwimmflügelchen.

Mamma mag keine Fernsehsendungen, sie sagt, das wär zu viel Blabla. Ihre einzige Lieblingssendung sind die Nachrichten. Jeden Tag stirbt irgendwer in den Nachrichten. Es ist praktisch immer ein Kind. Manchmal werden sie erstochen wie der tote Junge, manchmal erschossen oder von einem Auto überfahren. Einmal ist ein kleines Mädchen von einem Hund gefressen worden. Sie zeigten ein Bild von dem Hund, und der sah genauso aus wie Harvey. Das kleine Mädchen muss an seinem Schwanz gezogen haben. Hunde greifen nur Menschen an, die grausam zu ihnen sind. Jemand hätte der Kleinen beibringen müssen, niemals einen Hund am Schwanz zu ziehen, das mögen die nicht. Das hat ihr keiner gesagt, und deswegen ist sie jetzt tot.

Mamma kann es am besten, wenn ein Kind stirbt. Dann strengt sie sich total an mit Beten. Sie betet richtig doll und drückt dich, bis du glaubst, gleich würdest du platzen. Erwachsene mögen traurige Nachrichten, weil sie dann einen besonderen Anlass zum Beten haben. Deswegen sind die Nachrichten immer traurig. Der Mörder von dem toten Jungen ist noch nicht gefunden.

Nachrichtensprecher: »Die Polizei sucht immer noch nach Zeugen.«

Ich: »Was meinst du, wie der Killer aussieht?«

Mamma: »Ich weiß nicht. Das könnte jeder sein.«

Ich: »Meinst du, der ist schwarz oder weiß?«

Mamma: »Keine Ahnung.«

Ich: »Ich wette, es war einer der Junkies vom Pub.«

Mamma: »Wo hast du das denn wieder her? Lydia, warum erzählst du ihm so was?«

Lydia: »Was? Ich hab ihm gar nichts erzählt!«

Mörder sind überall auf der Welt gleich, die ändern sich nie. Sie haben kleine Schweinsäuglein und rauchen Zigaretten. Manchmal haben sie Goldzähne und im Nacken Spinnennetze. Sie haben immer rote Augen. Sie spucken immerzu aus, und ihre Blutkraft holen sie sich auf der dunklen Seite. Wahrscheinlich ist der Pub voll von Mördern, aber wir suchen nur nach dem, der den toten Jungen ermordet hat, das ist der Einzige, von dem wir wissen. Falls wir ihn schnappten, wäre das, als könnten wir dem Jungen ein Stück seiner Ewigkeit zurückgeben, und es würde doch noch alles kommen, wie es eigentlich sollte. Ich warte, bis Dean als Rückendeckung mitkommt. Detectives arbeiten immer zu zweit, das ist einfach sicherer so.

Wenn dich ein Hund angreift, ist die beste Methode, ihn davon abzubringen, ihm einen Finger ins Arschloch zu stecken. Im Hundearschloch gibt es einen geheimen Schalter, wenn du den drückst, öffnet sich automatisch die Schnauze und sie lassen los, hat uns Connor Green verraten. Nachdem er uns das erzählt hatte, haben alle Perverser zu Connor Green gesagt, weil er rumläuft und Hunden seinen Finger in den Arsch steckt.

Kyle Barnes: »Perverser!«

Brayden Campbell: »Hundef– er!«

Nathan Boyd kann sich drei Wunderkugeln auf einmal in den Mund stecken. Jeder weiß, dass man stirbt, wenn man eine verschluckt, aber ihm ist das total egal. Nathan Boyd hat vor nichts Angst. Wir versuchen uns immer noch größere Herausforderungen für ihn auszudenken. Eine schlimmer als die andere.

Kyle Barnes: »Du musst durch die ganze Schule laufen und verfickte Scheiße rufen.«

Ich: »Du musst den Füller von irgendwem aus dem Fenster werfen.«

Connor Green: »Du musst diesen Crack-Löffel ablecken.«

In der Nähe des Haupttors lag ein Löffel im Gras. Der war ganz verbogen und angerußt. Das war der ekligste Löffel auf der ganzen Welt.

Connor Green: »Du musst ihn ganz in den Mund stecken und daran lutschen.«

Nathan Boyd: »Ich lutsch doch nich an dem Ding, da ist Crack dran.«

Kyle Barnes: »Memme.«

Nathan Boyd: »F– dich. Darf ich ihn vorher abwischen?«

Connor Green: »Nein, du musst ihn lutschen, so wie er ist.«

Nathan Boyd: »Warum lutschst du nicht selbst dran? Du kennst das doch schon vom Schwanzlutschen.«

Kyle Barnes: »Versuch nicht, dich zu drücken. Du kannst

uns nicht sagen, wir sollen dir Herausforderungen stellen, und dann kneifen.«

Ich: »Du hast uns ja gefragt.«

Nathan Boyd: »Na, dann scheiß drauf.«

Nathan Boyd hat den Löffel abgeleckt. Er hat ihn einmal richtig abgeleckt und dann weggeworfen. Ich dachte, er würde kotzen, hat er aber nicht.

Kyle Barnes: »Das war ja gar kein Lutschen, das war ja nur geleckt!«

Nathan Boyd: »Dann lutsch du doch dran.«

Keiner sonst wollte an dem Löffel lecken. Nicht mal anpacken wollte ihn einer. Nathan Boyd ist der Mutigste in der 7. Klasse, das ist amtlich. Aber selbst Nathan Boyd würde es nicht wagen, Feueralarm auszulösen. Wenn der Feueralarm in echt ausgelöst wird, müssen die Feuerwehrmänner kommen, um das Feuer zu löschen. Sie müssen aber auch nachsehen, wenn es in Wirklichkeit gar nicht brennt. Wenn es ein blinder Alarm ist und sie finden raus, wer es war, muss derjenige ins Gefängnis. Es ist ein Verbrechen, den Alarm auszulösen, wenn es gar nicht brennt, denn während die Feuerwehrmänner nachsehen kommen, könnte woanders ein echtes Feuer ausbrechen, bei dem dann jemand stirbt.

X-Fire: »Bist du sicher, dass du das draufhast? Du kannst es auch lassen, wenn du dich nicht traust.«

Wenn ich zur Dell Farm Crew gehörte, könnte Vilis mich nicht mehr schikanieren. Wenn ich mit irgendwem meine Turnschuhe tauschen wollte, müsste er darauf eingehen und würde nichts dafür zurückbekommen. Ich gab Manik meinen Käsekuchen. Ich war als Erster draußen. In der Bibliothek waren ein paar Leute, aber der Flur war leer.

X-Fire: »Du musst bloß das Glas einschlagen, verstehste. Ist ganz leicht, das ist bloß Plastik.«

Ich: »Was, wenn es nicht beim ersten Mal kaputtgeht?«

Dizzy: »Mach einfach so lange, bis es klappt. Wir müssen wissen, dass du das Zeug dazu hast.«

X-Fire: »Wir stehen Schmiere. Wenn einer kommt, sag ich es dir.«

Am besten nimmst du die Seite der Faust und nicht die Knöchel. Ich darf erst wegrennen, wenn der Alarm losgeht. Alles lief voll ruhig. Ich fühlte voll mein Herz schlagen wie eine verrückte Trommel, mein Mund schmeckte nach Metall. Ein paar Leute kamen vorbei. Ich musste warten, bis sie weg waren. Schnell schnell schnell! Los los los! Ich hätte mich gern erleichtert, aber dazu blieb keine Zeit.

X-Fire und Dizzy warteten an den Türen.

X-Fire: »Los jetzt! Hau rein!«

Ich haute auf den Alarm. Ich haute superfest, aber das Glas ging nicht kaputt. Bloß meiner Hand ging es danach komisch. Ich versuchte, die Scheibe mit meinem Daumen einzudrücken, aber das klappte auch nicht. Ich wollte einen Hammer. Ich wollte weglaufen. Ich sah mich nach Hilfe um, aber X-Fire und Dizzy waren fort und ich konnte nur noch weit weg ihr Lachen hören.

Dizzy: »Weichei!«

Ich bekam voll rote Augen. Ich hämmerte wieder gegen das Glas. Es nutzte nichts. Mir fehlte einfach die Kraft dazu. Ich wollte bloß noch weg, bevor mich jemand sah. Ich raste die Treppe runter. Meine Beine waren wie Gummi. Ich dachte, ich brech zusammen, aber ich hielt durch. Ich rannte die ganzen Treppen runter und unter der Brücke zum humanistischen Gebäude durch. Ich erreichte die Toiletten. Geschafft. Meinem Bauch ging es voll schlecht. Ich glaube, die Dell Farm Crew ist jetzt mit mir verfeindet. Das passiert, wenn man bei seiner Aufgabe versagt. Auweh, meine Hände sind für alles zu weich!

Mr Frimpong ist der lauteste Sänger in der Kirche, obwohl er der Älteste ist. Er singt immer am kräftigsten von uns allen. Er möchte bloß, dass seine Stimme die erste ist, die Gott hört.

Das ist nicht fair. Was, wenn er so laut singt, dass Gott keinen anderen hören kann? Dann wird Mr Frimpong auch alles Wohlwollen abschöpfen, das den anderen zusteht. Das ist gemein, wenn man darüber nachdenkt. Er fängt voll an zu schwitzen, denn er trägt immer eine Krawatte und hat den obersten Knopf zugeknöpft.

Lydia: »Wahrscheinlich trägt er die Krawatte auch in der Badewanne.«

Ich: »Sei nicht so respektlos!«

Lydia: »Halt die Klappe, Spinner!«

Mr Frimpong kam so ins Schwitzen, dass er glatt umkippte. Er schlief ein und alles. Die Tantchen schlugen sich darum, welche ihm zuerst helfen durfte. Pastor Taylor musste ihm einen Klaps ins Gesicht geben, um ihn aufzuwecken. Als er aufwachte, sagten die Tantchen alle »Lobet den Herrn«. Aber ich denke, Gott war es, der ihn überhaupt erst schlafen geschickt hat. Ihm gefiel das Singen wahrscheinlich nicht mehr, es ist viel zu laut.

Deswegen haben sie Gitter an den Fenstern. Nicht damit die Brutalos sie nicht einschlagen, sondern damit sie von Mr Frimpongs Singerei nicht zerspringen.

Wir sprachen noch ein Gebet für die Mamma des toten

Jungen und eins für die Polizei, dass Gott ihr die Einsicht gebe, den Mörder zu erwischen.

Ich: »Was ist Einsicht?«

Pastor Taylor: »Das bedeutet Klugheit. Sie ist Gottes größtes Geschenk an uns.«

Mr Tomlin ist wahrscheinlich der klügste Mensch, den ich kenne. Ich hab ihn in Chemie. Er kann aus einer Zitrone eine Batterie machen. Das ist nicht gelogen, er hat es wirklich gemacht: Man muss nur einen Penny in das eine Ende der Zitrone stecken und einen Nagel in das andere. Die Säure im Zitronensaft ist elektrisch. Der Penny und der Nagel sind Leiter. Leiter erwecken die Elektrizität zum Leben. Als wir vier Zitronen miteinander verbunden haben, gaben sie genug Strom, um das Licht brennen zu lassen. Das war ganz schön erstaunlich. Alle haben geklatscht. Würde Mr Tomlin für die Polizei arbeiten, hätten sie den Mörder im Handumdrehen.

Ich betete um die Einsicht, die richtigen Fragen zu stellen. Dean glaubt nicht an so was, deswegen hab ich für ihn mitgebetet.

Dean: »Kannst du bitte dafür beten, dass uns keiner den Schädel einschlägt?«

Ich: »Keine Sorge, uns passiert nichts. Sie können uns nicht ermorden, wir sind doch noch Kinder.«

Es war sehr riskant, aber das Verhören von Verdächtigen gehört zum Job. Wenn du jedes Mal Angst kriegst, bist du zum Detective nicht geeignet, dann kannst du gleich deine Marke abgeben und nach Hause gehen. Der Pub roch sogar draußen schon wie alles Bier der Welt. Wir versuchten den Atem anzuhalten, um nicht betrunken zu werden (Dean sagt, das trübt das Urteilsvermögen). Jeder, der reinging oder rauskam, konnte der Mörder sein. Für uns sahen alle wie hungrige Vampire aus. Wir blieben an der Tür. Solange wir einen Fuß draußen auf dem Bürgersteig hatten, konnte uns nichts passieren.

Dean: »Nach wem genau suchen wir?«

Ich: »Ich weiß nicht. Ich glaube, er war schwarz, aber ich bin nicht sicher. Ich hab nur eine Hand gesehen, als er sich bückte, um das Messer zu holen. Es kann auch ein Handschuh gewesen sein. Ich war ziemlich weit weg.«

Dean: »Dann fangen wir eben mit den Schwarzen an. Wie wär's mit dem?«

Ich: »Nein, zu groß. Unser Mann war kleiner.«

Dean: »Roger. Alles klar, und der da?«

Da stand ein Mann am Dattelautomaten (da kriegt man in Wirklichkeit gar keine Datteln, das ist bloß ein Spiel, das sie im Pub spielen. Man wirft Geld in die Maschine, und dann gehen alle Lichter an). Er hatte kein Spinnennetz, aber einen Ohrring, und seine Augen guckten mörderisch, als wollte er jeden auslöschen. Er rüttelte an der Maschine, damit die Lichter angingen, und fluchte. Mörder haben immer ein hitziges Temperament.

Ich: »Könnte sein. Was sollen wir ihn fragen? Hast du es getan?«

Dean: »Sei nicht so bescheuert, du kannst doch nicht einfach fragen. Du musst es aus ihm herauskitzeln. Frag ihn, ob er das Opfer kannte, und beobachte einfach, was seine Augen machen. Wenn er wegschaut, heißt das, er ist schuldig.«

Ich: »Fragst du ihn? Ich geb dir Rückendeckung.«

Dean: »Ich frag ihn nicht. Es war deine Idee, du fragst ihn.«

Ich: »Ich geh da nicht rein. Ich warte, bis er rauskommt.«

Dean: »Ich wusste doch, dass du kneifst. Ich warte hier nicht den ganzen Tag.«

Ich: »Dann geh du doch rein und frag ihn.«

Dean: »Gleich. Sehen wir uns erst noch an, was er macht. Er darf nicht merken, dass du ihn beobachtest; wir wollen, dass er sich ganz natürlich verhält.«

Wir stellten uns hinter die Tür und spähten durch die

Scheibe. Der Mörder hatte an der Dattelmaschine aus-
gespielt und bestellte sich ein neues Bier. Die anderen Männer tranken ihre Drinks oder simsten oder guckten der
Thekenlady auf die Glocken, obwohl sie alt war und wie
eine Vogelscheuche aussah. Die ganze Zeit stieg uns der Gestank von Bier in die Nase und machte uns verrückt. Dean
bekam davon Hummeln im Hintern. Als der Verdächtige
herauskam, mussten wir uns zusammenreißen, um nicht
wegzurennen. Man darf keine Angst zeigen, die können das
riechen, wie eine Wespe.

Verdächtiger: »Alles klar, Jungs, sucht ihr wen?«

Dean: »Wir warten bloß auf meinen Dad.«

Verdächtiger: »Ihr solltet hier nicht stehen, hier treiben
sich zu viele Arschlöcher rum.«

Das war ein Trick. Er wollte uns loswerden, bevor er sich
verplapperte. Er zündete sich eine Zigarette an: ein weiteres
verräterisches Zeichen!

Ich: »Kennen Sie den Jungen, der gestorben ist?«

Verdächtiger: »Ob ich was?«

Dean: »Der eine, der erstochen wurde. Das war sein
Cousin.«

Verdächtiger: »Nein, den kannte ich nicht.«

Ich: »Wissen Sie, wer's getan hat?«

Verdächtiger: »Schön wär's. Diese Drecksblagen, die
sollte man gleich nach der Geburt ersäufen.«

Dean: »Woher wissen Sie, dass es ein Jugendlicher getan
hat?«

Verdächtiger: »Sind doch immer Jugendliche, oder?
Lasst bloß die Finger von so ner Scheiße, Jungs, das geht
immer übel aus. Seid klüger, alles klar?«

Ich: »Sind wir.«

Sein Zigarettenrauch stach uns in die Augen. Das war
noch so ein Trick, uns blind zu machen, damit wir keine
Hinweise aufschnappten. Ich sage euch, die sind durch-
trieben. Am Schluss mussten wir es einfach aufgeben.

Dean: »Die werden uns nicht das Geringste verraten. Sobald die mitkriegen, dass sie ausgehorcht werden, erzählen sie wieder sonst was. Durch Fragen werden wir gar nichts rauskriegen, wir müssen selbst ermitteln.«

Ich: »Wie?«

Dean: »Überwachung und Beweissicherung, das ist die einzige Möglichkeit. CSI-mäßig, Fingerabdrücke, DNS. Der Scheiß lügt nicht.«

Ich machte ein Denkgesicht als wüsste ich, wovon er redet. Dean ist das Gehirn, denn er hat die Serien alle gesehen. Ich hab mir den ganzen Biergeruch abgewaschen, bevor Mamma von der Arbeit heimkam. Sie sagt, ein Mann, der nach Bier riecht, macht über kurz oder lang Ärger.

Gewalt ging euch immer zu leicht von der Hand, das ist das Problem. Sie war euch immer zu sympathisch. Erinnerst du dich, wie du das erste Mal eine Ameise zertreten hast, mit einem kindlichen Aufstampfen das Bewegte zu Stillstand, die Gegenwart zu Vergangenheit gemacht hast? War das nicht eine zuckersüße Epiphanie? Welche Macht in deinen Füßen, welche Versuchung! Es gehörte schon ein Akt selbstloser Liebe dazu, all die guten Sachen aufzugeben. Dazu müsstest du etwas Größeres sein als die Fließbandware eines missgünstigen Gottes.

Kyle Barnes stach wieder mit dem Zirkel auf ihn ein. Manik kreischte wie ein Mädchen, obwohl nicht mal Blut zu sehen war. Alle lachten.

Manik: »Warum hast du das getan?«

Kyle Barnes: »Damit du *das* tust.«

Kyle Barnes stach noch mal zu. Manik schrie noch mal. Er quiekte wie ein Schweinchen. Als wär der Zirkel eine Gabel, und Kyle Barnes prüfte, ob Manik schon gar ist. Ichschwör, voll lustig. Kyle Barnes hat nichts lieber, als wenn wir einen Vertretungslehrer haben. Die meiste Zeit machen sie nicht mal Unterricht, sondern lesen bloß Zeitung. Und dann stellt dir Kyle Barnes mit seinem Zirkel nach. Du musst aufpassen, dass du nicht gestochen wirst, darfst aber nicht vom Stuhl aufstehen. Gar nicht so einfach. Ich bin schon gut dreimal gestochen worden. Es tut eigentlich nicht richtig weh, es ist nur eine irre Überraschung für dich. Blut fließt nie.

Die beste Waffe wäre ein Regenschirm, der eigentlich eine Giftspritze ist. Man denkt, ach, ist ja bloß ein Schirm, aber er verschießt aus der Spitze vergiftete Kugeln. Wir haben darüber gesprochen, was die besten Waffen wären.

Kyle Barnes findet, die AK-47 wäre die beste Waffe.

Dean findet, ein Schlagring mit extralangen Spikes.

Chevon Brown findet, die beste Waffe wäre eine Armbrust. Aber um sie abzuschießen, musst du stark sein, denn die sind voll schwer. Die Pfeile heißen Bolzen. Die sind länger als du selbst.

Brayden Campbell: »Du könntest keine Armbrust abschießen. Du könntest sie nicht mal hochheben.«

Chevon Brown: »F– dich, Alter. Du könntest nicht mal eine AK-47 abfeuern, der Rückstoß würde dir den Kopf weghauen.«

Brayden Campbell: »Quatsch. Ich könnte das einhändig.«

Ich und Dean: »Am Arsch.«

Ich und Dean: »Jinx!«

Wir sagten sofort Jinx. So kann das Pech nicht an uns kleben bleiben.

Ich kenne jetzt fast alle Regeln. Es gibt über hundert. Einige sind dafür da, dich vor Gefahren zu schützen. Einige sind nur dazu da, dass die Lehrer dich kontrollieren können.

Einige gibt es, damit deine Freunde wissen, auf wessen Seite du stehst. Wenn du diese Regeln befolgst, wissen sie, dass sie dir vertrauen können, und dann kannst du mit denen rumziehen. Eine Regel besagt, dass du, wenn du und dein Freund gleichzeitig dasselbe sagen, sofort Jinx rufen musst, oder es bringt Pech. Wenn man nicht Jinx gesagt hat, scheißt man sich den ganzen nächsten Tag lang in die Hose.

Einige Regeln, die ich aus meiner neuen Schule kenne

Kein Rennen im Treppenhaus.
Kein Singen im Klassenzimmer.
Immer erst aufzeigen, ehe du fragst.
Kaugummi nicht runterschlucken, sonst verklebt er deine
Eingeweide und daran stirbst du.
In Pfützen spritzen heißt, du bist ein Trottel (mit dieser bin ich
nicht einverstanden).
Wenn du um eine Pfütze herumgehst, bist du ein Mädchen.
Der Letzte macht die Tür zu.
Der Erste, der sich meldet, liebt die Lehrerin.
Wenn dich ein Mädchen dreimal nacheinander anguckt,
bedeutet das, sie liebt dich.
Wenn du zurückguckst, liebst du sie.

Wers gerochen, hats verbrochen
Wers bestreitet, hats verbreitet
Wers dementiert, hats serviert
Wer von dannen hetzt, hat ihn freigesetzt
Wer sich weggeschlichen, dem ist er entwichen
Wer enteilt, hat ihn ausgeteilt
Wer es hat verschwiegen, dem ist er entstiegen
Wer davon spricht, dem ist er entwischt

(Und die sind alle bloß für Furzen)

Wenn du von hinten in einen Spiegel guckst, siehst du den
Teufel.
Nicht die Suppe essen. Da haben die Dinner-Ladys reingepisst.
Ross Kelly nie den Füller leihen. Er pickt seine Klabusterbeeren
damit auf.
Immer links halten (überall). Rechts ist verboten.
Die Treppe zur Bibliothek ist sicher.
Wer einen Ring am kleinen Finger trägt, ist schwul.
Wenn eine ein Armband am Fuß trägt, ist sie eine Lesbe
(bumst mit anderen Ladys).

Es gibt noch mehr, aber die fallen mir jetzt nicht ein. Am Arsch bedeutet, du glaubst was nicht. Das ist das Gleiche, wie wenn man jemanden Lügner nennt.

X-Fire wollte uns erst nicht durchlassen. Sie warteten vor der Cafeteria. Sie standen mitten im Weg und machten keinen Platz. Du wusstest nicht, ob es ein Trick war oder in echt.

Dizzy: »Na, ihr Lullis?«

Clipz: »Ich hab gehört, du hast den ersten Test geschrottet. Das ist arm, Mann!«

Ich wollte eine Bombe sein. Ich wollte sie alle weghauen. Danach war mir. Ich wartete darauf, dass er lachte, aber sein Gesicht war noch so hart, als meinte er es ernst. Als wären wir verfeindet.

X-Fire: »Keine Angst, Ghana. Das nächste Mal denk ich mir was Einfacheres für dich aus, das wird schon. Und, was hast du zu bieten, Kürbiskopp?«

Dean machte sich ganz steif. Mir wurde kalt im Bauch.

Dean: »Ich hab nichts.«

Dizzy: »Lüg uns nicht an, Alter. Was hast du in den Taschen? Zeig.«

Wir konnten nirgendwo hin. Er musste es ihnen zeigen, wenn wir an ihnen vorbei wollten. Das war nicht fair.

Dean: »Ich hab ein Pfund, mehr nicht. Das brauch ich.«

Dizzy: »Tja, Alter, Pech für dich.«

Er hat Deans Pfund kassiert. Nichts zu machen. Dean war ganz traurig, das sah man. Er hätte den Schein nach dem Essen wieder in seinen Strumpf tun sollen. Ich wünschte, ich hätte ein Pfund für ihn übrig, aber Mamma gibt mir immer das abgezählte Geld und nichts extra.

Dean: »Scheißdreck, Alter.«

Dizzy: »Werd nich frech, du kleiner Pisser, oder es gibt auf die Fresse.«

Am Schluss ließen sie uns vorbei. Es tat mir leid für

Dean, dass ihm sein Pfund gestohlen wurde, aber irgendwie fand ich es auch cool. Ich wünschte, ich könnte wen dazu bringen, zu tun, was ich sage. Wenn ich der große Fisch wär, hätten alle kleinen Fische Angst vor mir. Wenn ich auftauche, würden sie sich verziehen, so dass ich das ganze Meer und das ganze Essen darin für mich allein hätte. Nur meine Lieblinge unter den ganz kleinen Fischen würde ich für mich arbeiten lassen, wie wenn so ein Pilotfisch den ganzen Meeresstaub vom Hai runterfrisst, damit dessen Kiemen nicht verstopfen (das hab ich in meinem Buch *Monster der Tiefsee* gelesen, für nur 10 Pence vom Markt).

Ich: »Das ist ja nur, weil ich schwarz bin. Wenn du schwarz wärst, würden sie dich auch in die Gang lassen.«

Dean: »Ich will gar nicht in denen ihre blöde Gang, die machen doch nix wie Leute abziehen. Mach nicht bei denen mit, das sind doch Flachwichser.«

Ich: »Ich hab nur so getan, damit sie uns nicht voll fertigmachen.«

Dean: »Ich hasse die, Mann.«

Ich: »Ich auch.«

Irgendwer hatte eine alte Matratze auf der Grünfläche liegen lassen. Es spielten schon zig kleinere Kinder darauf. Wir sagten ihnen, sie sollten runter davon.

Dean: »Verpisst euch, oder es gibt auf die Fresse!«

Wir ließen die kleineren Kinder zusehen. Ich machte ungefähr zehn Saltos. Dean machte ungefähr fünf. Es war fast so gut wie ein richtiges Trampolin. Ich kam richtig hoch. Ich war der Einzige, der beinahe einen doppelten Salto schaffte. Ein paar der kleineren Kinder haben uns angefeuert. Hat voll Spaß gemacht. Wir haben gar nicht mehr aufgehört. Du vergisst, dass du Hunger hast, du willst bloß jedes Mal noch höher springen.

Wir wollten die Matratze für uns beanspruchen. Wir wollten den kleineren Kindern 50 Pence abnehmen, um darauf zu hüpfen. Das war Deans Idee.

Dean: »Aber wir brauchen ein paar Regeln. Immer nur zwei Leute gleichzeitig auf der Matratze, und jeder muss seine Schuhe ausziehen.«

Wir würden Millionen verdienen. Dann kam Terry Takeaway, und Asbo erleichterte sich auf die Matratze. Danach wollte niemand mehr auf ihr hüpfen.

Ich: »Asbo, böser Junge! Die brauchen wir doch noch!«

Terry Takeaway: »Sorry, Jungs! Ein Hund muss tun, was ein Hund tun muss!«

Ich habe das Dach für Papas Laden voll stabil gebaut. Papa fand es supergut, das merkte man. Er sagte, es würde länger leben als er und ich zusammen. Es wird alles trocken halten, wenn es regnet, und Papa kühlen Schatten spenden, wenn die Sonne scheint. Wir haben das Dach aus Wellblech und Holz gebaut. Papa baute das Gerüst, und dann haben wir das Wellblech oben draufgemacht. Ich hab die Schrauben festgezogen. Er hat mir bloß bei der ersten geholfen, die anderen hat er mir ganz allein überlassen. War einfach. Wenn es regnet, ist es irre laut. Da pladdert der Regen noch stärker. Du fühlst dich unter dem Wellblech geschützt. Du fühlst dich stark, weil du es selbst gebaut hast.

Wir haben ewig lange an dem Dach gebaut. Als wir fertig waren, sah der Laden noch viel schöner aus. Ich und Papa tranken zur Feier des Tages eine ganze Flasche Bier. Das meiste davon hat Papa getrunken, aber ich kriegte auch einen Schluck. Ich wurde nicht besoffen, es war nur einfach prima, meine Rülpser brannten davon. Mamma, Lydia, Agnes und Grandma Ama kamen alle, um den neuen Laden angemessen zu begrüßen. Sie waren genauso begeistert wie wir, das merkte man ihnen an. Alle grinsten von einem Ohr zum anderen.

Mamma: »Hast du das ganz allein gemacht? Kluger Junge.«

Ich: »Papa hat mir geholfen.«

Grandma Ama: »Hat er gut gearbeitet?«

Ich: »Er ist ein bisschen faul.«

Papa: »He! Frechdachs!«

Ich: »Ich mach nur Spaß.«

Wir hängten eine Laterne unters Dach, damit der Laden auch nachts geöffnet bleiben kann. Das Tollste für Agnes war die Laterne. Babys lieben Sachen, die hängen oder schaukeln. Sie müssen sie immer anfassen, auch wenn sie heiß sind. Sie hat geweint, als sie sich an der Laterne die Finger verbrannte. Ich habe sie wieder heil genuckelt. Ich bin der Beste im Heilenuckeln, meine Spucke hat heilende Kräfte.

Papa macht die besten Sachen. Seine Stühle sind die bequemsten, und seine Tische sind immer so stabil, dass man darauf stehen kann. Er macht das alles aus Bambus. Selbst wenn die Schubladen aus Holz sind, ist der Rahmen aus Bambus. Bambus ist das beste Material, denn er ist gleichzeitig fest und leicht. Er lässt sich leicht mit einer Machete oder einer Säge schneiden. Du musst sorgfältig sägen, damit du eine saubere Schnittfläche bekommst. Du musst dir immer vorstellen, dass das, woran du gerade arbeitest, dein bestes Stück wird.

Papa: »Wenn du Bambus sauber sägen kannst, kannst du auch ein Bein absägen. Das ist ein und dasselbe. Ist eine gute Übung. Stell dir vor, das Bambusrohr ist das Bein von jemandem. Da musst du den Schnitt so sauber machen, wie du kannst, damit es ordentlich verheilt.«

Ich: »Aber ich will keinem ein Bein absägen.«

Papa: »Vielleicht wirst du das müssen. Ein Arzt kann sich den Patienten nicht aussuchen. Man verlässt sich auf dich.«

Das ist endlos lange her, als ich noch Arzt werden wollte. Ich gab mir beim Sägen viel Mühe. Ich tat so, als wär es Ernst, ich hab sogar versucht, dem Bambus nicht wehzutun. Als ich durch war und das Bambusstück runterfiel, hab ich sogar versucht, es aufzufangen, als wär es das Bein von irgendwem.

Papa: »Jetzt husch-husch, leg es auf Eis! Wir können es jemand anderem wieder annähen.«

Ich: »Aber das ist ein kaputtes Bein.«

Papa: »Was der eine wegwirft, ist für andere ein Schatz. Wir geben es einem Buschmann, die werden den Unterschied nicht merken.«

Ichschwör, ich hab mich kaputtgelacht.

Ich weiß nicht, warum Mamma auch nachts arbeiten muss. Das ist überhaupt nicht fair. Warum können Babys nicht einfach am Tag auf die Welt kommen?

Mamma: »Die kommen, wann immer ihnen danach ist. Du bist auch nachts zur Welt gekommen. Du hast darauf gewartet, dass die Sterne am Himmel erscheinen.«

Lydia: »Und es war Vollmond, darum hast du so einen Hau.«

Ich: »Hab ich nicht!«

Ich wünschte mir bloß, Mamma wäre da, dann könnte Miquita nicht dauernd zu Besuch sein. Ich habe sie erst reingelassen, nachdem sie versprochen hat, mir keinen abzulutschen.

Miquita: »Okay, okay, versprochen. Was zierst du dich denn so?«

Ich: »Hör auf, mich zu belästigen!«

Miquita: »Ist ja gut, Knackarsch. Tut mir leid.«

Ich löste die Ketten und schloss auf. Hinter dem Rücken hielt ich den Kartoffelstampfer, falls ich sie verjagen musste.

Miquita und Lydia probieren ihre Kostüme für das Straßenfest an. Beide gehen als Papagei. Das erkennt man aber nur an den Federn. Das Kostüm ist zum größten Teil nur ein Bodystocking. Als Lydia es zum ersten Mal anprobiert hat, hatte sie wie ein frischgerupftes Hühnchen ausgesehen. Die Federn, die sie drangemacht hat, sind nicht mal echt, die hat sie von der Tanzgruppe. Einige sind rosa. Es gibt gar keine rosa Papageien.

Lydia: »Gibt es wohl, hab ich selbst gesehen.«

Ich: »Das war ein Flamingo. Es gibt keine rosa Papageien, glaub's mir.«

Miquita: »Aber rosa Zungen gibt es. Guck.«

Miquita streckte mir die Zunge raus. Sie schlängelte sie wie einen ekligen, dicken Wurm. Es war voll fies.

Wenn ein Mädchen einen Ohrring in der Zunge hat, bedeutet das, sie ist unanständig. Das sagen alle.

Miquita tanzte mir was vor. Ich wollte mir das nicht ansehen. Ständig wackelte sie mit ihrem Allerwertesten vor meinem Gesicht. Aua-aua, ich musste schließlich aufgeben. Ich ging in mein Zimmer, um den CD-Player anzustellen (nur einen Fünfer beim Uhrendoktor auf dem Markt). Ofori Amponsah macht die beste Musik, um Miquitas dumme Stimme damit zu übertönen.

Miquita: »Wo gehst du hin, Harri? Willst du deine Lippen hübsch und weich für mich machen? Willst du dir meinen Labello borgen?«

Ich: »Nein danke, Schweinegesicht! Da würde ich lieber meinen eigenen Hintern küssen!«

Ichschwör, Miquita sieht saudoof aus in ihrem Kostüm. Ihre Titten sahen darin irgendwie vergrößert aus, als wollten sie rausspringen und dich auffressen. Ich wünschte mir, es gäb überhaupt keine Titten, dann würde man sie auch nicht die ganze Zeit drücken wollen.

Ich musste nur noch mal rauskommen, um den Porzellangott zu grüßen, ich konnte es nicht länger unterdrücken. Miquita ging gerade. Sie gab Lydia einen Beutel. Sie guckten rein, als wär darin ein irrer Schatz. Als sie mich sahen, versuchten sie, ihn zu verstecken, aber es war zu spät. Beide machten ein Gesicht, als hätte ich ein besonderes Geheimnis kaputtgemacht. Dann ging Miquita einfach. Lydia steckte den Beutel in den schwarzen Sack mit der Wäsche. Sie steckte den Kopf nach draußen und sah sich um, als würde sie nach Feinden Ausschau halten.

Lydia: »Warte hier, bin gleich zurück.«

Ich: »Gehst du in den Waschsalon? Da komm ich mit! Ich schlag dich wieder beim Wäschespiel!«

Lydia: »Zu spät!«

Lydia knallte mir die Tür vor der Nase zu. Das würde ich mir nicht einfach gefallen lassen: Ich zählte bis zehn, dann machte ich die Tür ganz vorsichtig auf. Ich sah, wie die Türen vom Aufzug zugingen. Ich rannte die Treppen runter und beobachtete, wie Lydia im Erdgeschoss ausstieg. Ich ging ihr super vorsichtig den ganzen Weg bis zum Waschsalon nach. Ich versteckte mich hinter der Ecke, von wo ich aber noch durchs Fenster gucken konnte.

Es war niemand sonst drin. Lydia nahm nur die Sachen aus dem Beutel und legte sie in meine Lieblingsmaschine. Dann passierte etwas Komisches – sie holte Mammas Bleichmittel aus dem Wäschesack und schüttete alles in die Maschine, über die Sachen da drin. Sie machte das alles husch-husch, als wäre es eine Geheimmission. Ihre Hände waren so schnell, dass sie erst gar nicht das Geld reinbekam. Man muss die Münzschublade richtig fest reinknallen, wenn man es zu sanft versucht, springt sie wieder raus und man muss noch mal von vorne anfangen. Sie brauchte fünf Versuche, bis es klappte. Und als die Maschine dann lief, nahm sie den Sack mit der richtigen Wäsche drin und ging. Draußen rannte sie beinahe gegen mich.

Lydia: »He! Wieso bist du mir nachgegangen? Ich hab doch gesagt, du sollst zu Hause bleiben.«

Ich: »Was war in dem Beutel?«

Lydia: »Nichts!«

Ich: »Ich hab's schon gesehen.«

Lydia: »Mir doch egal. Dann sag, was es war.«

Ich: »Bloß so blödes Zeug.«

Lydia: »Wer fragt dich denn, du weißt überhaupt nichts.

Das sind nur Reste von dem Kostüm. Die waren nicht zu gebrauchen, da haben wir Schminke draufgemacht.«

Man merkt immer, wenn Lydia lügt, denn dann kriegt sie ein wütendes Gesicht. (Ich muss immer grinsen, wenn ich lügen will. Ich kann nichts dagegen tun. Ich muss es einfach sein lassen. Es ist zu riskant, und danach fühl ich mich krank.) Ich hab die Sachen aus dem Beutel gesehen, und die gehörten zu keinem Kostüm, sie hatten eine andere Farbe und das Material glänzte nicht. Es waren Jungensachen. Ich hatte die Kapuze und das Logo mit dem Ecko-Nashorn gesehen. Alles war ganz rot gewesen. Es war zu dunkel, um Schminke zu sein, und für Shito war es zu hell. Mir wurde richtig kalt im Bauch.

X-Fire tauchte mit Harvey auf. Als Lydia ihn entdeckte, wurde sie ganz still. Harvey zerrte an der Leine und leckte seine Lippen wie ein hungriger Wolf. Ich hielt hinter dem Rücken meinen Finger bereit, falls ich ihn in sein Arschloch stecken musste. Du wirst mich heute nicht fressen, böser Hund! Ich hab eine Überraschung für dich!

X-Fire: »Hat dich wer gesehen?«

Lydia: »Nein.«

X-Fire: »Verzieh dich besser, Ghana. Er ist hungrig.«

Harvey zerrte und schnüffelte überall rum, als wäre Fleisch in der Luft. Ich und Lydia gingen lieber, bevor er völlig durchdrehte.

Ich: »Mamma wird ganz schön wütend werden, wenn sie rausfindet, dass du den ganzen Kloreiniger verbraucht hast.«

Lydia: »Ich sag ihr einfach, du wärst es gewesen. Ich bin nicht diejenige, die immer auf Wolken pinkeln muss.«

Ich: »Muss ich gar nicht.«

Ich muss das gar nicht immer tun. Ich wollte nur mal sehen, wie Gott sich so fühlt.

Die besten Turnschuhe sind die Air Max von Nike. Das finden alle. Stylischer geht es nicht.

Adidas ist Nummer zwei. Oder, wenn man Chelsea-Fan ist, Nummer eins, weil Adidas Chelsea ausstattet.

Die von Reebok sind Nummer drei und die von Puma vier. Puma stattet Ghana aus. Keiner glaubt mir das, aber es stimmt. K-Swiss ist auch absolut hammermäßig. K-Swiss könnten sogar auf Platz eins sein, wenn mehr Leute von ihnen wüssten.

Meine Turnschuhe heißen Sports. Sie sind komplett weiß. Ich hab sie von Noddys Laden auf dem Markt. Sie sind sehr schnell. Die anderen sagen alle, sie sind voll Schrott, aber die sind nur neidisch, weil sie schneller sind als ihre.

Connor Green gibt immer seinen Turnschuhen die Schuld, wenn er den Ball verschießt. Es ist nie seine Schuld, es liegt immer an seinen Turnschuhen.

Alle: »DU LULLI!«

Connor Green: »Ich kann nichts dafür, Alter! Das sind die Turnschuhe! Die sind nicht für Fußball gedacht, nur fürs Laufen! Wenigstens sind sie nicht so popelig wie die Sports von Harri!«

Ich: »Klappe, wenigstens laufe ich schneller als eine Schnecke.«

Früher hat mich beim Fußball nie einer angespielt. Ich hatte gedacht, sie hassen mich. Dann hab ich rausgefunden, dass ich das falsche Kommando benutzt hab. Statt »Pass!«

zu rufen, muss man »Hintermann!« rufen. Abgesehen davon sind die Regeln so wie da, wo ich früher gelebt hab. Vilis spielt mich immer noch nicht an, aber das ist mir egal. Wo er herkommt (Lettland), verarbeiten sie Schwarze zu Teer und belegen damit die Straßen. Das sagen alle. Ich will den Ball von ihm überhaupt nicht haben, soll er ihn doch behalten. Ich mach immer noch die Augen zu, bevor ich den Ball köpfe. Ich kann nicht anders. Ich denke immer, es würde wehtun.

Vilis: »Bist du schwul, Mann!«

Ich: »Hau bloß ab, Kartoffelhaus!« (Er wohnt nämlich in einem Haus, das aus Kartoffeln gemacht ist.)

In Mathe kam mich eine Wespe besuchen. Sie hing ewig auf meinem Pult rum. Ich saß neben Poppy. Poppy fing fast an zu weinen. Sie dachte, die Wespe würde sie stechen.

Poppy: »Als ich ein Baby war, hat mich eine gestochen. Jetzt bin ich allergisch.«

Ich: »Keine Sorge, die ist nur zu Besuch. Ich pass schon auf, dass sie dich nicht sticht.«

Ich wollte Poppy beruhigen, nur klappte es erst nicht. Sie wollte, dass ich die Wespe totschlage, aber ich ließ sie bloß auf mein Aufsatzheft klettern und trug sie dann zum Fenster. Dean machte das Fenster auf, und die Wespe flog raus. Alle applaudierten. Poppy war sehr erleichtert, das sah man. Ich hatte dafür gesorgt, dass sie keine Angst mehr hatte.

Poppy: »Danke, Harri.«

Ich: »Schon gut. War ein Klacks!« (Das sagt man, wenn etwas einfach war.)

Ich war vorher erst in ein anderes Mädchen verliebt. Das war da, wo ich früher lebte. Ihr Name ist Abena, sie ist Lydias Freundin. Ich habe sie nur einen Tag geliebt. Sie ist sehr dumm. Sie glaubte, wenn sie mit Seifenflocken im Gesicht schlafengehen würde, würde sie am nächsten

Morgen *obruni* aufwachen. Sie hat es an sich selbst ausprobiert. Sie wollte für einen Tag weiß sein. Sie glaubte, wenn sie weiß wäre, bekäme sie die Diamanten wie die Lady in diesem amerikanischen Film.

Abena liebt Diamanten. Obwohl sie noch nie einen zu Gesicht bekommen hat.

Sie hat sich das ganze Gesicht mit Seifenflocken vollgeschmiert. Geklappt hat es nicht, am Morgen war sie immer noch schwarz. Nur ihre Haut hat sich geschält. Wir haben Pellkartoffel zu ihr gesagt. Sie war stinksauer.

Alle: »Pellkartoffel! Pellkartoffel!«

Sie hat gesagt, das wär nur ein Spaß gewesen, aber sie hat wirklich gewollt, dass es funktioniert, das sah man. Abena ist sehr dumm. Ich bin froh, dass sie nicht mit uns gekommen ist. Ihre Augen sind zu schmal, und wenn man Kakaoschoten nach ihr wirft, kreischt sie, als wären das Bomben oder so. Am Schluss hat es einfach genervt, deswegen habe ich aufgehört, sie zu lieben.

Man darf die Computer-Club-Computer für die Hausaufgaben, E-Mails oder das Internet benutzen. Man darf sie aber nicht mehr als Chatroom benutzen, denn alle wollten immer nur wissen, welche Farbe die Höschen der anderen hatten. Jetzt ist der Chatroom gesperrt. Aber man kann immer noch Instant Messages schicken.

Ich: »Los, frag sie, welche Farbe ihr Höschen hat.«

Lydia: »Wieso willst du das denn wissen? Bist du immer noch in sie verliebt?«

Ich: »Was!? Natürlich nicht, die ist doch doof! Ich hab nur Quatsch gemacht!«

Lydia und Abena chatten bloß über England und Jungs. Abenas Nachrichten sind immer langweilig. Es geht immer nur über einen neuen Stromausfall oder so.

Lydia: »Sie haben die Zwillinge gefunden.«

Ich: »Großer Gott! Leben sie noch?«

Lydia: »Warte, so schnell kann ich nicht tippen.«

Die Zwillinge waren verschwunden, bevor wir hierhergekommen sind. Alle hatten sich Sorgen gemacht. Sie bringen immer wieder Zwillinge um. Die Leute im Norden glauben, Zwillinge wären verflucht, deswegen bringen sie sie um, bevor der Juju sie erwischt.

Lydia: »Sie haben nur die Skelette gefunden. Sie hielten sich bei den Händen.«

Ich: »Möge Gott mit ihnen sein.«

Eine Minute in stiller Trauer war vorgeschrieben. Ich konnte die Knochen sehen. Ich tat so, als käme eine Schlange aus der einen Augenhöhle. Auch wenn ich traurig sein wollte, in mir rührte sich nichts. Das Einzige, woran ich denken konnte, waren Poppy Morgans Lippen. Die sind wunderschön und nicht so dick wie die von Miquita. Ich gucke sie mir an, wenn sie mit mir spricht, und sie machen mich ganz schläfrig wie ein Zauberer. Wenn ich irgendwem einen ablutschen müsste, dann am liebsten Poppy Morgan. Das hab ich heute beschlossen.

Ich: »Können wir jetzt gehen! Ich sterbe vor Hunger!«

Lydia: »GLEICH!«

Ich: »BRÜLL MICH NICHT AN!«

Ichschwör, Lydia brüllt mich neuerdings dauernd an. Keine Ahnung, wie das so plötzlich kam. England macht die Leute ganz verrückt, ich glaube, es liegt an den vielen Autos. Auf dem Markt in Kaneshie früher machte der Qualm von den ganzen Autos und Trotros dich voll benebelt im Kopf, dabei waren es nur ungefähr hundert. Hier sind es ungefähr eine Million. Einmal bin ich hinter einem Bus über die Straße gelaufen, und der Rauch blies mir direkt ins Gesicht: Ich schwöre bei Gott, ich hab mich zwei Tage lang gefühlt, als müsste ich kotzen. Alles und jeder macht mir rote Augen. Wahrscheinlich kam das auch davon. Ab heute halte ich einfach den Atem an.

Pfundnoten sehen doof aus. Die Queen guckt zu lustig, als würde sie das gar nicht ernst nehmen. Es sieht aus, als versuchte sie ein Grinsen zu unterdrücken. Als ob irgendwer einen Witz erzählt hätte, während das Foto gemacht wurde. Mamma wird immer ganz ernst, wenn sie Julius das Geld bezahlt, ich habe das einmal gesehen, als sie die Küchentür aufgelassen hatte. Ihre Hände waren ganz schnell, als wäre Dreck an dem Geld und sie wollte sich die Finger nicht schmutzig machen. Julius beobachtete sie scharf. Sogar als Mamma ausgezählt hatte, hat er das Geld noch mal gezählt. Er glaubt, Mamma könnte nicht richtig zählen, aber das kann sie wohl.

Mamma: »Es stimmt genau.«

Julius: »Immer langsam.«

Er leckt seine Finger, bevor er das Geld zählt. Seine Hände sind voll gefährlich, sie sind riesig, und seine Ringe sehen ziemlich schwer aus. Er war mit dem Zählen fertig und tat das Geld in eine spezielle Heftklammer aus Silber. Es steckte schon eine Unmenge anderes Geld drin. Ichschwör, Julius hat mehr Einkommen als der Präsident. Er fährt einen Mercedes-Benz. Der ist klasse. Das ist der gleiche Wagen, den ich mir kaufe, wenn ich älter bin, die Sitze sind ganz weich und alle passen hinten rein, ohne dass man ihren Ellbogen in die Rippen kriegt. Ich bin sogar schon mal mitgefahren, als Julius uns zu unserer neuen Wohnung gebracht hat.

Ich und Lydia haben ein Spiel gespielt: Jedes Mal, wenn man einen weißen Menschen sah, musste man richtig laut *OBRUNI!* rufen. Wenn man das sagte, gab es jedes Mal einen Punkt.

Ich hab gewonnen, denn ich bin der beste Späher und der schnellste Redner. Wir sahen fast so viele weiße Leute wie schwarze. Ichschwör, so viele Weiße hatte ich im ganzen Leben noch nicht gesehen. Wie verrückt. Ich fand es toll.

Lydia: »*Ob–*«

Ich: »*OBRUNI*! Zu langsam!«

Lydia: »Das ist unfair! Das war meiner, ich hab ihn zuerst gesehen!«

Ich: »Aber ich hab es zuerst gesagt. Noch ein Punkt für mich!«

Ichschwör, als ich die Hochhäuser das erste Mal sah, wurde mir richtig schwindlig. Wir versuchten zu raten, welches unseres war. Lydia tippte auf das mittlere, und ich auf das am Ende, das am weitesten weg war.

Ich hatte recht.

Dann mussten wir raten, welche Nummer unser Stockwerk hatte. Lydia tippte auf 7, weil 7 ihre Glückszahl ist. Ich tippte auf ganz oben, weil ganz oben am coolsten ist.

Keiner von uns hatte recht. Es war 9.

Ich: »Die Tür ist bestimmt blau.«

Lydia: »Ich glaub, sie ist grün.«

Wir hatten beide unrecht. Die Tür war braun. Alle Türen sind braun.

Ich hatte den Job, alles zu checken. Den Job hatte ich bekommen, weil ich als Erster gefragt hatte. Wer trödelt, verliert. Zuerst habe ich alle Lampen geprüft. Alle gingen sofort an. Dann meldete ich:

Ich: »Lampen klar!«

Dann probierte ich alle Wasserhähne. Alle funktionierten. Man musste nicht mal ewig auf das Wasser warten, es kam sofort. Ich probierte die Hähne in der Küche aus, dann die im Badezimmer. Dann meldete ich:

Ich: »Wasser klar!«

Dann prüfte ich den Fußboden nach losen Stellen und Löchern. Das tat ich, indem ich überall draufsprang. Ich hüpfte auf jedem Stück Fußboden. Das dauerte ewig. Ich beschleunigte es, indem ich ein bisschen tanzte. Dann meldete ich:

Ich: »Böden klar!«

Dann prüfte ich alle Decken auf Löcher, die Regen reinlassen konnten. Dazu musste ich nur nach oben gucken. Das war einfach.

Ich: »Decken klar!«

Dann checkte ich die Möbel und andere Sachen. Ich ging rum und guckte nach Sachen, und immer, wenn ich irgendwas entdeckte, meldete ich es einfach:

Ich: »Sofa da!«

Ich: »Tisch da!«

Ich: »Bett da!«

Ich: »Noch ein Bett da!«

Ich: »Kühlschrank da!«

Ich: »Herd da!«

Ich meldete alles, was ich entdeckte, sogar wenn es nur was ganz Kleines war. Ich öffnete alle Schränke und Schubladen und zählte auf, was drin war.

Ich: »Messer da!«

Ich: »Gabeln da!«

Ich: »Löffel da!«

Lydia: »Ich mach dich Klatsche! Sei still!«

Ich: »Teller da!«

Ich: »Schüsseln da!«

Ich: »Stampfer da!!«

Ichschwör, es gab so viele neue Sachen, dass mir glatt die Augen tränten. Ich hätte nie erwartet, so viel Neues an einem Tag zu sehen. Ich vergaß sogar, dass Papa nicht da war. Ich dachte erst in der Nacht wieder daran, als Mamma schnarchte. Wenn Papa da ist, rollt er sie wie eine große Wurst auf die Seite, damit sie nicht mehr schnarchen kann. (Mamma sagt, sie schnarcht nicht, aber wie will sie das überhaupt wissen, sie schläft ja!)

Der Teppich in meinem Zimmer war nicht groß genug für den ganzen Boden. Man kann noch irgendein Holz darunter sehen. Ich hob den Teppich hoch, um nach Geld zu gucken. Jemand hatte einen Gruß auf den Boden geschrieben.

Fick dich

Ich glaube nicht, dass die Botschaft für mich gemeint war. Wusste ja keiner, dass ich überhaupt komme.

Ich weiß nicht, wofür das Geld ist. Es ist nicht für die Miete, denn Mamma hat unsere Wohnung von Ideal Lettings. Ich weiß nicht, was Julius macht, außer dass er uns zu unserer neuen Wohnung gefahren hat und in Tante Sonia verliebt ist. Er haut ihr immer auf den Hintern. Sie lässt sich das gefallen, auch wenn sie glatt gegen den Türrahmen geknallt ist. So doof sind Erwachsene. Ihnen gefällt es noch, wenn es wehtut.

Tante Sonia: »Bis dann, Kinder!«

Julius: »Na los, auf geht's!« (Patscht ihr auf den Hintern.)

Tante Sonia: »Au!«

Dann wird Mammas Gesicht ganz hart, und sie zerquetscht die Tomaten, als wollte sie sie umbringen. Sie sagt, ich kriege keinen Ring wie die, die Julius hat, weil so was nur Ganoven trügen.

Ich: »Nicht bloß Ganoven, Präsidenten auch!«

Mamma: »Was fällt dir ein? Nur Ganoven. Und ich will keine Widerworte hören!«

Wenn ich so einen Ring hätte, würden mich alle für Ironboy halten. Dann würde ich sie, wenn sie mich rumschubsen, einfach mit der Ringhand schlagen. Die wäre so schwer, dass ihnen der Kopf wegfliegt.

Ich wachte auf, als der Junge aufwachte, und flog durch Getöse und Gezweig zu ihm hin. Wir sahen zu, wie der Wind seine Arbeit tat, und später träumten wir zusammen. Wir träumen einer für den anderen mit. Wir leiten die Grußadressen weiter, und wir legen ein gutes Wort ein, wenn sie uns ihre Bitten vortragen, sei es um Muscheln oder um Speedboote. Wir leben und atmen innerhalb der Grenzen unserer Schützlinge; wir reichen ihnen die Hand, wenn ihnen die Brücke zu ihrem Gott versperrt ist.

In der Grünanlage ist ein Baum umgefallen. Es muss in der Nacht passiert sein. Es war ziemlich regnerisch und windig letzte Nacht, ich habe gemeinsam mit Herrn Taube alles beobachtet. Er flog weg, als ich das Fenster aufmachen wollte, doch ich wusste, dass er es war.

Ich: »Bis später, Taube! Komm bald wieder!«

Der Baum fiel einfach um. Er fiel auf das Haus von jemandem drauf. Er ging nicht durch, er landete bloß auf dem Dach. Man konnte die Wurzeln und alles sehen. Ich bin ungefähr halb bis zur Spitze geklettert. Das ist leichter, wenn der Baum schon umgefallen ist, du spazierst einfach hoch. Es ist sogar zu einfach. Ein paar kleinere Kinder versuchten es, aber sie kamen nicht so weit. Ich wollte ihnen zeigen, wie es geht, aber wenn man zu spät kommt, wird man ins Klassenbuch eingetragen. Wenn man da dreimal drinsteht, muss man nachsitzen und der Lehrer darf einen missbrauchen (das ist das Gleiche wie gemeine Tiefschläge, aber noch schlimmer).

Ich sah ein Vogelnest in dem Baum. Das war sehr traurig. Die Vögel waren alle rausgefallen, als der Baum umstürzte. Sie mussten mittlerweile tot sein. Der Baum hatte sie erschlagen. Das wusste ich einfach.

Ich: »Wenn wir aus der Schule kommen, klettere ich bis in die Krone und seh nach dem Nest. Wenn da noch Vögel drin sind, dann adoptiere ich die.«

Lydia: »Spinn nicht rum, du weißt doch gar nicht, welche Pflege die brauchen.«

Ich: »Das ist einfach, du fütterst sie mit Würmern, bis sie wieder kräftig genug sind, um zu fliegen.«

Die Babys essen nur Würmer. Sie erkennen den Unterschied zwischen einem echten Wurm und einem Haribo-Wurm nicht. Erst wenn sie groß genug sind, um von allein zu fliegen. Ich liebe alle Vögel, nicht bloß Tauben. Ich liebe sie alle.

Wenn du Polizist bist und jemand ganz dringend mal muss, musst du ihn in deine Mütze machen lassen. Connor Green hat mir das verraten.

Ich: »Wie? Das glaub ich nicht!«

Connor Green: »Ich schwör bei Gott.«

Dean: »Das stimmt, Alter.«

Ich: »Und was wär mit einem Soldaten? Darf man in dem seinen Helm machen?«

Dean: »Weiß nich. Glaub nich.«

Ich: »Und bei einem Feuerwehrmann?«

Connor Green: »Nein, ich glaub, nur bei der Polizei.«

Ich: »Du schwindelst mich an!«

Connor Green: »Dann geh doch und frag ihn, na los.«

Ich: »Frag du ihn doch.«

Mr McLeod: »Psst! Still, ihr da drüben!«

Es war eine Sonderversammlung. Der Polizist redete

über den toten Jungen, dass wir, wenn wir etwas wüssten, keine Angst haben sollten, es zu erzählen. Keiner konnte einem etwas deswegen tun. Der Polizist würde das nicht zulassen.

Polizist: »Ihr könnt verhindern, dass diese Person das Gleiche einem weiteren Menschen antut. Wenn ihr uns also helfen könnt, sagt es euren Eltern oder eurem Lehrer oder ruft die Nummer auf dem Plakat an, und wir behandeln alles, was ihr sagt, streng vertraulich.«

Du wusstest nicht, ob du ihm trauen solltest oder nicht, weil er zu fett war. Da stimmte doch irgendwas nicht. Ein fetter Polizist ist bloß ein Lügner, der kann die Bösen ja nicht mal richtig verfolgen. Jemand von der hinteren Bank rief Bullenschwein, auch wenn er es als Räusperer tarnte. Der Polizist hat den Trick nicht mal bemerkt, seine detektivischen Fähigkeiten waren voll schwach.

Dean: »Der bringt's doch nicht, Alter, wir machen dem seinen Job besser als er. Der arbeitet wahrscheinlich sowieso nur in der Zentrale. Wahrscheinlich sitzt der den ganzen Tag am Schreibtisch und isst seine Fünf-Minuten-Terrine.«

Ich: »Der fängt den Mörder doch in tausend Jahren nicht.«

Du glaubtest nicht, dass der Killer ein Kind sein sollte. Der Gedanke war zu verrückt. Wir sahen uns alle Gesichter an, ob sie Mörderaugen hatten. Es war zu schwer. Alle sahen normal aus. Von denen konnte es keiner sein.

Ich: »Hast du einen gesehen?«

Dean: »Eher nicht. Und du?«

Charmaine de Freitas hat Schweinsaugen, aber das ist einfach ihr Stil. Rot sind sie nicht.

Ich: »Mädchen können keine Mörder sein, oder?«

Dean: »Manchmal schon. Aber die stoßen dich meistens einfach die Treppe runter oder machen's mit Gift. Die erstechen einen nicht, dass ist nicht deren Modus Operandi.

Ich glaub nicht, dass wir den Mörder hier finden, irgendwer hätte sonst schon irgendwas gehört.«

Ich: »Dann noch mal alles auf null.« (Das bedeutet bloß, dass man noch mal von vorne anfangen muss.)

Connor Green: »Politessen gehen auch. In deren Hut darfst du pissen.«

Dean: »Stimmt, wusste ich doch, dass ich was vergessen hatte.«

Ich wollte mit dem Polizisten reden, aber ich musste undercover bleiben. Wenn die Freunde des Mörders uns zusammen sahen, würden sie wissen, dass ich an dem Fall dran war, und wenn du jemanden verpfeifst, spülen sie deinen Kopf im Klo runter. Stattdessen fragten wir den Polizisten bloß, ob wir mal seine Handschellen ausprobieren dürften. Er wollte nicht, weil wir Unfug damit machen könnten (er hatte recht, wir wollten sie Anthony Spiner ummachen und ihn damit an den Zaun ketten, aber der hat es geahnt und ist weggerannt, bevor wir ihn fangen konnten).

Narben sehen auf Weißen besser aus. Meine Narben waren nicht besonders gut zu sehen, weil meine Haut zu dunkel ist. Sie sahen trotzdem immer noch hammermäßig aus. Man musste nur von nah gucken.

Ich hab sie mir in Staatsbürgerkunde gemacht. Wir waren mit dem Text schon fertig (da wird man bloß gefragt, was so in England passiert, auf welcher Straßenseite man fährt, welches Fleisch genießbar ist und so). Ich hab nur den Filzstift benutzt und nicht den Textmarker, denn von dessen Dämpfen wird man high. Eine Narbe zu malen ist einfach. Es ist einfach eine Linie, die von kürzeren Linien gekreuzt wird, etwa so:

+++

Die lange Linie ist der Schnitt, und die Striche, die da durchgehen, sind die Fäden. Das ist die korrekte Art, eine Narbe zu malen. So sehen die meisten Narben aus, sogar die von Zombies.

Connor Green malt seine Narben so:

$$\cdot \; \cdot \; \cdot$$
$$\overline{}$$
$$\cdot \; \cdot \; \cdot$$

Die lange Linie ist immer noch der Schnitt. Die Punkte sind da, wo die Fäden waren. Die Fäden sind gezogen worden. Die Punkte sind die Stellen, wo die Nadel reingegangen ist.

Ich finde meine Art am besten. Mir gefällt sie einfach besser, weiter nichts.

Connor tat so, als kämen seine Narben vom Kampf mit einem Terminator. Ich hätte meine von einem Kampf mit Asasabonsam.

Connor Green: »Scheiße, was soll das denn sein?«

Ich: »Das ist eine Art Vampir. Er lebt auf Bäumen. Er frisst dich, wenn du zu tief in den Wald reingehst.«

Connor Green: »Is ja spitze.«

Neben meiner Schule gibt es einen Wald, man kommt jedes Mal daran vorbei, wenn man eine Runde um den Sportplatz laufen muss. Die Äpfel, die an den Bäumen dort wachsen, sind giftig, man darf sie nicht essen. Ichschwör, alle Baumfrüchte hier sind entweder giftig oder schmecken widerlich. Selbst die Pilze sind so dreckig, dass man sie nicht essen kann. Connor Green hat mal welche gegessen und dann drei volle Tage geschlafen. Als er wieder aufwachte, hatte er vergessen, wie er hieß und welche Sorte Poptarts er am liebsten aß; er musste alles wieder von vorne lernen. Ich finde das nicht fair. Wieso gibt es einen Obstbaum, wenn man sein Obst nicht essen kann? Das ist doch mieser Betrug.

Ich kam nicht mehr dazu, auf den Baum zu klettern. Als ich hinkam, war es schon zu spät, die Sägemänner schnitten die Äste ab und legten sie hinten auf ihren Truck.

Sie hatten Kettensägen. Alle mussten zurücktreten. Das war ganz schön ärgerlich. Ich hasste die Sägemänner. Die waren gemein, das sah ich. Es war, als würde der große Baum gefoltert. Ein kleinerer Junge sah mit mir zusammen zu. Er fand das toll. Er hatte ganz große Augen. Er wollte richtig, dass sie die Äste abschnitten.

Als die Sägemänner zu dem Ast kamen, wo das Vogelnest war, stellten sie die Kettensägen ab, und einer von ihnen kletterte hoch und holte das Vogelnest heraus. Er stellte es auf die Motorhaube von dem Truck und ließ mich reinsehen.

Es war nichts drin. Nicht mal Eier. Einfach gar nichts.

Kleinerer Junge: »Ich wusste, dass da nichts drin ist. Eine Katze muss sie geholt haben.«

Ichschwör, ich wollte ihn auf der Stelle töten. Das Blut kam praktisch aus dem Nichts und machte mir voll rote Augen. Eine Katze hat die nicht geholt. Es waren doch noch Babys.

Ich: »Die hat keine Katze geholt! Idiot!«

Ich schubste den kleineren Jungen um. Er fiel in den Matsch. Er hatte gar nicht damit gerechnet. Er stand wieder auf und rannte weg. Lächerlich. Ich wollte sogar, dass er heulte, er hatte es verdient.

Ich wollte einen Ast mitnehmen, als Andenken an den Baum. Ich wollte ihn einpflanzen, um zu sehen, ob der Baum wieder zum Leben erwacht, aber die Sägemänner ließen mich nicht. Sie glaubten, der Baum gehörte ihnen.

Sägemann: »Tut mir leid, Kumpel. Die brauchen wir.«

Ich: »Wieso?«

Sägemann: »So sind die Vorschriften. Sorry.«

Die sind einfach blöd. Der Baum gehört ihnen nicht, er gehört allen. Ich ließ sie nur davonkommen, weil sie Kettensägen hatten. Das Loch, wo der Baum gewesen war, war irgendwie verrückt. Es machte mich richtig traurig, ich weiß nicht mal, warum.

Sellotape kann man für viele detektivische Zwecke benutzen. Man kann Fingerabdrücke damit sichern oder Haare. Man kann es benutzen, um damit Fallen zu bauen. Man kann seine Notizen damit festkleben, damit sie nicht weggeweht werden. Man kann sogar die Verbrecher selbst damit einfangen, wenn man genug davon hat, so als würde man ein Spinnennetz machen. Nur dass man alles Sellotape der Welt brauchen würde, um einen ausgewachsenen Menschen damit zu fesseln.

Wir haben es zuerst mit unseren Fingerabdrücken probiert. Es klappte prima. Man konnte die ganzen winzigen Linien sehen. Jedes Muster ist anders.

Dean: »Prima. Ich hab doch gesagt, es funktioniert.«

Wir waren wieder am Fluss. Wir untersuchten sämtliche Oberflächen für den Fall, dass der Killer seine Fingerabdrücke hinterlassen hat, als er sich der Mordwaffe entledigte. Wir wollten zuerst den Tatort untersuchen, aber Chicken Joe hat uns weggejagt, er dachte, wir wollten die neuen Blumen stehlen, die die Mamma von dem toten Jungen ans Geländer gepflanzt hat. Irgendwer hatte schon die Bierflaschen gestohlen, wahrscheinlich Terry Takeaway.

Chicken Joe: »Weg da, ihr abartigen kleinen Spinner! Habt ihr kein scheißbisschen Anstand!«

Ich und Dean: »Wir haben Anstand, wir haben Anstand! Wir wollen doch nur helfen!«

Chicken Joe: »Verpisst euch, bevor ich die Bullen rufe!«

Dean: »Deine Hühnchen stinken! Die sind voller Maden!«

Stattdessen sind wir runter zum Fluss. Fingerabdrücke halten nur an bestimmten Oberflächen wie Metall oder Plastik. Sie halten nicht an Blättern oder Gras. Wir teilten uns auf, damit es schneller ging. Man musste einfach nur ein Stück Sellotape auf jede Oberfläche kleben, die der Mörder berührt haben könnte. Wenn Fingerabdrücke hängen blieben, bedeutete das, der Mörder ist dort gewesen.

Dean: »Die Proben vom Tatort holen wir später. Wenn wir dort, wo der Junge umgebracht worden ist, einen Fingerabdruck finden, der zu einem von dort passt, wo das Messer versteckt war, bedeutet das, wen auch immer du gesehen hast, das war der Mörder.«

Dean weiß, wovon er redet, er hat die ganzen Serien gesehen. Ich fing mit dem Brunnenkresse-Schild an. Ich musste mich auf meine Zehenspitzen stellen, um das Sellotape draufzukleben. Es blieb nichts hängen. Keine Fingerabdrücke.

Dean versuchte es am Laternenpfahl. Kein Erfolg.

Ich versuchte es mit dem Weg, aber Pflaster taugt nicht für Fingerabdrücke. Dean versuchte ein großes Blatt, nur für alle Fälle. Ichschwör, ein paar von den Blättern am Fluss sind größer als ich. Das ist wie ein Dschungel. Kein Wunder, dass der Mörder hierhin gegangen ist, es ist das perfekte Versteck.

Dean: »Letztes Jahr ist hier Mohn gewachsen. Sie mussten ihn ummähen, weil alle Leute das Zeug geraucht haben. Ich hab's auch probiert. Es war echt irre.«

Ich: »Was ist passiert?«

Dean: »Es macht einen müde. Dein Kopf wird ganz schummrig, als wärst du weit weg. Ich hab nur den Samen geraucht. Man vermischt den mit etwas Tabak. Ich schätze, man muss wohl mehr nehmen, ich hab bloß ein paar genommen.«

Ich stand Wache, während Dean ein paar Proben sammelte. Er entnahm Schlamm vom Ufer des Flusses. Wir schauten ihn beide ganz genau an, aber wir konnten kein Blut darin erkennen. Dann tauschten wir, und Dean stand Wache, während ich wie bei CSI nach Fußabdrücken suchte. Ich war sehr gründlich. Suchen fühlte sich toll an. Alles wurde ganz still, als wäre man auf einer wichtigen Mission und der Einzige, der sie vollbringen könnte.

Dean: »Irgendwas entdeckt?«

Ich: »Nö!«

Dean: »Er hat wohl seine Spuren verwischt. Und es hat geregnet. Die Beweise sind wahrscheinlich weggespült worden. Wir müssen einfach mehr Anhaltspunkte finden, das ist alles.«

Ich: »Was kaufst du dir von deiner Hälfte der Belohnung?«

Dean: »Eine Playstation 3 wahrscheinlich. Und ein neues Fahrrad und Berge von Chinakrachern.«

Ich: »Ich auch.«

Dean ist der beste Partner, den ein Detective haben kann, er kennt alle Tricks. Mir ist es sogar egal, dass er rote Haare hat. Das macht ihn so intelligent (die beste Eigenschaft eines Detective).

Ich schwör bei Gott, zuerst dachte ich, ich träume. Es kam einem gar nicht echt vor. Ich dachte, unter der Erde wären nur Morast, Knochen und die Geschöpfe, die dort leben, und als ich die ganzen Tunnels, Lichter und Leute sah, musste ich mich kneifen. Da war sogar ein Mann, der Geige spielte. Er hatte lange Haare in einem Pferdeschwanz, obwohl er ein Mann war. Ichschwör, das war ein voll lustiges Gefühl. Seid ihr mal in der U-Bahn gewesen? Da sind überall Tausende von Menschen, die alle zu schnell gehen. Sie reden nicht mit dir, sie stoßen dich nur mit ihren Ellbogen aus dem Weg. Die Treppen, die man runtergeht, bewegen sich, es sind die gleichen wie die am Flughafen. Man kann so tun, als wären es Asasabonsams Zähne, die einen fressen wollen. In die Mitte haben sie so Hindernisse gemacht, damit man nicht runterrutschen kann. Das ist ätzend. Ichschwör, wenn ich jemals eine Rolltreppe ohne Hindernisse sehe, rutsche ich bis ganz nach unten! Das ist jetzt mein neuer Ehrgeiz!

Ich wollte durch den Tunnel rennen, es waren aber zu viele Leute im Weg. Stattdessen hab ich bloß ein Echo gemacht. Ich machte das lauteste Echo, das ich konnte, und es hielt ewig:

Ich: »Wir sind in der UUUUUUUUUUUUUUUUUU-Bahn!«

Fühlt sich das lustig an! Alle zuckten zusammen. Man konnte mein Echo auf der anderen Seite der Welt hören. Ich stellte mir vor, Papa, Agnes und Grandma Ama hätten es gehört. Ich stellte mir vor, sie würden zurückrufen:

Papa, Agnes und Grandma Ama: »Wir haben dich verstanden! Hoffentlich gefällt es dir!«

Es gibt einen komischen Geruch, wenn der Zug kommt. Es ist wie ein Wind. Er ist heiß und riecht seltsam. Fühlt sich fies an, wenn man ihn ins Gesicht kriegt.

Ich: »Das sind Fürze.«

Lydia: »Was fällt dir ein? Das sind keine Fürze.«

Ich: »Wohl. Das sind die Fürze von den Leuten im Zug. Die haben dich voll im Gesicht erwischt. Jetzt hast du ein Furzgesicht.«

Wenn der Zug kommt, fangen alle an zu drängen. Sie können es nicht abwarten, in den Zug zu kommen. Sie haben Panik, dass kein Platz mehr ist. Nehmt euch zusammen! Es ist genug Platz für alle da! Der Zug ist so lang wie der ganze Tunnel! Als der Zug startete, drehte sich mir der Magen um wie im Flugzeug, beinahe wär ich hingefallen. Alle rempelten gegen alle. War das aufregend, ichschwör.

Ich wollte, dass Mamma stehen blieb wie wir, aber sie

wollte nicht stehen. Ihr gefällt sitzen besser. Die Lady, die neben ihr saß, hatte rosa Haare. Es war wundervoll.

Wo Tante Sonia wohnt, sieht es genauso aus wie da, wo ich wohne. Es kam mir nicht mal weit weg vor. Es sind immer noch Hochhäuser, aber nicht so hoch wie meins, nur so wie die Häuser von den Nicht-ganz-Richtigen. Tante Sonias Haus steht in einer langen Reihe Häuser, die alle gleich aussehen, bloß dass manche Türen andere Farben haben und manche Vorgärten einfach Gehwege sind.

Manche Leute stellen ihre Autos in die Vorgärten. Direkt vor die Fenster. Als wartete das Auto, reingelassen zu werden, aber niemand machte ihm auf. Ich tat so, als wär das Auto ein Hund. Er wäre in den Garten geschickt worden, um sich zu erleichtern, und wollte jetzt wieder rein, aber keiner hört ihn. Ich hatte glatt Mitleid mit ihm.

Zuerst dachte ich, Tante Sonias Haus wäre ein einzelnes großes Haus, aber innendrin hat es zwei Etagenwohnungen. Tante Sonias Wohnung ist unten, und oben gibt es noch eine Wohnung. Tante Sonias Fernseher ist riesig. Er ist voll dünn und hängt an der Wand wie ein Bild. Alles in ihrer Wohnung sieht nagelneu aus. Tante Sonia hat sogar einen Baum in einem Topf. Er ist ganz klein. Ein Baum drinnen kam mir falsch vor, das gefiel mir nicht. Ich hatte Sorge, wenn der Baum größer würde, würde er gegen das Dach stoßen. Dann würde er sterben.

Ich: »Was passiert, wenn er groß ist?«

Tante Sonia: »Der wird nicht groß, der bleibt immer so. Es ist ein spezieller Baum, der nicht wächst.«

Es ist wie ein Baby, das stirbt, wenn es noch ein Baby ist. Das ist sehr gemein, so einen Baum zu machen. Wenn ich der Baum wäre, würde ich die ganze Zeit brüllen, bis jemand käme und mich rauslässt.

Tante Sonia machte Kenkey und Fisch. Ich aß so viel, dass ich dachte, mein Bauch platzt. Ich trank sogar eine

Tasse Tee mit Zucker. Tante Sonia ließ den Löffel auf den Boden fallen. Es machte ein lautes Geschepper. Ihr Gesicht wurde hart.

Ich: »Ist das wegen deinen Fingern?«

Mamma: »Harrison.«

Tante Sonia: »Schon okay. Sie sind keine Babys mehr, sie können es ruhig wissen.«

Lydia: »Ich will es wissen. Immer hast du Geheimnisse vor uns.«

Mamma: »Lydia.«

Es stimmt aber, Mamma hat Geheimnisse. Ich hab ihre Lotterielose gefunden, als ich in der verbotenen Schublade nach Schokolade geguckt hab. Mamma sagt immer, die Lotterie wär für dumme Leute, und da könne man sein Geld ja gleich in den Brunnen werfen.

Tante Sonia: »Was schadet es schon? Ich will sie nicht anlügen.«

Mamma schnaufte einmal tief durch. Das bedeutet, sie hat aufgegeben. Sie spülte einfach weiter voll schnell die Teller, als wäre es ein Wettlauf mit der Uhr. Ich find es toll, wenn Tante Sonia gewinnt. Sie erzählt die besten Geschichten. Die sind sogar wahr.

Tante Sonia hat ihre Finger auf dem Herd verbrannt. Ist am einfachsten so.

Tante Sonia: »Es ist eigentlich nicht viel dabei. Du hältst einfach die Finger auf den Herd, bis die Haut weggebrannt ist.«

Ich und Lydia: »Hat das wehgetan?«

Tante Sonia: »Beim ersten Mal ist es einem nicht ganz geheuer. Man riecht, wie die Haut brät. Man muss die Finger nur rechtzeitig wegziehen, bevor sie festkleben. Da hab ich das einzige Mal geweint.«

Mir war ganz schlecht, als ich mir das vorstellte. Ich war jetzt schon begeistert von der Geschichte.

Tante Sonia: »Du spürst es eigentlich gar nicht richtig.

Es ist leichter, wenn du getankt hast. Wie die meisten Dinge.«

Mamma: »Setz ihnen bloß nicht so was in den Kopf.«

Lydia: »Fühlen sie sich komisch an?«

Sie sahen jedenfalls komisch aus. Tante Sonias Finger sind an der Spitze ganz schwarz und glänzend. Das sieht aus, als täte es weh. Es sieht aus wie Zombiefinger.

Tante Sonia: »Manchmal. Ich kann nicht mehr so gut unterscheiden, wie Sachen sich im Kleinen anfühlen.«

Lydia: »Was für Sachen?«

Wir testeten Tante Sonias Finger. Wir gaben ihr unzählig viele Dinge zum Betasten, und sie musste sagen, ob sie es fühlt oder nicht. Wir probierten es mit der Fernbedienung von ihrem Fernseher. Zuerst konnte sie nicht mal die Lautstärke verstellen.

Tante Sonia: »Die Knöpfe sind zu klein.«

Sie hat nicht mal gelogen. Lydia ließ das Muster ihres Oberteils befühlen. Am Ärmel sind so kleine Sterne. Tante Sonia machte ein konzentriertes Gesicht. Es funktionierte nicht, das sah man.

Mamma: »Jetzt ist aber gut. Lasst sie in Ruhe, sie ist doch kein Tier im Zoo.«

Lydia: »Aua-aua, ich weiß nicht, wie du das fertiggebracht hast. Ich könnte das nicht.«

Tante Sonia: »Man tut, was man tun muss.«

Mamma: »Du musstest es nicht tun.«

Tante Sonia: »Damals dachte ich das. Das ist ein Punkt, in dem eure Mamma und ich uns nie einig sein werden.«

Mamma: »Nicht nur darin.«

Tante Sonia: »Aber du liebst mich trotzdem, stimmt's?«

Tante Sonia hat ihre Finger verbrannt, um die Fingerabdrücke wegzumachen. Nun hat sie gar keine Fingerabdrücke mehr. Das ist deswegen, damit sie sie nicht wegschicken können, wenn die Polizei sie schnappt. Deine Fingerabdrücke verraten ihnen, wer du bist. Wenn du keine Fingerabdrücke hast, kannst du sonst wer sein. Dann wissen sie nicht, wo du hingehörst, und können dich auch nicht zurückschicken. Dann müssen sie dich dabehalten.

Tante Sonia: »Ich hab es auf die schonende Weise gemacht. Manche machen es mit einem Feuerzeug oder einer Rasierklinge. Auf die Weise dauert es ewig. Einfach Augen zu und durch, so hab ich's gemacht.«

Jedes Mal, wenn ihre Fingerabdrücke nachwachsen, muss sie sie wieder wegbrennen. Das kam mir ganz schön schrecklich vor. Tante Sonia sagt, sie hört auf, sie wegzubrennen, wenn sie den perfekten Platz gefunden hat. Wenn sie dort dann für immer bleiben kann und niemand da ist, der es ihr verleidet oder sie wegschickt, dann wird sie ihre Fingerabdrücke wieder für immer wachsen lassen.

Ich: »Es könnte doch hier sein.«

Tante Sonia: »Könnte sein. Wir werden sehen.«

Ich: »Ich hoffe es, denn dann könnten wir Weihnachten zu dir kommen. Wenn ich eine Xbox bekomme, können wir damit auf dem großen Fernseher spielen, ich wette, das sieht voll super aus.«

Tante Sonia hat nicht mal irgendwas Schlimmes gemacht. Sie hat noch nie jemanden ermordet oder etwas gestohlen. Sie reist einfach gern an fremde Orte. Sie guckt sich gerne die anderen Sachen dort an. Manche dieser Länder lassen dich nicht rein, wenn du schwarz bist. Du musst dich reinschmuggeln. Wenn du drin bist, machst du einfach das, was alle machen. Tante Sonia macht einfach nur, was alle anderen machen. Sie geht zur Arbeit und einkaufen. Sie isst ihr Essen und geht in den Park. In New York heißt er Central Park. Der ist groß genug, dass einhundert Kinderspielplätze reinpassen würden, und hat sogar eine Schlittschuhbahn.

Ich: »Wenn du auf dem Eis hinfällst, musst du deine Finger einziehen, damit sie nicht abgesäbelt werden. Meine Freundin Poppy hat mir das erzählt.«

Tante Sonia: »Harrison hat eine kleine Freundin?«

Ich: »Nein! Und es ist das Gleiche bei Feuerwehrleuten: Wenn sie wegen dem ganzen Rauch nichts sehen können, müssen sie sich vortasten. Sie tasten immer mit der Außenseite ihrer Hände, denn wenn du mit der Innenseite tastest und einen Draht findest, dann packen ihn deine Finger automatisch, und so kriegt man einen tödlichen Stromschlag.«

Tante Sonia: »Ist das wahr?«

Ich: »Absolut!«

Ichschwör, ich würd gern mal Schlittschuh laufen. Ich würde mir sogar die Fingerabdrücke wegbrennen, um dorthin zu kommen. Ich würde es auf dem Herd machen, weil es schneller geht. Das wäre nicht mal Betrug, denn ich würd ja meine Schlittschuhe bezahlen wie jeder andere. Tante Sonia hat mir einen richtigen Fußball aus Leder gekauft. Lydia hat eine CD von Tinchy Stryder bekommen. Tante Sonia weiß immer, was du dir am meisten wünschst, sie kann Gedanken lesen.

Wir mussten gehen, als Julius zurückkam. Er hatte seinen Baseballschläger dabei, aber keinen Ball, deswegen konnten wir nicht spielen. Julius nennt seinen Schläger den Überzeuger. Er bringt ihn immer von der Arbeit mit nach Hause. Er tätschelt ihn und redet richtig sanft mit ihm wie mit einem braven Hund. Du kannst dir vorstellen, alle Schrammen daran kämen von Kämpfen mit anderen Hunden.

Julius: »Der hat sich heute sein Fresschen verdient. Gib ihm mal sein Bad, was?«

Tante Sonia nahm den Schläger mit in die Küche, um ihn zu waschen. Sie musste auch so tun, als wäre er ein Hund. Du darfst nur nicht fragen, warum, denn von zu viel Fragen bekommt Julius Kopfschmerzen. Man muss ihn einfach in Ruhe seinen Gute-Nacht-Sprit trinken lassen.

Julius: »Willste auch einen, Harri?«

Ich: »Nein danke!«

Julius: »Die einzigen Freunde, die ein Mann braucht:

sein Baseballschläger und ein Drink. Der eine, um zu kriegen, was du haben willst, der andere, um zu vergessen, wie du drangekommen bist. Eines Tages wirst du schon verstehen, was ich meine. Bleib einfach so lange sauber, wie es geht, was? Bleib, wie du bist.«

Ich: »Das werd ich!«

In der U-Bahn auf dem Heimweg hab ich eine Lady mit einem Schnurrbart gesehen. Zuerst hab ich gedacht, es wär bloß Dreck, aber als ich noch mal hingesehen hab, waren es definitiv Haare. Er war nicht so dicht wie der von Mr Carroll, aber man wusste doch, dass er da war. Ich wollte lachen, unterdrückte es aber.

Wir sahen keinen Fahrradfriseur, ich glaube, die gibt es hier nicht. Kwadwo war da, wo ich herkomme, mein Lieblingsfriseur. Sein Rad hat sogar ein Radio, und er hat dich immer gewarnt, bevor er das Rasiermesser an deinen Nacken ansetzte, damit du Zeit hattest, dich darauf einzustellen. Stattdessen mussten wir hier in einen Laden. Der Friseur hieß Mario. Er ist ziemlich mürrisch. Wenn er meinen Kopf bewegte, war er zu grob. Er machte viel zu schnell. Und seine Finger waren zu haarig. Mario hat nicht mal mit mir geredet. Er hasst es richtig, Leuten die Haare zu schneiden.

Dean: »Der ist nur Friseur, damit er die alten Haare nach China verkaufen kann. Die machen da Kleidung draus, weißte.«

Zuerst hab ich Mamma gefragt, ob ich Cornrolls haben könnte.

Mamma: »Warum? Willst du aussehen wie ein Ganove?«

Ich: »Nein. Ich find sie bloß gut. Die sind voll stylisch.«

Lydia: »Er will nur Cornrolls, weil Marcus Johnson die hat.«

Ich: »Halt dich da raus. Stimmt gar nicht.«

Mamma: »Wer ist Marcus Johnson?«

Lydia: »Der ist in der 11. Der hält sich für den Superstarken. Die zwingen die Kleineren, ihre krummen Dinger zu drehen. Sie haben sie überall rumrennen. Erbärmlich. Er nennt sich X-Fire.«

Ich: »Das heißt nicht X-Fire. Es heißt Crossfire. Das

sieht nur so aus wie X-Fire, wenn er es an eine Wand sprayt.«

Lydia: »Und wennschon. Es ist trotzdem erbärmlich.«

Ich: »Stimmt gar nicht. Wenigstens zwingt ihn keiner die ganze Zeit, zu irgendwas. Du zwingst mich, die Bettwanzen umzubringen. Zerquetsch deine Bettwanzen doch selber, mich lassen sie sowieso in Ruhe.«

Lydia: »Das war nur das eine Mal, wovon redest du denn da? Willst du behaupten, ich wär verlaust?«

Ich: »Eine ist in deine Nase gekrochen, während du geschlafen hast. Ich habe es selber gesehen. Wahrscheinlich hat sie sich mittlerweile ein Haus in deinem Gehirn gebaut. Wahrscheinlich hat sie einen Garten angelegt, eine Satellitenschüssel gekauft und bleibt für immer.«

Lydia: »Hau bloß ab!«

Mamma: »Hör auf, deine Schwester zu ärgern! Deine Haare sind für Cornrolls sowieso nicht lang genug. Du kriegst sie rasiert. Und keine Widerworte, verstanden?«

Ich bekam bloß den Kopf rasiert. Und sogar da musste Mario erst fragen.

Mario: »Willst du Nummer eins oder Nummer zwei?«

Er nannte es Nummer zwei! Ich schwöre bei Gott! Das war das Lustigste, was ich je gehört hatte! Mario ist voll behämmert. Von heute ab werde ich meine Haare hüten, bis sie lang genug für Cornrolls sind, mir egal, was Mamma sagt. Dann hab ich endlich die Kraft, jeden Test zu bestehen, und sie müssen mich in die Gang aufnehmen.

Nummer zwei ist ein anderer Ausdruck für scheißen. Ich weiß, ich hab's erst auch nicht geglaubt!

Wenn man an meinem Hochhaus startet, geht man erst durch den Tunnel, an der Schule für kleine Kinder und ein paar anderen Häusern vorbei, und dann ist man am Park. Es gibt da zwei Fußballtore mit Netzen und einen Spielplatz mit Schaukeln, einem Karussell und ein paar anderen Sachen. Da steht ein kleines Piratenschiff und lauter so Dinger auf Sprungfedern: ein Jeep und ein Motorrad auf Federn und zwei Marienkäfer. Man setzt sich einfach drauf und schaukelt. Ich geh da nicht mehr drauf, denn die sind schwul. Das sagen alle. Die sind bloß für Babys. Die Schaukeln sind immer kaputt von den Hundebissen.

Das Beste ist das Klettergerüst, aber auf das kommt man nicht, weil es der Dell Farm Crew gehört. Die sind immer da drauf. Dabei spielen die nicht mal, die sitzen nur rum, qualmen Kippen und verhöhnen die Leute, die vorbeikommen. Wenn man nach ihnen aufs Gerüst geht, riecht alles nach Kippen, und es liegen zu viele Scherben rum. Ich versuch's erst gar nicht mehr. Ich werd da nur raufgehen, wenn sie mich einladen, aber wenn sie mir eine Kippe anbieten, sag ich einfach, nein danke, ich versuch gerade, es mir abzugewöhnen, Anweisung vom Arzt (das ist immer die beste Masche, sich vor was zu drücken).

Neben dem Spielplatz steht ein Schild:

Da steht nicht mal, auf welche Frage. Man muss nein sagen, egal was sie wissen wollen.

Ich: »Was, wenn sie den Weg zum Krankenhaus wissen wollen? Was, wenn sie eine Auskunft brauchen?«

Jordan: »Sei bloß nicht so schwul. Die wollen keine Auskunft. Die wollen dich nur in einem Van entführen und dich in den Arsch poppen, verstehste.«

Das kam mir total seltsam vor. Noch nie wollte jemand Sex von mir. Die meisten Leute wollen bloß eine Auskunft. Wenn ich einen Fremden sehe, frage ich ihn zuerst, wonach er sucht. Wenn es eine gute Antwort ist, dann ist man sicher. Dann wird er kaum versuchen, Sex von mir zu bekommen. Jordan hat voll den Hau.

Jordan: »Na los, Mann, such weiter.«

Bisher hatte ich nur eine Bierflasche gefunden. Jordan hatte drei. Ich suchte auch nicht sehr ernsthaft. In Wirklichkeit suchte ich nach der Tatwaffe. Wenn sie nicht am Fluss war, konnte sie auch hier sein. Es liegen immer Drogennadeln auf dem Spielplatz. Die versuchen nicht mal, sie zu vergraben, sie liegen einfach obendrauf rum. Da könnte dann auch ein Messer liegen. Es hängt alles davon ab, wie clever der Mörder ist. Wenn er clever ist, hat er die Mordwaffe zur See geschickt oder tief im Boden vergraben. Wenn er high oder besoffen war, kann er sie auch einfach irgendwo fallen gelassen haben.

Auf dem Spielplatz gibt es ein Loch im Boden, wo die Drehplattform gestanden hat. Jordan hat sie angezündet. Das war vor Ewigkeiten, bevor ich herkam. Die Stelle, wo sie gestanden hat, ist ganz schwarz und verbrannt, als wär da ein Blitz eingeschlagen. Jordan erzählt dir immer, was für schlimme Sachen er schon gemacht hat.

Die ganz schlimmen schlimmen Sachen, die Jordan
gemacht hat

Die Drehplattform angezündet.
Eine ganze Flasche Wodka getrunken (das ist so was wie
Gute-Nacht-Sprit).
Bei einem Polizeiwagen die Luft aus den Reifen gelassen.
Chinakracher in die große Mülltonne geworfen.
Den Lehrer getreten.
Eine Katze in den Müllschlucker geworfen.
Im Supermarkt eine Lucky Bag geklaut.

Leute gemessert.
Zu einem Erwachsenen Arschloch gesagt.
Die Bierflaschen zerschmissen.

Jordans Hand an meinem Hals brachte mich zum Husten. Ich guckte in den Himmel, ob meine Taube vorbeikäme, um ihm auf den Kopf zu scheißen, aber ohne Erfolg, alle flogen bloß vorbei, stoppten aber nicht. Ich gab nur auf, um mich nicht totzuhusten.

Jordan: »Du musst es machen, Alter. Immer muss ich alles machen. Wenn du das nich machst, bist du ne Schwuchtel.«

Ich: »Ich mach's ja, ich mach's ja!«

Ich wollte einfach nur nach Haus gehen, aber ich musste warten, bis Lydia von der Tanzgruppe zurückkam. Ich sollte auch einen Schlüssel bekommen. Mir ist egal, ob Lydia in der 9 ist, es ist nicht fair, dass sie einen Schlüssel kriegt und ich nicht. Ich bin immer noch der Mann im Haus.

Jordan: »Ich fang an. Mach die Augen nicht zu, du musst dir jede ansehen. Wir machen Kleinholz daraus!«

Wir mussten sie alle kaputtschmeißen. Wir durften nicht mal aufhören, wenn ein Erwachsener vorbeikäme, wir mussten sie schmeißen, bis alle kaputt waren. Das war der einzige Weg, die volle Punktzahl zu kriegen. Jordan fing an. Ich wartete bis ganz zuletzt. Wenn man nur die Letzte zerschmeißt, ist es nicht mal eine Straftat.

Jordan findet es ganz toll, Flaschen kaputtzuschmeißen, das sieht man. Seine Augen werden ganz groß und glänzen. Die erste Flasche warf er ganz hoch. Als sie runterkam, sprang sie mit lautem Krach in tausend Stücke. Man kriegte Angst, fand es aber gleichzeitig toll. Er warf noch eine und noch eine. Die Scherben lagen über den ganzen Weg. Du wolltest wegrennen, konntest dich aber nicht bewegen. Er warf sogar eine mit der Hand hinterm Rücken. Das war die beste. Dann war ich dran.

Jordan: »Wirf sie hoch, dann knallt sie besser.«

Ich: »Muss ich nachher die Scherben auflesen?«

Jordan: »Schwul nicht rum, das macht die Stadt, das ist deren Job. Schmeiß das F-ding einfach kaputt, Alter!«

Ich kopierte Jordans Stil. Ich warf meine Flasche über meinen Kopf, so dass sie hinter meinem Rücken aufschlug. Sie knallte voll aufs Pflaster. Es war krass, irgendwie ein irres Gefühl. Keiner traute sich, uns zu stoppen, alle hatten zu viel Angst, was zu sagen.

Ich: »Wie viel Punkte sind das?«

Jordan: »Ich geb dir zehn.«

Ich: »Was! Das ist nicht fair, du hast hundert gesagt!«

Jordan: »Klappe, Alter, du hast die Augen zugemacht, du kriegst nur zehn. Selber schuld, wenn du so ein Weichei bist.«

Ich hab euch ja gesagt, Jordan ist ein Konfusionist. Du kannst ihn bloß nicht rumschubsen, sonst würgt er dich noch mehr. Ich wollte wegrennen, als ich Lydia den Weg langkommen sah. Sie war sozusagen die Rettung. Sie trug immer noch ihr Papageienkostüm. Sie findet es einfach toll, ihr ist es glatt egal, wer das mitkriegt.

Jordan: »Deine Schwester ist bekloppt. Die hält sich für ein Huhn.«

Ich: »Nicht für ein Huhn, für einen Papagei.«

Ich boxte ihr bloß hinterlistig auf den Arm, für den Fall, dass Jordan noch zusah.

Lydia: »Au! Weswegen war das denn?«

Ich: »Entschuldigung! War ein Missgeschick!«

Was lasst ihr euch nicht alles einfallen, um uns fern-
zuhalten. Ihr versperrt unsere bevorzugten Schlafplätze
mit Maschendraht und stählernen Stacheln. Ihr erschießt
uns mit Kleinkalibergewehren, wo das Gesetz es erlaubt,
vergiftet uns mit Strychnin, beklebt eure Fensterbänke mit
Fliegenpapier und seht zu, wie wir den Mashed Potato
tanzen, wenn wir loszukommen versuchen, amüsiert euch
auf unsere Kosten. Wie würdelos, wie dumm ich mir dabei
vorkomme. Und das soll ich stillschweigend hinnehmen,
als hätte es seine Richtigkeit, als sei es eben die naturgege-
bene Nahrungskette, ich unten, ihr oben, so sind nun mal
die Regeln.

Ihr denkt, ihr macht die Regeln, das ist zum Totlachen.
Könnte ich mich jedes Mal amüsieren. Ich hoffe, das Zeug
hier ist nicht giftig.

Vulkane sind einfach Berge mit Feuer drin. Das Feuer
kommt von Flüssen unter der Erde. Sie brechen nur aus,
wenn der Vulkangott wütend wird. Zumindest haben das
die Menschen der Vorzeit geglaubt.

Mr Carroll: »Das stimmt, Harrison, das haben die Menschen früher geglaubt.«

Ich: »In Wirklichkeit ist da unten aber die Hölle, nicht
wahr, Sir?«

Mr Carroll: »Das ist eine interessante Theorie. Es ist auf
jeden Fall höllisch heiß, das ist sicher.«

Alle lachten mich aus. Sie glauben hier nicht an die Hölle. Ichschwör, denen steht eine fiese Überraschung bevor! Die werden brennen wie menschlicher Toast!

In den alten Zeiten glaubten sie, ein Feuergott lebe im Vulkan. Der hörte erst auf, sie mit Feuer zu bewerfen, wenn sie ihm eine Jungfrau zum Fressen in den Vulkan warfen. Für sie lebte in allem irgendein Gott. Sie glaubten an einen Himmelsgott, einen Baumgott, einen Vulkangott und einen Meergott. Alle ihre Götter waren immer nur böse. Sie mussten sie andauernd füttern, sonst drohten die Götter, sie zu vernichten. Der Meergott konnte eine Flut bringen, der Himmelsgott konnte Blitze auf sie herabregnen lassen, oder der Baumgott konnte auf ihr Haus fallen. Die wollten dich immer nur vernichten, es sei denn, du füttertest sie mit Jungfrauen. Ichschwör, die Menschen waren früher dumm. Eine Jungfrau ist eine Lady, die noch nicht verheiratet ist. Sie sind wertvoll, weil sie so selten sind. Nur die Götter können sie fressen. Von verheirateten Frauen kriegen sie Dünnpfiff. Sagten alle.

Als wir am Nachmittag durchgezählt wurden, gab Poppy mir einen Brief. Ich sollte ihn erst aufmachen, wenn ich zu Hause war, und durfte ihn niemandem zeigen. Ich passte auf, dass mich niemand beobachtete. Ich ging in mein Zimmer, machte die Tür zu und blieb direkt davor stehen, damit kein Eindringling hereinkäme. Mir wurde ganz komisch und übel im Bauch, weil es ein Trick sein konnte.

MAGST DU MICH?
JA   ☐
NEIN ☐

Ich muss nur ein Feld ankreuzen. Ich muss Poppy den Brief nach den Ferien zurückgeben. Ich weiß nicht, was passieren wird, wenn ich ihn zurückgebe. Ichschwör, ich hoffe, ich hab die richtige Antwort angekreuzt!

MAI

Heute war das Straßenfest im Park. Es regnete Bindfäden, trotzdem waren alle da. Auf den Regenschirmen standen Zigarettennamen. Die Tanzgruppe trat auf, obwohl es schüttete. Ihre Federn leuchteten so bunt, als schiene doch die Sonne. Eine weiße Lady war ein Pfau. Das ganze Make-up tropfte ihr vom Gesicht, bis sie wie eine kaputte Puppe aussah. Voll lustig, der Regen lief ihr ständig in ihr Lächeln, und sie musste ihn ausspucken. Aber das machte ihr nichts.

Djembes-Trommler brachten dich zum Tanzen, du konntest gar nicht anders. Sogar die Weißen und die alten Leute tanzten. Neben mir stand das kleine Mädchen aus den Häusern der Nicht-ganz-Richtigen. Es tanzte so einen Klein-Baby-Tanz. Du sahst die Bewegung kaum. Es stand wie erstarrt da. Nur an den Füßen hast du gemerkt, dass es tanzte. Die Füße tapsten ganz steif und zaghaft auf den Boden. Es kennt einfach keinen anderen Tanz.

Das Mädchen tat mir leid. Ich hätte es der Kleinen gerne richtig beigebracht, aber dazu war keine Zeit; es war einfach zu viel los. Deswegen tat ich so, als wäre sie super und hätte eben ihren eigenen Stil.

Es liefen Männer auf Stöcken rum, wisst ihr, so lange Stöcke, auf denen sie voll riesig aussehen? Ich fand es ganz schön gefährlich. Es war zu rutschig dafür, ich fürchtete, sie könnten jeden Moment fallen. Ich betete im Stillen, dass sie nicht hinfielen. Ein paar von den Stockmännern jonglierten auch noch. Beim Jonglieren wirft man einen Ball und fängt ihn wieder auf – nur sind es drei Bälle, und man lässt keinen davon fallen. Ichschwör, das war hammermäßig.

Ich: »Das wär was für Agnes! Ich könnte jonglieren lernen, bis sie kommt. Wo kann man Jonglierbälle kaufen?«

Mamma: »Du kannst auch einfach Tennisbälle nehmen.«

Ich: »Kaufst du mir welche? Ich brauche drei.«

Mamma: »Mal sehen.«

Terry Takeaway klaute ein Glas mit Hotdog-Würstchen vom Tombolatisch, und keiner hat versucht, ihn davon abzuhalten. Er nennt die Hotdog-Würstchen Scooby-Doo-Pimmel.

Terry Takeaway: »Die sind für Asbo. Da steht er drauf, stimmt's, alter Junge?«

Als Asbo mich begrüßen kam, bekam Mamma Angst. Ich musste die Situation retten.

Ich: »Schon in Ordnung, er beißt nicht, er ist ganz lieb, guck.«

Asbo rollte sich auf den Rücken, damit ich ihm den Bauch kraulte. Das liebt er. Er hat sogar einen Bauchnabel, der sieht aus wie ein kleiner Popo. Dann trat die Tanzgruppe auf. Sie waren alle Papageien. Lydia musste sich so auf ihre Tanzschritte konzentrieren, dass sie ganz das Lächeln vergaß.

Ich und Mom: »Na los, Lydia! Zeig uns dein Lächeln!«

Sie war richtig toll. Die Schritte saßen perfekt. Ich wünschte mir die ganze Zeit, Miquita würde stolpern, aber dann fiel ein anderes Mädchen. Es rutschte aus und landete auf dem Hintern. Aber als sie fertig waren, gingen sie richtig auf das Mädchen los. Und dann riefen sie ihr hinterher, sie hätte sich vollgepinkelt, wegen dem großen nassen Fleck auf ihrem Hintern. Das war aber nur gelogen. Alle wussten, was wirklich passiert war, sie hatten es ja gesehen. Aber es ist lustiger, zu sagen, jemand hätte sich vollgepisst. Sich vollpissen ist lustiger als einfach nur stolpern.

Kleineres Kind: »Hosenpisser, Hosenpisser!«

Mädchen: »F– dich!«

Ich hab bei der Verlosung einen Feldstecher gewonnen. Ichschwör, so was von astreines Glück. Die Farbe ist wie bei der Armee. Und er funktioniert sogar, obwohl er aus Plastik ist. Ich habe mir die ganze Welt dadurch angesehen. Er holte alles ganz nah ran. Ich sah die Satellitenschüsseln an den Wohnungen, das Kreuz auf der richtigen Kirche und das Einschussloch in dem kaputten Laternenmast. Ich suchte die Dächer nach der Mordwaffe ab – nichts zu sehen. Meine Taube saß auf dem Dach vom Jubilee Centre; als sie mich sah, zwinkerte sie mir zu und flog weg; sie war zu schnell, um ihr mit dem Feldstecher nachzuschauen. Mir wurde schwindlig, als ich es versuchte, da ließ ich es.

Die ganze Dell Farm Crew war da, aber sie sagten nicht ein Wort zu mir. Mein neuer Auftrag kann warten, denn während des Straßenfests ruhen die Geschäfte. Das ist das Beste, alle vergessen für einen Tag das Geschäftliche und amüsieren sich nur. Ich hoffe, Killa beschäftigt Miquita weiter, dann nervt sie mich nicht mehr. Er versuchte sie mit dem Feuerzeug anzuzünden. Sie wollte weglaufen, aber er zog sie wieder zu sich hin. Sie lachte auch noch, als hätte sie es gern. Mädchen sind doof.

Er ließ es erst sein, als der Polizei-Van vorbeifuhr. Da bewegte er sich gar nicht mehr, und sein Gesicht versteinerte. Ich sah es durch den Feldstecher. Alle in der Crew schlugen die Kapuzen hoch und wurden zu Statuen. Keiner lachte mehr. Dann hauten sie alle ab.

Als die Polizisten im Van an den Pennern vorbeikamen, warfen sie ihre Bierdosen danach. Der Polizei-Van hielt an. Die Penner bekamen Schiss. Sie dachten, die Polizisten würden aussteigen und sie festnehmen. Da gaben sie Ruhe. Als der Polizei-Van weiterrollte, riefen sie Hurra, als hätten sie den Krieg gewonnen. Zum Kaputtlachen, ichschwör. Feldstecher sind sehr praktisch, um Dinge ranzuholen.

Lydia zog ihr Papageienkostüm den ganzen Tag nicht mehr aus. Sie dachte sich ein Papageienlied für Agnes aus. Agnes war begeistert, ihr Lachen war wie eine Welle auf dem Meer, wenn sie gegen dich schwappte. Ihr Lachen steckte alle an. Wir hörten gar nicht mehr auf zu lachen. Agnes kann jetzt Harri sagen. Sie kann alle unsere Namen sagen. Mamma, Papa, Lydia und Grandma. Sogar ihren eigenen Namen kann sie sagen. Wir haben sie alle aufsagen lassen. Sie fand es toll. Sie sagte gut hundert Mal alle unsere Namen, richtig laut. War zu lustig.

Mamma wollte sie dazu bringen, Harrison zu sagen, aber das wollte sie nicht. Sie sagte bloß Harri. Diesmal machte Mamma keine roten Augen, sie strahlte bloß von einem Ohr zum anderen.

Agnes: »HARRI!«

Mamma: »Gut so! Gut gemacht, Herzchen!«

Ich: »Pass auf meine Ohren auf! Die fallen mir noch ab!«

Agnes: »HARRI!«

Harri ist ihr Lieblingsname. Sie sagte ihn lieber als alle anderen, das merkte man. Sie wollte gar nicht mehr aufhören. Sie sagte immer noch Harri, als die Telefonkarte leer war.

Agnes: »HARRI! HA–«

Ich kann es gar nicht erwarten, dass Agnes alle Wörter kennt und ich ihr meine besten Geschichten erzählen kann. Die erste, die ich ihr erzähle, ist die von dem Mann mit dem falschen Bein. Der saß bei mir im Flugzeug. Er hatte ein falsches Bein aus Holz. Das hatte sogar einen Fuß mit einem echten Schuh drum. Vor dem Schlafen nahm der Mann das Bein ab und gab es seiner Frau zum Halten. Die Frau schlief ein, das Bein wie ein Baby im Arm. Irre lustig. Das war klasse. Ich dachte mir aus, das Bein wäre ein Baby und die Frau seine Mamma.

Wenn dir dein Bein abgefallen ist, während du am Leben warst, wächst es dir im Himmel nach. Ichschwör, die Geschichte wird Agnes gefallen!

Wegen zerbrochenem Glas und unanständigen Sprüchen fiel die Messe heute aus. Mr Frimpong weinte beinah. Er geht von uns allen am liebsten in die Messe. Mamma drückte ihn fest, um ihn zu trösten. Du dachtest, seine Knochen zerfallen auf der Stelle zu Staub.

Mr Frimpong: »Es ist sinnlos, einfach nur sinnlos. Kein Respekt vor gar nichts, vor nichts und niemandem.«

Zuerst war ich sogar ganz froh, ich bin es leid, die Kirchenlieder zu singen. Es sind immer dieselben, und Kofi Allotey ist auch nicht da, um lustige Texte dafür zu erfinden. Eigentlich ist die Kirche auch gar keine richtige Kirche. Es ist bloß ein Raum im Jubilee Centre, hinter dem Jugendclub. Es ist nur sonntags eine Kirche, sonst ist es der Raum für Bingo und Alte-Leute-Zeug. Alle wünschten sich, der nasse Fleck an der Decke wäre Jesus, aber er sieht bloß aus wie eine Hand ohne Finger.

Trotz der Gitter hatten sie die Fenster eingeschmissen. Über die ganze Wand steht in großen Buchstaben DFC. Derek versuchte es abzuwischen, aber das ging nicht.

Mamma: »Was ist DFC?«

Mr Frimpong: »Wer weiß das schon? Irgend so ein Geheimcode von denen. Blanker Unsinn.«

Ich sagte ihnen nicht, was DFC bedeutet. Ich tat so, als wüsste ich es nicht.

Mr Frimpong: »Ob man sie auf dem Überwachungsvideo sieht?«

Derek: »Nein, sie haben sicher die Gesichter vermummt. Sie sind Heiden, aber nicht dumm.«

Deswegen will Mamma mir kein Hoody kaufen, damit ich mein Gesicht nicht vermummen kann. Dabei will ich mein Gesicht ja nicht mal verdecken, ich will nur warme Ohren haben. Es ärgert mich, wenn Mamma mich als Lügner hinstellt.

Es sollte wohl so aussehen, als hätten sie Scheiße aufs Fenster geschmiert, aber man sah, dass es bloß Snickers war. Die Klumpen waren zu viereckig, und man sah die Erdnüsse rausgucken, damit legten sie niemanden rein.

Ich: »Wir könnten ja in die richtige Kirche gehen, die, wo die Beerdigung von dem toten Jungen war. Die ist gleich um die Ecke.«

Mamma: »Das ist die falsche Kirche.«

Ich: »Wieso?«

Mamma: »Eben darum. Da singen sie andere Lieder. Nicht die Lieder, die wir kennen.«

Ich: »Die können wir ja lernen. Vielleicht sind sie sogar besser.«

Mamma: »Die sind nicht besser. Wir kennen sie nicht.«

Ich: »Aber das versteh ich nicht. Es ist sogar eine richtige Kirche. Da war doch die Beerdigung von dem toten Jungen. Sie muss gut sein.«

Mamma: »Es ist einfach eine von der falschen Sorte, mehr nicht.«

Mr Frimpong: »Dreckskatholiken. Die wollen uns allen Aids anhängen, damit sie uns noch mal unser Land klauen können. So sieht's aus.«

Ich versteh es immer noch nicht. Sie hat ein Kreuz und so. Es muss eine richtige sein, wenn sie ein Kreuz hat.

Ich weiß nicht, warum man jedes Mal Lieder singen muss. Man könnte auch mal Djembes spielen oder einfach beten. Gott kommen die Lieder wahrscheinlich schon zu den Ohren raus, er hat sie ja zigtausendmal gehört. Wahrscheinlich macht er deswegen Erdbeben. Ich an seiner Stelle würde ihnen sagen, singt mir ein Lied, das ich noch nie gehört hab, oder es gibt gleich das nächste Erdbeben. Jedes Mal das gleiche Stück ist einfach arm.

Ich: »Soll ich meinen Feldstecher holen? Hab ich zu Hause. Dann kann ich nach Spuren suchen.«

Derek: »Schon gut, Harri. Ich wische das hier einfach weg.«

Es war nicht meine Schuld, dass sie die Kirche verwüstet hatten. Wäre ich in der Gang, könnte ich ihnen von Gott erzählen. Mit einer Gang kann man auch Gutes machen, nicht nur Leute abziehen. Da, wo ich herkomme, waren ich, Patrick Kuffour, Kofi Allotey und Eric Asamoah immer unterwegs, Gutes tun. Wir haben die leeren Colaflaschen zurück zu Samson's Kabin gebracht, haben sogar Patrick Kuffours Papa geholfen, sein Haus zu isolieren. Wir haben alle Straßen nach Kartons abgesucht und die Pappe auf die richtige Größe geknickt. Zur Belohnung bekamen wir eine große Flasche Fanta von ihm. Wir haben erst ein Wetttrinken gemacht und dann alle auf einmal superlaut gerülpst, wie randalierende Ochsenfrösche. Die Aufgaben, wo alle mithelfen und man am Schluss belohnt wird, sind die besten. Das müsste der Dell Farm Crew mal jemand weitersagen. Vielleicht kann ich das übernehmen.

Lydia: »Bleib bloß weg von denen, die bedeuten Ärger.«

Ich: »Und was ist mit Miquita, die ist ja noch viel schlimmer. Sie versucht immer, mich zu lutschen, und du lässt sie einfach machen.«

Lydia: »Das ist was anderes. Bei Mächen ist das anders, das verstehst du nicht. Du brauchst die richtigen Freunde, sonst wirst du schikaniert. Miquita sagt das nur so, du darfst sie nicht so ernst nehmen.«

Ich: »Wenn Gott sieht, was du getan hast, nimmt er dir die Augen weg. Ich spiele nicht deinen Blindenhund, wenn du nichts mehr sehen kannst. Ich zieh dich dann einfach an einem Strick hinter mir her, und du bist selber schuld, wenn du nicht mitkommst. Ich hab dann wichtige Termine und warte nicht auf dich.«

Lydia: »Das war nur Farbe!«

Ich: »Nein, war's nicht, es war Blut.«

Es war bestimmt Blut auf den Sachen gewesen, deswegen hat sie Kloreiniger draufgetan. Wir wussten beide, dass es so war. Wir sahen zu, wie sich die Lüge langsam zwischen uns aufblähte und dann wie eine Spuckeblase zerplatzte. Früher oder später platzen sie immer.

Lydia: »Wer hat dich denn gefragt, Harrison. Es war Miquitas Blut, okay?«

Ich: »Und wie soll ihr Blut da draufgekommen sein? Sie hatte sich ja nicht mal geschnitten.«

Lydia: »So ein Blut war das nicht. Es war Mädchenblut. Du weißt ja nicht, wovon du redest! Lass mich in Ruhe!«

Sie rannte zu Mammas Zimmer und knallte mir die Tür vor der Nase zu. Ich konnte sie auf der anderen Seite der Tür weinen hören. Verrückt. Ich wollte das Weinen abstellen, aber sie musste ihre Lektion lernen. Absichtlich etwas Böses tun ist schlimmer, als es versehentlich zu tun. Einen Fehler kann man korrigieren, aber was du mit Absicht tust, zerstört nicht nur dich, es zerstört Stück für Stück die ganze Welt wie die Schere auf dem Stein. Ich wollte nicht derjenige sein, der die ganze Welt vernichtete.

Ich: »Wenn du nicht so eine große Lügnerin wärst, müsstest du nicht weinen! Und du siehst doof aus in dem Papageienkostüm! Du kannst es jetzt ausziehen, es stinkt! Das Straßenfest ist vorbei!«

Lydia: »F– dich doch!«

Ichschwör, das war alles verrückt. Mein Bauch wurde ganz kalt. Ich hätte in einer Million Jahren nicht gedacht, dass sie das sagt. Ich wusste gar nicht, was ich tun sollte. Ich musste auf den Balkon, um wieder Luft zu bekommen. Ich guckte überall nach meiner Taube. Ichschwör, es waren zu viele, und sie waren zu weit weg, um die Farben zu unterscheiden. Ich hab sogar versucht, sie mit einem Haribo-Tangfastic anzulocken, aber Herr Taube kam trotzdem nicht wieder. Ich glaube, das wird er auch nicht mehr.

Kyle Barnes hat mir den Trick mit dem Stinkefinger gezeigt. Er geht ganz einfach: Wenn dich einer, sag ich mal, um einen Penny gebeten hat, wühlst du in deinen ganzen Taschen rum, als suchtest du nach diesem Penny. Du musst so tun, als würdest du nichts finden, und ganz lange suchen. Je länger du suchst, desto witziger ist es am Schluss.

Und wenn du dann die Hand aus der Tasche ziehst, zeigst du statt dem, wonach du angeblich gesucht hast, den Mittelfinger. Das ist wahnsinnig lustig.

Ich hab es an Manik ausprobiert. Es funktionierte. War das krass. Er hatte keine Ahnung, dass ich meinen Stinkefinger zücken würde. Das hätte er in einer Million Jahren nicht erwartet. Vergesst nicht, der Trick geht nur mit eurem Stinkefinger (das ist der in der Mitte, der das Gleiche bedeutet wie f– dich).

Ich: »Reingelegt!«

Manik: »Scheiße, Alter! Aber wenigstens hab ich keine Drecksturnschuhe, was haste denn mit denen angestellt?«

Mein Magen drehte sich um. Alle lachten los.

Alle: »Was sollte das denn werden? Ist voll schwul!

Ich: »Was?! Stimmt ja gar nicht!«

Es sind bloß Streifen. Ich hab sie draufgemalt, damit meine Turnschuhe wie Adidas aussehen. Mit dem Marker. Die darf man mitnehmen, solange man sie nach den Ferien wieder zurückbringt.

Das Gift hab ich nicht eingeatmet. Nur einmal, und dann wurd mir schwindelig. High war ich davon nicht.

Ich habe die Streifen ganz gerade aufgemalt, die waren nicht krumm oder so. Von weitem sahen sie immer noch voll schick aus. Sie lachten und lachten. Da kriegte ich richtig rote Augen. Ich hasste sie.

Ich: »Hört auf!«

Alle: »Nee, unmöglich! Das ist voll krass! Du bist echt ne Nummer! Ichschwör bei Gott!«

Die werden nicht mehr über mich lachen, wenn ich in der Dell Farm Crew bin. Dann lass ich sie meine Turnschuhe küssen. Und meinen Arsch können sie gleich mitküssen.

Mamma sagt, Überwachungskameras sind bloß eine weitere Möglichkeit für Gott, dich zu beobachten. Wenn Gott in einem anderen Teil der Erde zu tun hat, um zum Beispiel ein Erdbeben oder eine Überschwemmung zu machen, können seine Kameras dich trotzdem sehen. Auf diese Weise verpasst er nichts.

Ich: »Aber ich dachte, Gott kann gleichzeitig überall alles sehen.«

Mamma: »Kann er auch. Die Kameras sind nur eine zusätzliche Hilfe. Für Orte, wo der Teufel besonders stark ist. Damit du dich dort sicherer fühlst.«

Auweia, der Teufel muss hier verdammt mächtig sein, denn überall hängen Kameras! Wo die Geschäfte sind, ist eine am Anfang und eine am Ende, und eine ist vor dem Zeitungsstand. Im Supermarkt sind allein drei, bloß damit Terry Takeaway kein Bier klauen kann. Ich werd mir den Mantel über den Kopf ziehen müssen, weil ich kein Hoody mit Kapuze hab. Wenn ich schnell genug bin, kann die Kamera mir nicht folgen, dann bin ich wie ein Gespenst. Hoffe ich jedenfalls.

Wir warteten den richtigen Moment ab. Wir brauchen freie Bahn, damit wir abhauen können, ohne irgendwen über den Haufen zu rennen. Es waren ich, X-Fire, Dizzy und Killa. Sie wollten die Zielperson umrennen, und ich sollte mit der Beute abhauen.

Dizzy: »Keine Angst, Bruder, halt dich einfach an uns, klar? Wenn es aussieht, als ob es scheiße läuft, geb ich dir das Zeichen. Dann nichts wie weg, klar?«

Ich: »Klar.«

Ein Nicken ist das Zeichen. Das Einzige, worauf ich achten muss. Ich muss ihnen nur alles nachmachen. Wenn sie abhauen, hau ich auch ab, ganz einfach. Ich tu einfach so, als ob ich Selbstmordattentäter spiele, dann wird es nicht mal so grausig. Ich kann den Auftrag nur verbocken, wenn ich zu früh wegrenne.

X-Fire war dafür zuständig, die Zielperson auszusuchen. Es musste jemand Schwächerer sein, den man leicht umhauen konnte. Die können sich nicht wehren, dann geht's schneller. Wir mussten mit dem Rücken zu den Kameras bleiben, bis X-Fire das Ziel ausgesucht hatte. Wir taten so, als würden wir nur rumhängen. Ich fühlte nach dem Alligatorzahn in meiner Hosentasche. Ich bat um die Kraft für Schnelligkeit.

Meine Taube trippelte vor dem Zeitungsstand auf und ab. Ich konnte nicht mit ihr reden, weil ich mein Zeichen nicht verpassen wollte, ich beobachtete sie nur aus dem Augenwinkel. Sie hatte ein großes Stück Brot im Schnabel. Zwei andere Vögel folgten ihr, zwei schwarzweiße. Sie wollten das Brot. Sie ließen ihr einfach keine Ruhe. Meine Taube lief weg, aber die anderen Vögel sind hinterher. Eine ging glatt hin und stahl ihr ein Stück Brot aus dem Schnabel! Ichschwör, das war frech. Meine Taube tat mir leid. Ich wollte die anderen Vögel umbringen.

Aber dann fiel mir ein, dass sie ja nur was von dem Brot abhaben wollten. Es war für eine Taube allein sowieso zu viel. Da haben sie es sich einfach genommen. Sie konnten nicht höflich fragen, denn es waren ja nur Vögel. Jetzt taten sie mir alle leid.

X-Fire: »Los geht's. Der da ist grade richtig.«

Mr Frimpong kam auf uns zu. Er war gerade erst am Supermarkt vorbei. Niemand in seiner Nähe. Da wusste ich, dass Mr Frimpong das Ziel war. Mir wurde wieder ganz schlecht. Er hatte nur eine Einkaufstüte dabei, aus der ich das Brot herausragen sah. Und wie dünn der ist.

Mr Frimpong ist der Älteste in der Kirche. Auf einmal wusste ich, wieso er lauter als alle anderen singt: weil er schon am längsten auf eine Antwort von Gott wartet. Er glaubt, Gott hätte ihn vergessen. Das wurde mir da erst klar. Da liebte ich ihn, aber es war zu spät, ich konnte nicht mehr zurück.

Hoffentlich schmeiße ich ihn nicht um.

X-Fire: »Ab geht die Scheiße. Los!«

Wir rannten. Dizzy und Killa nebeneinander. Ich bloß hinter ihnen her. Ich zog mir den Mantel über den Kopf. Ich spielte Selbstmordattentäter, weiter nichts. War mir ganz egal, wenn ich in keinen reinrannte, zum Teufel mit den Punkten. Ich rannte einfach. Ich wollte gar nicht sehen, wohin.

Ich konnte nicht anhalten. Rannte, so schnell ich konnte. Mein Herz pochte wie irre. Ich schmeckte so was wie Metall im Mund und hörte den Wind vorbeisausen. Ich rannte einfach.

Es gab ein Riesengeschepper. Ich hörte Sachen hinfallen. Eine Flasche ging zu Bruch. Als die Türen aufgingen, merkte ich an der veränderten Luft, dass ich am anderen Ende der Mall war. Ich rannte einfach weiter. Ich wollte es gar nicht erst sehen.

Ich: »Ich war das nicht ich war das nicht ich war das nicht!« (Sagte ich nur in meinem Kopf.)

Ich würde gegen das Geländer knallen. Ich zog meinen Mantel vom Kopf. Die Sonne knallte mir in die Augen. Ich war draußen. Ich drehte mich um.

Mr Frimpong lag auf dem Boden. Seine Beine waren so komisch verdreht. Ich hatte ihn noch nie in so einer Haltung gesehen, er sah aus wie ein Insekt, das in der Sonne stirbt. Ganz seltsam. Die Einkäufe lagen überall herum, seine Malzbierflasche war zersplittert. Dizzy kickte sein Brot durch die Gegend. Es war voll zermanscht. Dizzy war draufgesprungen.

Killa trat gegen den Eierkarton, und sämtliche Eier flogen durch die Luft. Ich sah Angst und rote Augen auf Mr Frimpongs Gesicht. Ich stellte mir vor, seine Gedanken zu lesen: Er dachte, wo ist Gott, wenn du ihn brauchst? Denn das dachte ich auch. Er versuchte die Jungs zu verscheuchen, aber seine Arme waren zu kurz. Er versuchte aufzustehen, aber seine Beine gehorchten ihm nicht. Es war zu schrecklich. Dann kam X-Fire. Er hatte seinen Schal vorm Gesicht. Er durchwühlte Mr Frimpongs Taschen und fand sein Portemonnaie. Verrückt, das hattest du noch nie gesehen. Er fragte nicht mal.

X-Fire: »Lass los, du alter Sack, oder ich stech dich ab.«

Mir war zum Kotzen. Ich drehte mich um und rannte, so schnell ich konnte. Ich guckte nicht mehr zurück, ich wollte nur noch weg.

Damit hatte ich meine letzte Chance vergeben. Wenn du bei zwei Einsätzen versagst, kannst du es vergessen, je reinzukommen. Ich hätte einfach nur bis zum Ende dableiben müssen. Aber ich hatte ja nicht gewusst, dass das Ende so –

X-Fire: »Wo willst du hin, du F–er?«

Ich stellte mich taub. Ich rannte einfach. Ich rannte am Spielplatz vorbei, am Park und den ganzen Häusern, und blieb erst am Tunnel wieder stehen. Mir war der Atem ausgegangen. Mein Bauch fühlte sich nach Messern an. Ich berührte in der Tasche meinen Alligatorzahn, er war noch da. Ich weiß nicht, warum es mit der Kraft nicht geklappt hat.

Ich wünschte, ich wäre größer.

Es waren wieder diese Elstern, die sind mir in die Quere gekommen. Dämliche Geschöpfe: Sie glauben, ich wäre eine von ihnen und hätte nichts Besseres zu tun, als mich um Essensreste zu streiten. Ich wollte dich nur auf mich aufmerksam machen, Harri, dich wieder mal vor einer Klatsche bewahren. Ich versuche dir zu helfen, solange ich noch kann, ich tue mein Bestes, aber viel kann ich in meiner Position nicht ausrichten. Es liegt an dir selbst, du musst schon die Augen offen halten, auf Risse im Asphalt achten. Den Plan haben wir dir gegeben, du trägst ihn in dir. Die Linien laufen letztendlich alle am selben Punkt zusammen, du brauchst ihnen nur zu folgen. Dein Zuhause wird dich immer finden, wenn du ehrlich und hoch erhobenen Kopfes durchs Leben gehst, anders als dieses Kroppzeug. Du kannst ein Baum sein, du kannst so groß sein, wie immer du willst.

Manche Mammas bringen ihr Baby um, noch bevor es geboren ist. Sie haben es sich anders überlegt und wollen es nicht mehr. Vielleicht haben sie herausgefunden, dass das Baby später mal ein böser Mensch wird, und machen kurzen Prozess, ehe später etwas Schlimmes passiert. Sie spülen es einfach die Toilette runter wie einen Fisch. Daniel Bevan hat das erlebt. Seine Mamma hatte ein Baby, das sie nicht mehr wollte, also hat sie es runtergespült.

Ich: »Ich hoffe, sie wachen auf, wenn sie ins Meer kommen.«

Daniel Bevan: »Nein, die bleiben einfach tot. Die landen einfach in der Kanalisation und werden von den Ratten gefressen. Ich will sowieso keine Schwester, die nerven nur.«

Daniel Bevan könnte bald sterben. Er kann nicht mal rennen. Wisst ihr, was ein Inhalator ist? Das ist eine kleine Dose mit spezieller Luft. Daniel Bevan hat so eine, er braucht sie zum Atmen, denn er hat Asthma. Er muss die Luft aus der Dose atmen, weil die Luft draußen zu schmutzig für ihn ist. Deswegen kann er auch nicht rennen. Falls ihm seine Spezialluft mal ausgeht, muss er sterben.

Er hat mich seinen Inhalator ausprobieren lassen. Irgendwie ganz kalt. Schmeckte auch komisch. Es war krass. Ich dachte, ich würde davon so eine Roboterstimme kriegen, aber diesmal hat es nicht funktioniert. Wenn Daniel Bevan vor mir stirbt, kriege ich sein Lineal. Wir haben das mit Handschlag besiegelt. Es ist super, es hat sogar einen eingebauten Taschenrechner.

Daniel Bevan: »Was ist, wenn du vor mir stirbst? Was darf ich dann von deinen Sachen haben?«

Ich: »Meine ganzen Bücher. Ich hab massenhaft. Ich hab eins über Reptilien, eins über die Ungeheuer der Tiefsee und eins über Mittelalter. Insgesamt bestimmt zwanzig Stück.«

Daniel Bevan: »Na gut dann. Abgemacht.«

Jetzt kann er nicht mehr zurück. Wenn man eingeschlagen hat, gilt es.

Das Beste war, als Papa mich den Pick-up fahren ließ. Wir waren auf dem Rückweg von der Bambusfarm. Ich saß auf seinen Beinen und lenkte. Papa bediente nur die Gangschaltung und die Pedale.

Wenn er schaltete, taten wir jedes Mal, als hätte der Pick-up unanständig gefurzt.

Papa: »Ich muss doch sehr bitten!«

Ich: »Was hast du denn gefrühstückt?«

Man musste sich trotzdem echt konzentrieren. Es war eine sehr nervöse Situation. Das Lenkrad ging voll schwer. Man musste die Augen fest auf die Straße vor einem richten.

Papa: »Lass dir Zeit. Fahr geradeaus. Denk nicht an die anderen Autos. Ich hab alles im Griff. Fahr einfach geradeaus.«

Jedes Mal, wenn ich an einen Hubbel in der Straße kam, hatte ich Angst, einen Unfall zu bauen. Aber ich blieb ruhig. Ich musste Papa beweisen, dass ich fahren konnte, damit ich beim nächsten Mal den ganzen Weg hin und zurück fahren durfte. Nur einmal schlingerte ich ein bisschen. Da hätte ich beinah eine Rohrratte überfahren. Papa wollte, dass ich zurückfuhr und den Job zu Ende brachte, aber ich konnte nicht schnell genug den Lenker herumreißen.

Papa: »Beim nächsten Mal steuerst du auf die Augen zu. Dann kann deine Mutter uns Suppe draus kochen.«

Mamma weiß nicht, dass ich den Pick-up auf der Straße gefahren hab. Wenn sie das wüsste, würde sie mich umbringen. Es ist ein Geheimnis zwischen mir und Papa und sonst keinem. Jedes Mal, wenn wir danach im Pick-up fuhren und eine Rohrratte sahen, lachten wir wie verrückt. Mamma und Lydia haben nie gewusst, warum wir lachten. Superlustig, ichschwör.

Ich schmiss meinen Mantel in den Müllschlucker. Ich wartete, bis es dunkel war, und schlich mich dann voll leise raus. Ich tat so, als würde ich ein Opfer darbringen. Der Mantel war eine Jungfrau, die ich dem Vulkangott opferte.

Man muss die Beweise verschwinden lassen, sonst kommt einem die Polizei auf die Schliche.

Ich warf meinen Mustang gleich hinterher. Ich wollte ihn nicht mehr. Das war nur fair, denn sie haben Mr Frimpongs Eier zerschlagen. Ich war da, hab die ganze Sache gesehen. Der Teufel ist hier übermächtig. Wo ich früher gelebt hab, hat der Teufel mich nur einmal in Versuchung geführt, als er mir eingeredet hat, alle Eisblöcke von der Victory Chop Bar zu stehlen, damit wir eine Wasserschlacht machen konnten. Ich hab ihm nur nachgegeben, bis Osei hinter uns herjagte, dann haben wir alles zurückgegeben. Hier ist der Teufel stärker, weil die Häuser zu hoch sind. Es gibt zu viele Hochhäuser, die dem Himmel im Weg stehen, und deswegen kann Gott nicht so weit gucken. Zum Verrücktwerden!

Ich finde die, Narben, die so ⫶⫶ aussehen, sind besser. Von heute an werde ich meine Narben so machen. Die, die so ┼┼┼ aussehen, sind nämlich noch gar keine richtigen Narben. Da sind ja noch die Fäden drin. Wenn die Fäden noch drin sind, ist es bloß eine Wunde. Ist doch ganz klar. Ich weiß auch nicht, wieso ich das nicht schon früher kapiert hab.

Wisst ihr, was Superhelden sind? Das sind besondere Menschen, die einen beschützen. Sie besitzen magische Kräfte. Sie setzen sie ein, um böse Männer zu bekämpfen. Sie sind ganz großartig. Sie sind ein bisschen wie Anansi, außer dass sie dich nie reinlegen, sie benutzen ihre Kräfte nur fürs Gute.

Einige Superhelden stammen von anderen Planeten. Einige sind in einer Fabrik hergestellt worden. Andere sind normal geboren worden, hatten aber dann einen Unfall, der ihnen ihre Superkräfte verliehen hat. Meistens radioaktive Verstrahlung.

Es gibt ungefähr hundert Superhelden auf der ganzen Welt. Altaf kennt sie alle. Er zeichnet sie auch. Sogar noch besser als Autos. Altaf kann dir alles über jeden Superhelden erzählen. Das ist sein Lieblingsthema. Spiderman ist ein Superheld. Deswegen kann er wie eine Spinne an der Wand kleben.

Altaf: »Weil er von einer radioaktiven Spinne gebissen wurde.«

Ich: »Cool!«

Jeder Superheld hat eine bevorzugte Kraft. Manche können fliegen und manche superschnell rennen. Andere sind kugelsicher oder haben Strahlen. Alle sind nach ihrer Spezialkraft benannt, Spiderman eben, weil er wie eine Spinne an der Wand kleben kann, oder Storm, weil sie einen Sturm machen kann, oder Wolverine, weil er wie ein Wolverine kämpft (das ist eine Art Wolf mit extralangen Klauen zum Aufschlitzen).

Wir unterhielten uns über unsere eigenen Superhelden. Was wäre, wenn wir unsere eigenen machen könnten. Altaf hatte sich schon einen ausgedacht, er zeigte mir das Bild. Er sah sogar wie ein echter Superheld aus.

Altaf: »Er heißt Snake Man. Er verwandelt sich in eine Schlange und spritzt Gift auf die Feinde.«

Ich: »Der ist ja geil! Hast du dir den selber ausgedacht?«

Altaf: »Das ist nur der erste Entwurf. Ich mach seine Zunge noch besser und geb ihm einen Widersacher.«

Alle nennen Altaf schwul, weil er so still ist und Mädchenlippen hat. Er malt sie nicht an, sie sind bloß dummerweise sehr rosa. Manchmal nennen sie ihn Schwulenschnute. Ich stellte mir vor, seine Lippen wären seine Superkraft, seine Feinde würden zu Stein erstarren, wenn sie seinen Mund zu lange angucken.

Ich kann furzen, dass es sich wie ein Specht anhört. Ichschwör, es stimmt. Beim ersten Mal passierte es aus Zufall. Ich ging nur so die Straße lang und furzte einmal, aber dann wurde aus dem einen Furz eine Reihe von kleinen Fürzen. Selbst Mamma fand es toll, sie kriegte sich gar nicht mehr ein.

Mamma: »Du hast wohl einen Specht in der Hose sitzen!«

Ichschwör, genauso hat es sich angehört! Danach versuchte ich, immer so zu furzen, wie ein Specht klingt. Manchmal klappt es besser, manchmal schlechter. Es ist keine Superkraft, nur ein Talent.

X-Fire hat mir das Pistolenzeichen gemacht. Er saß auf der Cafeteriatreppe, als ich vorbeikam. Er machte mit dem Finger eine Pistole und richtete sie auf meinen Kopf. Ich wusste nicht, was ich tun sollte. Horror. Er guckte, als

wollte er mich umbringen und würde sich von keinem aufhalten lassen.

X-Fire: »Peng!«

Er feuerte die Pistole ab. Mir wurde wieder kalt im
Bauch, und der Specht-Furz kam ganz von selbst raus.
Diesmal war es nicht so witzig. Ich hoffte, es würde jemand
kommen und sich zwischen mich und die Kugel werfen,
aber dann fiel mir ein, dass es ja keine echte Pistole war.
Trotzdem konnte es einem ganz schön Angst machen.

Dizzy: »Wieso bist du abgehauen? So ne Scheiße vergessen wir nicht, Alter.«

X-Fire: »Du hältst schön die Klappe, Ghana, kapiert? In
echt jetzt. Ohne Scheiß.«

Ich hätte sowieso nichts gesagt. Ich kenn doch die Regeln schon. Fingerpistole bedeutet, wenn du quatschst,
stirbst du. Irgendwie verrückt, Feinde zu sein, das kommt
einem viel zu bedeutend vor. Ich weiß nicht mal genau, wie
es dazu gekommen ist. Von heute an brauch ich Augen im
Hinterkopf.

Terry Takeaway trat immer wieder nach Asbo. Er hörte
gar nicht mehr auf. Behämmert. Asbo hatte irgendwelches
Fleisch zwischen den Büschen gefunden. Ein Bein von irgendwas. Terry Takeaway trat ihn immer wieder, damit er
losließ, aber er wollte nicht loslassen. Asbo winselte, aber er
ließ nicht los. Ich wollte eingreifen. Ich wollte Terry Takeaway umbringen, aber er war zu groß. Ich konnte nichts tun.

Als wir näher kamen, klärte sich alles auf. Terry Takeaway trat Asbo gar nicht, sondern Asbo biss Terry Takeaway! Zum Kaputtlachen. Asbo hatte versucht, das Fleisch
unter den Büschen rauszuziehen, aber stattdessen Terry
Takeaways Fuß erwischt. Er ließ einfach nicht los. Wahrscheinlich hing Fleischgeruch am Fuß. Wahrscheinlich
dachte Asbo, das wär ein Stück Kuh.

Terry Takeaway: »Aus, aus! Asbo, lass los! Aus! Asbo!«

Terry Takeaway zappelte und schrie, aber Asbo hörte nicht. Du dachtest, er beißt ihm glatt den Fuß ab.

Terry Takeaway: »Hilf mir, Harri! Hol mal einen Stock oder so! Schnell!«

Dean nahm einen Ast und fuchtelte damit vor Asbos Gesicht rum. Er kam damit ziemlich nah an sein Maul. Es war ganz schön schrecklich. Asbo hat Zähne wie ein Hai. Dean steckte den Ast zwischen Terry Takeaways Fuß und Asbos Zähne, da musste Asbo loslassen. Terry Takeaway nahm husch-husch das Fleisch und warf es zurück zwischen die Sträucher. Asbo jagte hinterher, und Terry Takeaway war befreit. Er war ganz rot und verschwitzt. Er sah nach, ob sein Fuß noch dran war.

Terry Takeaway: »Danke, alter Junge. Kaum hat er's gesehen, ist er durchgedreht. Blöder Hund.«

Asbo kam mit dem Fleisch im Maul aus den Büschen, als hätte er nie eine tollere Beute gemacht. Er sah überglücklich aus. Er rannte weg, ehe wir ihm das Fleisch klauen konnten. Ich konnte an nichts anderes denken als an den toten Mann zwischen den Büschen. Hoffentlich war das Fleisch nicht von ihm.

Ich: »Hast du schon jemals einen umgebracht?«

Terry Takeaway: »In letzter Zeit nicht. Ich hab allerdings die Gefühle einiger Menschen verletzt. Wieso, worauf willst du hinaus?«

Ich: »Hier will jeder jeden umbringen. Versteh ich nicht. Wird die Polizei ihn finden?«

Terry Takeaway: »Wen?«

Dean: »Den, der den toten Jungen umgebracht hat.«

Terry Takeaway: »Soll das ein Witz sein? Die finden doch nicht mal ihren eigenen Arsch im Dunkeln.«

Ich: »So sehen wir das auch. Deswegen werden wir ihn schnappen.«

Dean: »Gibt ne Belohnung.«

Terry Takeaway: »Na, dann viel Erfolg.«

Dean: »Sie könnten die Spürhunde einsetzen, Hunde können praktisch alles riechen, oder nich? Sogar Angst können sie riechen.«

Wir dachten es beide, ich war nur schneller und sagte es als Erster:

Ich: »Was, wenn Hunde das Böse riechen könnten?«

Dean: »Daran dachte ich auch grade.«

Wir machten ein Experiment. Terry Takeaway half uns dabei. Er legte Asbo an die Leine, damit er nicht weglaufen konnte; Asbo legte sich einfach hin und fraß sein Fleisch. Er war so mit seinem Fleisch beschäftigt, dass er gar nicht merkte, was wir machten. Ich schloss die Augen und füllte meinen Kopf mit Mordgedanken, ein einziges Abstechen, Aufschlitzen, Zerschmettern und Zerreißen, Blut und Vampire. Ich stellte mir vor, ich wär der Mörder, der sich an die Arbeit machen will. Ich versuchte, alle bösen Gedanken zu einer Kugel zusammenzuknüllen, so fest es ging, dann riss ich husch-husch die Augen auf und schleuderte die Kugel Böses frontal auf Asbo. Ich zielte auf seine Nase. Ich bestärkte es durch einen leisen Schrei. Es funktionierte tatsächlich. Asbo stellte die Ohren auf und sah mich eine Minute lang ganz verängstigt an. Das hieß, die Kugel hatte ihn getroffen. Nun wusste er, wie das Böse roch. Dann beschäftigte er sich wieder mit seinem Fleisch.

Ich: »Wenn er in Zukunft einen Mörder riecht, wird er sich daran erinnern und das gleiche Gesicht machen.«

Terry Takeaway: »Das Gesicht macht er auch, wenn er furzt.«

Ich: »Aber wenn er einen Menschen anguckt, während er es macht, weiß man ja, es ist nicht Furzen, es ist das Böse. Es bedeutet, diese Person hat Mordgedanken. Dann haben wir einen Verdächtigen. Man kann ihn mit Asbos Leine fesseln, bis die Polizei kommt.«

Terry Takeaway: »Gar nicht so blöd, der Plan.«

Wir bekamen gleich Gelegenheit, ihn auszutesten:

X-Fire, Dizzy und Killa kamen über die Wiese. Ich hatte diesmal keine Angst, weil wir Terry Takeaway dabeihatten, und er konnte die auslöschen. Er war in der Army, bevor er an die Flasche gekommen ist. Ich und Dean hüpften wild herum, um Asbo abzulenken, damit Terry Takeaway ihm das Fleisch wegnehmen konnte. Er warf es zurück in die Büsche. Diesmal konnte Asbo nicht hinterher, er war ja an der Leine. Er vergaß die Suche nach dem Fleisch sofort, als X-Fire mich anrempelte. Macht der immer, und diesmal war es mir sogar recht, dadurch war er nah genug, damit Asbo ihn beschnuppern konnte.

X-Fire: »Halt mir den Köter vom Hals, Alter.«

Terry Takeaway: »Dann pass doch auf, wo du hingehst. Hast du n Problem?«

Asbo ging sofort an die Arbeit. Er schnüffelte an allen, als wären *sie* jetzt sein Fleisch. Wir sahen genau hin, ob er sein Böse-Menschen-Gesicht machte. Wenn er die Ohren aufstellte oder traurige Augen machte, würde uns das sagen, dass wir auf etwas gestoßen waren. Sie wollten einfach um ihn rumgehen, aber Terry Takeaway zog an der Leine, damit Asbo immer vor ihnen stand. Er war noch nicht mit ihnen fertig. Er sprang Killa an, der total große Augen machte. Ichschwör, das war zu goldig! Asbo schnüffelte direkt an seinen Eiern.

Killa: »Das ist hier kein verf–er Witz, Alter! Hol ihn weg!«

Killa zog einen Schraubenzieher aus der Hose. Ich hab es mit meinen eigenen Augen gesehen.

Terry Takeaway: »Was willste denn damit? An dir rumspielen?«

X-Fire: »Steck das Ding weg, Bruder.«

Terry Takeaway: »Hör auf deinen Kumpel. Lauf mal nach Hause, bevor dein Eis schmilzt, ja?«

Da hauten sie einfach ab. Asbo hatte die Ohren immer noch aufgestellt. Ich konnte sogar die Mordgedanken in der

Luft erkennen, sie umflatterten uns wie damals die Motten nach dem Gewitter. Sie wollten unseren Tod, das spürte man. Der Test war ein großer Erfolg. Aber er ergab neue Fragen: Wenn sie jeden umbringen wollten, welcher Teil hatte es dann auf den toten Jungen abgesehen? Wie konnte man eine Sünde von der anderen unterscheiden, wenn alle dieselbe Form annahmen? Ichschwör, manchmal hat es ein Detective verdammt schwer, dein Kopf wird den ganzen Tag lang mit Fragen vollgestopft. Ich wünschte, ich hätte sie gefesselt, als ich die Gelegenheit dazu hatte, aber ich konnte da nicht klar denken.

Wir gingen mit Terry Takeaway Richtung Zuhause. Asbo rannte vor uns her. Manchmal sah er sich um, ob wir auch nachkamen. Cool.

Terry Takeaway: »Kann deine Mum einen Teekessel brauchen? Brandneu, acht Ocken. Mit Filter und allem Drum und Dran. Kostet im Laden zwanzig.«

Ich: »Ich glaub nicht. Sie findet Klauen nicht gut.«

Terry Takeaway: »Wer nich will, der hat schon. Sechs Pfund? Was ist mit dir, Kupferdach?«

Dean: »Nein danke.«

Terry Takeaway: »Wie ihr wollt. Hierher, Asbo, hier lang!«

Wenn Asbo dabei hilft, den Mörder zu fangen, wird er einen Anteil an der Belohnung kriegen. Ich wette, er kauft sich davon einen Riesenknochen und Bauchkraulen auf Lebenszeit!

Menschen, die Gott nicht folgen, nennt man Ungläubige. Sie leben in Dunkelheit und können nichts fühlen, sie sind innerlich einfach leer, wie ein Roboter, bei dem man alle Drähte rausgezogen hat. Sie fühlen es gar nicht, wenn etwas Schönes passiert, und sie merken es nicht mal, wenn sie etwas Böses tun. Ichschwör, das muss ja langweilig sein. Vampire sind so. Ein Vampir hat keine Seele und kein Blut, deswegen ist er auch ständig traurig.

Pastor Taylor: »Es ist Furcht, die sie zu solchen Taten verleitet. Sie haben Angst vor der Wahrheit des ewiglichen Versprechens Jesu. Sie verdienen unser Mitleid, und wir sollten für sie beten. Wir müssen ihnen ihre Schwäche verzeihen. Sie sind nun in Gottes Hand.«

Mr Frimpong: »Wenn ich die noch mal sehe, haue ich ihre Köpfe zusammen. Hooligans.«

Es war zu lustig, wie Mr Frimpong Hooligans sagte. Er sprach es nicht absichtlich lustig aus, aber trotzdem. Ich musste mir auf die Lippen beißen.

Die Messe war voll. Mr Frimpong sang gar nicht. Das war irgendwie nicht richtig. Er versuchte es nicht mal. Das passiert, wenn du zusammengeschlagen wirst, du gibst einfach auf. Mr Frimpong zeigte uns sein Knie, es hatte ein Riesenloch, und das war innen ganz voller Gift. Man merkte, dass er sehr stolz darauf war.

Mr Frimpong: »Seht euch das an. In diesem Wundverband ist Silber, das ist gegen die Infektion. Keiner hat versucht, sie aufzuhalten, kein Einziger. Warum nur?«

In England hilft dir niemand, wenn du hinfällst. Sie wissen nicht, ob das Ernst ist oder bloß ein Trick. Es ist so schwer zu unterscheiden. Ich vermisste doch glatt Mr Frimpongs Singerei. Es war irgendwie nicht richtig, wenn sie fehlte. Das ist, wie wenn Agnes mir auf Wiedersehen sagt, dann hab ich ihre Stimme noch lange danach in meinem Ohr. Sie kitzelt sogar. Das ist ganz süß.

Ich: »Auf Wiedersehen, Agnes!«

Agnes: »WISEEHN!«

Manchmal fühle ich es noch, wenn ich schlafen gehe.

Mamma: »Harrison ist sogar sein Mantel gestohlen worden. Ist so was zu glauben? Die machen vor nichts Halt.«

Mr Frimpong: »Ich wette, das waren dieselben Strolche, die mich überfallen haben. Hooligans.«

Das Kirchenfenster ist repariert, aber man kann noch sehen, wo die schlimmen Wörter nicht ganz weggegangen sind. Sie warten geduldig, wie Einflüsterungen des Teufels, und lauern darauf, dich einzufangen. Ich konnte mich nicht aufs Beten konzentrieren, weil ich ständig an sie denken musste. Das Gebet hörte sich normal an, als Pastor Taylor es sprach, aber in meinem Kopf kam es ganz falsch an.

Ich: »Lieber Fickgott, bitte mach, dass dieser ganze verfickte Scheißdreck aufhört. Und fick dich selber. Amen.«

Ichschwör, ein Glück, dass es nur in meinem Kopf passierte! Meine hauptsächliche Superkraft wäre Unsichtbarwerden. Ich erlange sie durch meinen Alligatorzahn. Deswegen konnte mich Mr Frimpong nicht sehen, als er überfallen wurde. Ich war da, aber er wusste nichts davon. Mein Alligatorzahn hat mir Unsichtbarkraft verliehen, das ist die einzige Erklärung, die mir einfällt. Ich wusste, dass an dem Zahn was Besonderes war, deswegen hat Papa ihn mir ja gegeben.

Nutte, Hure und *tutufo* bedeuten alle dasselbe. Wenn ein Mädchen in England ein Tattoo hat, bedeutet das, sie ist eine Nutte. Jordans Mamma hat einen Skorpion auf die Schulter tätowiert. Sie versucht nicht mal, es zu verstecken, jeder kann ihn sehen, weil sie bloß ein Hemdchen ohne Arme trägt. Das ist doch verrückt. Eine Mamma von jemandem sollte kein Tattoo haben, das sollte es nur für Männer geben. Gerade so ein bösartiges wie ein Skorpion. Wenn meine Mamma sich je tätowieren lässt, haue ich ab. Ich haue ab und lebe am Fluss. Alles, was ich brauche, sind ein Zelt und eine Zwille, um Eichhörnchen zu schießen.

Ihr müsstet mal sehen, wie weit ich meinen neuen Ball schießen kann. Fußbälle aus echtem Leder sind viel besser als die aus Plastik. Ich kann ihn bis ans andere Ende des Flurs schießen, und er flattert kein bisschen, er bleibt dicht überm Boden wie eine Rakete. So nennt Jordan das.

Jordan: »Jetzt kommt eine Rakete, Alter!«

Jordan ballerte ihn gegen meine Füße. Er hat voll fest zugetreten, damit es wehtat. Es freut ihn, wenn er mich erwischt. Ich versuche zwar, wegzuspringen, aber der Ball trifft mich immer, als wär ich magnetisch oder so was. Verflixter Mist.

Jordan: »Jawoll! Erwischt! Weichei! Schnell, da kommt Kippen-Lil! Spiel ihn rüber!«

Kippen-Lil kam die Tür rein. Ich spielte Jordan den Ball zu.

Jordan: »Tu so, als hättest du sie nicht gesehen.«

Kippen-Lil wohnt im 2. Stock. Sie heißt Kippen-Lil, weil sie alte Kippen vom Boden aufliest. Ich hab's selber gesehen. Sie raucht die nie, sie steckt sie bloß in ihre Tasche. Sie ist der älteste Mensch, den ich je gesehen hab, mindestens zweihundert Jahre alt. Als sie klein war, gab es noch keine Autos, und es war jeden Tag irgendein Krieg. Sie trägt immer das gleiche Kleid ohne Mantel oder Strümpfe, auch wenn es regnet, und ihre Beine sind dürr wie bei einem Vogel. Sie kann bloß eins sagen:

Kippen-Lil: »Hölle und Teufel!«

Ichschwör, vor der kann man Angst kriegen. Sie könnte mich im Handumdrehen umbringen, wenn sie wollte. Sie hat schon jede Menge Kinder umgebracht, aber die Polizei kann ihr nichts nachweisen, weil sie Zauberkräfte besitzt, die schreckliche Wahrheit zu verschleiern. Ich guckte nur auf den Ball. Kippen-Lil drückte den Knopf für den Aufzug. Ich machte mich bereit zum Wegrennen.

Jordan hämmerte den Ball in ihre Richtung. Er erwischte sie voll hart am rechten Bein. Damit hatte sie nicht gerechnet. Du konntest glatt ihre Knochen knacken hören.

Kippen-Lil: »Hölle und Teufel!«

Jordan: »Sorry! War keine Absicht!«

Der Aufzug kam, und Kippen-Lil ging rein. Jordan schoss sie wieder mit dem Ball an. Er traf sie voll ins Gesicht und titschte direkt wieder raus aus dem Aufzug.

Jordan: »Blöde alte Ätzkuh!«

Kippen-Lil sah mich direkt an, ehe die Tür zuging, ihre Augen waren ganz wild und blau. Sie dachte, ich wär das gewesen. Das ist so ungerecht, ich wollte bloß Zuspielen üben. Es nervt echt, wenn sie die ganze Zeit nur drauflosballern. Und jetzt ist Kippen-Lil meine Nemesis (so nennt Altaf den Superschurken, der immer versucht, den Superhelden zu vernichten). Ich hoffe bloß, meine Kräfte sind stärker als ihre.

Ich: »Warum hast du das gemacht, jetzt geht sie hin und tötet uns!«

Jordan: »Sei keine Schwuchtel, wenn sie uns was tun will, stech ich sie einfach ab.«

Jordan zeigte mir sein Messer. Ich hab nicht mal gesehen, wo er es rauszog. Das hätte ich ja in einer Million Jahren nicht erwartet. Es hat einen grünen Griff, so wie die aus Mammas Messerblock. Es sieht aus wie ihr Tomatenmesser. Eigentlich sieht es für Tomaten echt zu tödlich aus.

Jordan: »Das ist mein Kriegsmesser. Keiner kommt mir blöd, Alter, das sag ich dir. Wenn der Krieg losgeht, sollen sie bloß kommen.«

Er guckte das Messer voll an, als wäre es das Liebste, was er hat. Seine Augen waren ganz groß. Er zeigte mir, wie man es so trägt, dass es niemand sieht. Du steckst es dir einfach ins Hosenbein. Du musst es am Griff festhalten, sonst rutscht es durch die Hose und auf den Boden. Am besten funktioniert es, wenn die Hose einen elastischen Bund hat. Oder du kannst es einfach in die Tasche tun.

Jordan: »Ist sauscharf, guck mal.«

Er kratzte mit dem Messer über die Wand. Er schrieb Schwanz damit, als wäre es ein Kuli, man konnte die Buchstaben ganz deutlich sehen.

Jordan: »Du solltest dir auch eins besorgen, so was braucht man. Ich besorg dir eins, meine Mum hat jede Menge davon.«

Ich: »Nein danke. Ich brauch wirklich keins.«

Jordan: »Natürlich brauchst du eins, jeder braucht eins. Versuch dir genauso eins wie meins zu besorgen, dann wären wir Waffenbrüder. Was ist los, willste kein Blutsbruder sein?«

Er hielt mir das Messer dicht vors Gesicht. Dann drehte er die Klinge in der Luft, als würde er ein Schloss damit aufschließen. Und ich fühlte mich wie das Schloss. Alles wurde ganz langsam, bis er das Messer wieder runternahm.

Jordan: »Mensch, du hättest mal dein Gesicht sehen müssen, Alter! Du hast dir ja ins Hemd gemacht!«

Ich: »Nein! Hab ich nicht! Du bist gar nicht komisch!«

Alle sagen, es ist Krieg, aber gesehen habe ich ihn noch nicht. Es sind ständig höllenviele Kriege im Gang:

Kriege

Schüler vs Lehrer
Northwell Manor High vs Lewsey Hill Crew
Emos vs Sunshine
Türkei vs Russland
Arsenal vs Chelsea
Schwarz vs Weiß
Polizei vs Jugendliche
Gott vs Allah
Chicken Joe's vs KFC
Katzen vs Hunde
Aliens vs Predators

Ich hab keinen von denen gesehen. Wenn Krieg wär, würde man es schon merken, denn dann wären alle Fenster kaputt und an den Hubschraubern hingen Kanonen. Die Hubschrauber hier haben überhaupt keine Waffen, nur Scheinwerfer. Ich glaub, es ist gar kein Krieg. Ich hab nichts davon gesehen.

Ich weiß nicht mal, auf welcher Seite ich bin. Bislang hat mir das noch keiner gesagt. Vs bedeutet einfach gegen.

Als Mamma unter der Dusche war, nahm ich das Tomatenmesser aus dem Block. Nur testweise. Mit dem spitzen Ende musste man besonders aufpassen. Ich hielt es wie ein Ironboy, ich stieß in die Luft, als wär sie ein Feind. Ich steckte es in meine Hose. Ich lief damit rum und spielte, es wäre irgendein Krieg. Ich spielte, Gott hätte mich vergessen, und ich könnte jetzt alles Schlimme machen, was man im Krieg macht, und nicht mal was dabei fühlen.

Ich: »Es ist Krieg! Gott hat mich verlassen! Papa hat mich verlassen! Alle Laternen auf der Straße sind zerbrochen, und Wölfe sind hinter uns her! Jetzt heißt es, jeder kämpft für sich allein!« (Das sagte ich nur im Kopf.)

Am Schluss musste ich das Messer wieder zurückstellen,

es wurde zu gefährlich. Es ist zu scharf. Ich dachte immer, ich steche mir selber ins Bein. Du kannst ein Messer nicht die ganze Zeit in der Hose führen, sonst vergisst du noch, dass es da ist, setzt dich hin, es sticht dir durchs Bein und kommt an der anderen Seite wieder raus. Da laufe ich lieber weg, wenn es Krieg gibt, das ist einfacher. Ich bin der beste Läufer im ganzen Jahrgang 7, nur Brett Shawcross kann mich überhaupt einholen.

Als Ross Kelly noch ein Baby war, hat einer Säure in seine Milch getan, und deshalb ist er so, wie er ist. Das sagen alle. Er streckt immer die Zunge raus, wenn er seine Antworten hinschreibt. Er sagt, das hilft ihm, sich zu konzentrieren, aber es sieht einfach nur bescheuert aus. Ich hab mal versucht, mit rausgestreckter Zunge zu schreiben: Ich hab dadurch nicht schneller geschrieben. Nur meine Zunge war nachher steif und trocken.

Wenn Ross Kelly noch mal Vierauge zu Poppy sagt, schubs ich ihn aus dem Fenster. Ich hab ihn bloß durch meinen Feldstecher gucken lassen, weil er gebettelt hat wie ein Hund.

Ich: »Jetzt ist Poppy dran!«

Ross Kelly: »Die braucht keinen Feldstecher, die hat ja schon vier Augen.«

Poppy: »Hau bloß ab!«

Ich: »Ja, hau bloß ab, Bremsspur.«

Ich ging ans Cafeteriafenster, und Poppy blieb an der Treppe zur Bibliothek. Dann beobachtete sie mich durch den Feldstecher. Als ich zurückkam, musste sie mir sagen, was ich gemacht hatte.

Poppy: »Du bist in Zeitlupe gelaufen. Ich konnte dich sehen.«

Ich: »Das war nicht Zeitlupe, das war Roboter.«

Poppy: »Meinetwegen. Sieht für mich beides gleich aus.«

Ich: »Ich war aber nicht verschwommen oder so? Hast du mich von ganz nah gesehen?«

Poppy: »Ja.«

Ich: »Siehste, ich hab ja gesagt, er ist echt.«

Poppy: »Ich glaub's dir ja!«

Ich packte den Feldstecher wieder in die Tasche, damit er nicht kaputtging. Keiner außer mir und Dean weiß, wofür wir ihn wirklich brauchen. Nicht mal Poppy darf ich von dem Fall erzählen. Ich muss sie schützen, falls der Mörder ihr was antut, um mich zu treffen. So was machen die immer: Sie entführen die Frau des Detective und schneiden ihr einen Zeh nach dem anderen ab, bis der Detective aufgibt. Falls Poppy fragt, ist der Feldstecher nur zum Beobachten von Vögeln und weit weg stattfindenden Sportereignissen da. Nur zur Sicherheit. Ich gehe jetzt mit Poppy. Es war ganz leicht. Ich musste sie nicht mal fragen, ich musste nur das Kästchen ankreuzen.

Bislang hab ich fünf Fingerabdrücke zusammen. Die von Manik, Connor Green, Ross Kelly, Altaf und Saleem Khan. Ich hab auch Chevon Brown, Brett Shawcross und Charmaine de Freitas um ihre gefragt, aber die haben mir gesagt, ich soll mich doch selbst f–en.

Dean: »Wir brauchen unschuldige Fingerabdrücke, um sie mit denen des Mörders zu vergleichen; die können wir dann aus der Untersuchung ausschließen.«

Ich: »Verstanden, Captain. Ich leg sofort los.«

Ich hab das Sellotape mit den Fingerabdrücken in mein Spezialgeheimversteck zu dem Alligatorzahn gelegt, in Papier eingeschlagen, damit kein Schmutz oder Haare draufkommen. Mein Zimmer ist jetzt das Hauptquartier. Keiner darf rein, ohne das Passwort zu nennen, und bislang habe ich noch keinem das Passwort verraten (es heißt Taube, nach meiner Taube. Keiner kann es rauskriegen, weil ich es nur denke).

Fingerabdrücke sind eigentlich gar nicht dazu da, dich zu identifizieren. Das ist nur zufällig so, weil das Muster bei jedem anders ist. Eigentlich ist ein Fingerabdruck nämlich zum Fühlen da. Um unterschiedliche Strukturen und Oberflächen zu erkennen. Das hat uns Mr Tomlin erklärt.

Mr Tomlin: »Ein Fingerabdruck besteht aus winzigen Rillen in der Haut. Wenn man mit den Fingerspitzen über eine Oberfläche streicht, löst das Vibrationen aus, und diese Friktionskämme verstärken die Vibrationen und damit die Signale an eure Sinnesnerven, durch die das Gehirn die Beschaffenheit besser analysieren kann.«

Ich: »Damit sich alles wie vergrößert anfühlt.«

Mr Tomlin: »Ganz genau.«

Ich konnte mir die Finger schlecht verbrennen, darum wollte ich sie einfrieren. Das war der zweitbeste Weg, sie taub zu machen. Ich wollte nämlich wissen, was Tante Sonias Finger fühlen. Ich wollte wissen, ob sich wirklich alles wie vergrößert anfühlt. Ich kratzte einen kleinen Berg Schnee vom Boden des Gefrierfachs in eine Schüssel.

Ich: »Kann man Erfrierungen vom Gefrierfachschnee kriegen?«

Lydia: »Was denkst du denn? Natürlich nicht.«

Ich: »Und was ist, wenn ich die Finger richtig lange reinhalte? Eine ganze Stunde zum Beispiel? Dann vielleicht? Ich will nicht, dass sie absterben, ich will sie nur eine Weile einfrieren. Pass auf, dass ich sie nicht zu lange einfriere, ja? Sag mir, wenn eine halbe Stunde rum ist, das müsste reichen.«

Es dauerte ewig und drei Tage, bis meine Finger taub wurden. Es tat richtig weh. Die Kälte war so kalt, dass sie brannte. Ich wollte die ganze Zeit die Finger rausziehen, musste sie aber drinlassen, damit es wirkte. Lydia guckte *Hollyoaks*. Der eine Junge küsste wieder den anderen Jungen. Ich lenkte mich einfach mit dem ekligen Gefühl in den Fingern ab. Ich tat so, als sähe ich sie nicht. Ich tat so, als wären sie überhaupt kein Teil von mir.

Ich: »Zählst du mit?«

Lydia: »Stör mich nicht! Ich will das sehen!«

Als meine Finger endlich taub wurden, war das, als fielen sie ab. Ich konnte sie gar nicht mehr spüren. Verrückt! Ich fasste eine Melone an. Es funktionierte doch glatt! Von dem Muster auf der Außenseite spürte ich nichts. Es war, als wären meine Finger gar nicht aus Haut, sondern aus nichts. So was Krasses hast du noch nicht erlebt!

Ich versuchte es am Sofakissen. Ich konnte das Muster nicht spüren. Es sind bloß Rillen, aber noch nicht mal die fühlte ich. Ich rieb ganz feste drüber, aber es passierte nichts. Als wär ich gar nicht da, sondern nur ein Geist. Ich fasste an die Federn von Lydias Papageienkostüm. Sie fühlten sich nicht flauschig genug an, sie waren zu weit weg. Ich befingerte Lydias Gesicht. Ich fühlte kaum was. Ich versuchte es mit ihrer Nase, ihren Lippen, ihrer Wange und ihrem Ohr. Ich versuchte alles. Alles fühlte sich weit weg an, als wäre sie nur ein Traum.

Ich: »Das fühlt sich irre an! Solltest du auch mal versuchen!«

Lydia: »He! Lass das! Das ist kalt!«

Ich versuchte, mir eine Erdnuss zu nehmen, aber es war zu kompliziert. Lustigerweise griff ich immer daneben. Du kannst deine Finger auf der Erdnuss sehen, aber du kriegst sie nicht zu fassen. Du lässt sie immer wieder fallen. Verflixt. Man kommt sich ganz schön dumm vor. Ich hörte erst auf, als ich nicht mehr wusste, wie lange es schon dauerte. Lydia hatte schon vor Ewigkeiten aufgehört mitzuzählen.

Ich: »Das Experiment war ein voller Erfolg!«

Lydia: »Und du bist voll der Schwachkopf!«

Zuerst hatte ich richtig ein bisschen Angst, ich dachte, die Taubheit geht nicht mehr weg. Da tat mir Tante Sonia leid. Ich erinnerte mich noch, wie sich Sachen anfühlten, ich konnte meine Erinnerung einsetzen, um meine Finger auszutricksen. Aber was ist, wenn man was Nagelneues fühlen will, das man noch nicht kennt? Ich stellte mir vor, ich wäre Tante Sonia in einem neuen Land, in dem alles nagelneu ist. Und könnte mich nicht erinnern, wie sich alles anfühlt, weil ich noch nie da war. Kein schöner Gedanke.

Ich: »Was ist, wenn es Nacht ist und alle Lampen sind aus und dann brennt es? Wie findet sie dann nach draußen?«

Lydia: »Weiß ich nicht. Passiert sowieso nicht.«

Ich: »Und wenn doch? Dann verbrennt sie wie ein menschlicher Toast.«

Mir wurde glatt übel davon, ich wollte gar nicht daran denken. Wenn die Taubheit langsam weggeht, kribbeln erst mal deine Finger. Ich war ganz schön erleichtert. Das bedeutete, sie würden wieder so werden wie vorher. Wenn ich für immer gefühllos bleiben müsste, wäre das zu ätzend. Dann müsste ich alles mit dem Mund aufheben wie ein Hund. Alle würden Dogboy zu mir sagen. Ich will nicht mal dran denken, sonst wird es am Ende noch wahr.

Lydia ist bloß sauer, weil sie nicht gut genug ist, um Detective zu sein. Sie will bloß Haare machen, wenn sie groß ist. Alle Mädchen wollen bloß Haare machen.

Ich: »Mein Job ist besser. Detectives fangen die Bösen, und du darfst so schnell fahren, wie du willst.«

Miquita: »Der Detective hat aber keine Waffe. Der Böse schon. Und der braucht auch nicht fragen, wenn er was will, er nimmt es sich einfach. Der Detective ist bloß ein Angestellter mit einer Zielscheibe auf dem Rücken. Ich arbeite für keinen anderen, Alter.«

Miquita plättete Lydias Haare. Mamma wird ihr was erzählen, wenn sie das rauskriegt.

Ich: »Ich wette, das fängt an zu brennen.«

Lydia: »Quatsch! Wird es nicht.«

Ich: »Ich wette doch.«

Lydia: »Stör uns nicht!«

Ich: »Ich kann zugucken, wenn ich will!«

Lydia kann mir das Zugucken nicht verbieten. Ich bin der Mann im Haus.

Lydia: »Verbrenn mich bloß nicht, okay?«

Miquita: »Keine Sorge, Alter. Ich hab das schon x-mal gemacht.«

Chanelle: »Zweimal.«

Miquita: »Na und? Ich hab das voll drauf, wa. Meine Tante hat mir das beigebracht, die hat es im Knast gelernt.«

Miquitas Tante war Fälscherin. Das ist, wenn man was mit einem Gutschein kauft, bloß ist es kein echter Gutschein, weil man ihn nämlich selbst gemalt hat.

Die ganze Geschichte dauert ewig. Wenn man Haare plättet, macht man immer nur ein kleines Stückchen auf einmal. Man muss ganz langsam sein, damit man nichts in Brand setzt, erst die eine Seite, dann die andere. Das ist sehr entspannend. Ich wär beinah eingeschlafen. Wir mussten eine Pause einlegen. Sie taten so, als wäre der Apfelsaft Champagner.

Ich hab's ja gesagt. Mädchen sind doof.

Es war lustig, zuzusehen, wie Lydia versuchte, stillzusitzen, sie musste sich voll konzentrieren. Sie hatte doch echt Angst vor dem Eisen. Wenn es ihr nahe kam, machte sie die Augen fest zu.

Lydia: »Achte auf meine Ohren.«

Miquita: »Wieso, tun die irgendwas Interessantes?«

Lydia: »Mach keinen Scheiß.«

Lydias Haare wurden tatsächlich glatt. Es geschah direkt vor unseren Augen. Es sah superstylisch aus. Lydia war sehr zufrieden, das sah man. Sie starrte sich die ganze Zeit im Spiegel an. Sie verliebte sich in sich selbst, haha.

Ich: »Du würdest dich am liebsten selber küssen. Na los, küss dich doch!«

Lydia: »Stör uns nicht!«

Miquita: »Halt still, Alter, sonst verbrenn ich dich noch.«

Sie hielt das rauchende Eisen ganz dicht an Lydias Ohr. Dann wurde Miquitas Gesicht knallhart. Wie aus dem Nichts. Jetzt lachte sie nicht mehr.

Miquita: »Bist du auf unserer Seite?«

Lydia: »Wovon redest du?«

Miquita: »Du weißt genau, wovon ich rede. Du bist entweder für uns oder gegen uns.«

Das Eisen war direkt vor Lydias Auge, berührte es fast. Der Rauch stieg ihr ins Gesicht. Mir wurde kalt im Bauch. Chanelle aß das letzte Oreo.

Chanelle: »Lass das, Alter, das is nich nötig. Sie weiß, was geht, oder?«

Miquita: »Schnauze, sonst fängst du dir eine. Du hast nix gesehen, und du weißt von nix, klar?«

Ab da wurde alles ultralangsam. Miquita kam mit dem Eisen ganz nah ran, dann zog sie es wieder weg, wie bei einem verrückten Spiel. Ich spürte, dass Lydia Angst hatte, da bekam ich auch Angst. Ich machte mich bereit, wie für einen Eindringling. Ich ging es im Kopf einmal durch: das Messer aus dem Messerblock holen, den Eindringling damit stechen, bis er blind ist, ihn dann nach draußen schubsen und in den Aufzug. Einer von uns ruft die Polizei an. Ganz schnell stich-stich machen, damit du selbst nichts spürst. Es ist bloß Notwehr. Lydia machte die Augen zu. Ich roch das Verbrannte schon im Voraus. Es war, als wären alle Vögel vom Himmel gefallen, tot.

Lydia: »Bitte. Ich weiß doch gar nichts. Ich bin auf eurer Seite.«

Lydia öffnete die Augen. Sie besah sich ihr Gesicht im Spiegel: Auf ihrer Wange war ein kleiner Fleck, er war rot und glänzte ein bisschen. Sie befühlte ihn ganz vorsichtig, als wäre es ein Kuss. Ich warte gern drauf, dass die Löcher wieder zuwachsen, die neue Haut macht dich stärker. Das ist das Beste an Schnitten und Verbrennungen.

Dann war Miquitas Gesicht plötzlich ausgewechselt.

Die Härte war weg, sie war wieder normal. Einfach so, husch-husch. Vielleicht war es ja nur ein entgleister Traum von mir.

Miquita: »Augen geradeaus, ja? Das sieht hammermäßig aus, wenn's fertig ist, glaub's mir. Halt einfach still, ich tu dir schon nicht weh. Du hättest nicht zucken dürfen.«

Lydia: »Entschuldigung.«

Ich konnte wieder atmen. Die Welt wachte wieder auf. Als Lydias Haare fertig waren, sah es tatsächlich superstylisch aus. Sie waren richtig glatt und alles. Das Warten hatte sich gelohnt.

Ich: »He! Das sieht ja doof aus! Du siehst aus wie ein Büffel!« (Ich musste sie verarschen, auch wenn ich es nicht so meinte. Wenn man einem Mädchen sagt, es säh hübsch aus, heißt das, man liebt es zu sehr.)

Chanelle: »Nein, stimmt nicht, es sieht extrem geil aus.«

Miquita: »Ich bin einfach klasse! Ob ich will oder nicht!«

Ich sicherte ihre Fingerabdrücke mit einem Stück Sellotape. Chanelle gab mir ihre sofort, aber Miquita wollte nicht mitziehen. Dann fiel mir wieder ein, was Dean mir erzählt hatte:

Dean: »Wenn sie dir freiwillig keinen Finger geben, dann mach, dass sie irgendwas trinken. Dann bleiben die Fingerabdrücke auf dem Glas. Das ist kinderleicht.«

Miquita tut immer so, als wär der Apfelsaft Champagner. Wer lacht jetzt! Lydias Fingerabdrücke brauche ich nicht. Sie ist keine Verdächtige, sie ist meine Schwester. Nicht mal geweint hat sie, als sie tatsächlich verbrannt wurde.

Lydia killte das Kostüm, in dem sie getanzt hatte. Sie hatte die Schere und schlitzte und hackte wie ein verrückter Hai. Ihre Augen waren ganz nass, und sie hörte immer wieder auf, um zu beten. Es hätte ein verrückter Traum sein können, du konntest nicht von der Stelle, du musstest einfach gucken, was als Nächstes passierte. Wie damals, als sich Abena den Kleiderbügeldraht in die Nase gesteckt hat, weil sie eine *obruni*-Nase haben wollte (und dachte, das könnte man so hinkriegen). Alle wussten, dass es nichts werden konnte, sie waren nur neugierig, wie gründlich es schiefging. Es war, als hätte sie den Verstand verloren.

Ich trat gegen die Tür. Ich musste sie beruhigen, bevor sie endgültig überschnappte.

Lydia: »Und, jetzt zufrieden?«

Ich: »Was machst du da?«

Lydia: »Wonach sieht's denn aus? Du glaubst ja nicht, dass es kein Blut war. Du denkst, ich lüge. Glaubst du mir jetzt?«

Ich: »Willst du es denn nicht behalten? Ich dachte, es gefällt dir so gut.«

Lydia: »Nein, tu ich nicht, es ist bescheuert. Die Tanzgruppe kotzt mich sowieso an. Die ist nur bescheuert.«

Ich kapierte nicht, was los war, aber ich half ihr trotzdem. Wir trugen ihr Papageienkostüm auf den Balkon. Es hing in tausend Fetzen wie etwas Totes. Bis nach unten war es ein weiter Weg, und sobald es dort ankam, wäre alles vorbei, und man könnte neu anfangen. Alle beide warfen wir Fetzen vom Balkon und schauten ihnen nach. Sie fielen wie großer, langsamer Regen. Am Schluss wäscht der Regen doch immer das Blut weg. Tief unter uns waren ein paar kleinere Kinder. Sie ließen unsere bunten Tropfen auf sich herabregnen, hoben sie auf und machten wieder Gefieder daraus. Sie jagten sich damit wie verrückte Papageien und warfen sie in die Luft wie schwerelose Bomben.

Lydia: »Erzähl keinem, was ich getan hab, okay?«

Ich: »Weißt du, von wem es war?«

Lydia: »Nein, ich schwöre bei Gott. Ich hab die Sachen nur in den Waschsalon gebracht, das war alles. Es war bloß ein Test.«

Ich: »Mein Mantel ist nicht gestohlen worden. Ich habe ihn in den Müllschlucker geworfen.«

Lydia: »Warum?«

Ich: »Das muss ich dir nicht erzählen, wenn du mir deins nicht erzählen musst.«

Lydia: »Gut.«

Ich: »Jordan hat mal eine Katze in den Müllschlucker geworfen.«

Lydia: »Nein, hat er nicht, der verarscht dich nur. Du glaubst aber auch alles.«

Wir sahen weiter zu, bis die kleineren Kinder genug hatten und die Federn wegwarfen. Die zu Boden gefallenen Teile sahen wie gerade eingeschlafene Leichen aus. Im Kopf sagte ich, tut mir leid, aber es war nicht mehr traurig, sondern stark. Stark genug, um uns vor allem zu beschützen, was noch kommen würde, wie ein Alligatorzahn für jeden von uns.

Es ist besser, ihr seht uns nicht kommen, glaubt es mir. Ihr alle habt eure Vorhaben und Verpflichtungen, typischen Menschenkram eben. Genau von dem, was ihr treibt, während ihr euch einredet, der Tod sei noch weit weg, hängt es ab, wie er aussieht, wenn er euch schließlich doch begegnet. Macht ruhig weiter wie gehabt, tut euch keinen Zwang an. Trefft eure Entscheidungen, folgt euren Berufungen. Lebt ihr die Momente, die Monumente kommen dann wie von selbst, werden in eurer Abwesenheit in Marmor gemeißelt oder aus dem Ton der Nochlebenden geknetet.

Ich hab neue Turnschuhe. Sie heißen Diadora. Kennt ihr die? Ichschwör, die sind superstylisch. Mamma hat gesehen, was ich mit meinen Sports gemacht hab.

Mamma: »Was hast du denn mit deinen Segeltuchschuhen angestellt? Die sind ja völlig versaut.«

Ich: »Ich wollte Adidas.«

Lydia: »Die sind nicht mal grade. Die Streifen sind schief und krumm. Sieht ja schwul aus.«

Ich: »Dein Gesicht sieht schwul aus.«

Mamma: »Schluss jetzt mit dem Schwulsein! Keiner ist hier schwul!«

Wir gingen in den Krebs-Laden, in dem sie auch Turnschuhe verkaufen. Die Diadoras waren die besten davon, und auch die einzigen, die mir passten. Da hatte ich echt Superglück. Sie sind komplett weiß, und das Diadora-Zeichen ist blau. Es sieht aus wie ein Pfeil oder irgend so was aus dem Weltraum. Du siehst gleich, dass du darin superschnell rennst.

Sie fühlen sich auch gar nicht feindselig an und haben nur ein paar winzig kleine Schrammen. Ihr erster Besitzer hat sie gut gepflegt. Seine Füße sind nur rausgewachsen. Wir versuchten uns den ersten Besitzer vorzustellen.

Lydia: »Ich wette, er war hässlich und hatte Stinkfüße mit Schrunden überall.«

Ich: »Wer hat dich denn gefragt? Die riechen ja nicht mal. Ich wette, er war supergut im Fußball und im Laufen.«

Ich tat so, als wäre etwas von seiner Seele in die Turnschuhe übergegangen, das mir half, den Ball platziert zu schießen und meilenweit zu rennen.

Lydia: »Sag keinem, wo du die gekauft hast, sonst ziehen die dich bloß auf.«

Ich: »Nur weil die aus dem Krebs-Laden sind, heißt das noch lange nicht, dass man Krebs davon kriegt.«

Alle sagen, von den Sachen im Krebs-Laden kriegt man Krebs. Einfach nur doof. In meinen neuen Turnschuhen renne ich so schnell wie noch nie. Wenn ich sie trage, fühlt es sich an, als könnte ich ewig laufen, ohne stehen zu bleiben. Ich hab sie im Korridor ausprobiert, wo der Boden richtig glänzt, und sie machen sogar ein ganz tolles Quietschen.

Es klingt tatsächlich schwatt-schwatt. Nur wenn man genau hinhört. Das klappt also auch mit Diadoras, nicht nur mit Krankenschwesternschuhen.

Poppy findet meine Diadoras toll. Voll stylisch, sagt sie. Deswegen passen wir so gut zusammen, weil wir dieselben Sachen mögen. Wir finden beide Diadoras und Michael Jackson toll, und wir essen beide lieber die roten Weintrauben als die grünen. Eine Freundin ist nicht so kompliziert. Du musst nur ab und zu Händchen halten. Das ist die einzige Pflicht. Den Rest der Zeit kannst du ganz normal Spaß haben. Ich und Poppy sitzen in der Pause draußen auf der Treppe vor dem naturwissenschaftlichen Bau. Manchmal muss ich etwas für sie machen. Ich mache den Moonwalk für sie oder sing ein Lied oder erzähle einen Witz. Poppy liebt das. Ich würd manchmal gern Selbstmordattentäter spielen, aber Poppy möchte, dass ich bei ihr bleibe. Mir macht das nichts. Ich *will* sogar bleiben.

Am Anfang hatte ich beim Händchenhalten meine Finger einfach gerade gestreckt und alle eng zusammen. Poppy konnte das nicht leiden.

Poppy: »Das ist Babykram! Pass auf, so geht das richtig.«

Richtig geht das, indem man seine Finger immer abwechselnd zwischen die des Mädchens steckt. Das ist dann sexy. Mädchen mögen es nun mal lieber. Du kriegst da echt schwitzige Hände, aber es ist trotzdem super. Nur einige Regeln für Freundinnen sind hier anders. Du darfst ihnen nicht nachrennen, bis sie hinfallen. Das ist tabu. Du hältst stattdessen einfach ihre Hand. Ist einfach netter.

Poppy hat mich ihre Brille aufsetzen lassen. Sie trägt sie nur zum Lesen. Es ist nicht so eine Alte-Leute-Brille, sie ist hübsch und schmal. Auch mit ihrer Brille ist Poppy noch die Schönste.

Ich: »Ich mache sie nicht kaputt.«

Poppy: »Ich weiß. Sie steht dir. Wie siehst du dadurch?«

Ich: »Ziemlich irre!«

Wenn ein normaler Mensch durch eine Brille guckt, wird die ganze Welt schief und krumm. Ichschwör, es war krass. Ich konnte nicht erkennen, wohin ich laufe. Ich konnte nicht sagen, was nah und was weit weg war. Wenn ich sie aufhatte, wurde ich seekrank. Ich wär beinahe vor die Wand gelaufen. Brillen funktionieren nur, wenn deine Augen schon einen Knick haben. Wenn deine Augen keinen Knick haben, funktionieren sie nicht. Witzig, du kommst dir vor wie unter Wasser.

Poppy: »Du siehst bloß so komisch, weil du keine Brille brauchst. Wenn ich sie aufhab, sieht alles normal aus.«

Ich: »Ich wünschte, ich müsste eine Brille tragen, nicht du.«

Poppy: »Oh, das ist lieb. Danke schön.«

Ich wollte ihr sagen, dass sie auch mit Brille noch die Schönste ist. Ich wollte ihr sagen, dass sie mein Gelb ist, aber es waren zu viele Leute in der Nähe.

Du siehst nicht, wo die Grenzlinien verlaufen, aber du weißt, dass sie da sind. Du musst sie einfach im Kopf mit dir rumtragen. Der Tunnel hinter dem Einkaufszentrum ist so eine Grenze. Wenn du sie überschreitest, bist du dran. Ich geh gar nicht erst in diesen Tunnel rein. Der ist mir unheimlich. Es ist immer dunkel da drin, selbst wenn die Sonne scheint, und das Wasser in den Pfützen ist voll fies und vergiftet.

Die Straße an meiner Schule vorbei ist die nächste Grenze. Dahinter ist Sperrgebiet. Näher als bis zur Bushaltestelle am Hügel bin ich noch nie gewesen. Weiter hab ich mich nicht getraut.

Die nächste Grenze ist die Straße am Ende vom Fluss. McDonald's liegt auf der anderen Seite. Ich bin noch nie drüben gewesen, außer mit Mamma im Bus. Wenn man dort alleine hingeht, ist man auch dran. Die Straße gehört der Lewsey Hill Crew.

Die letzte Grenze ist die Eisenbahnlinie. Die ist ganz schön weit weg, hinter dem Fluss. So weit war ich noch nie. An der Eisenbahnlinie tragen sie die Kriege aus. Das ist das Schlachtfeld. Zwischen der Dell Farm Crew und der Lewsey Hill Crew hat sich da mal eine mörderische Schlägerei abgespielt. Gut tausend Leute. Alle mit Messern, Baseballschlägern oder Schwertern. Einige sind gestorben. Aber das war früher, lange bevor ich hergezogen bin.

Jordan: »Sie haben denen Arme und Beine und alles abgeschlagen. Das war echt krank. Die sind immer noch da. Man kann die Arme und Beine noch von den Bäumen baumeln sehen. Sie haben sie zur Abschreckung hängen lassen.«

Ich weiß nicht, ob das stimmt. Ich weiß ja nicht mal den Weg zu den Gleisen.

Die Grenzlinien bilden ein Viereck. Nur wenn du im Viereck bleibst, bist du sicher. Es ist unser Zuhause. Zu Hause können sie dich nicht umbringen. Das Beste an Zuhause sind die vielen Verstecke.

Wenn einer hinter dir her ist und du dich verstecken musst, findest du immer irgendwas. Es gibt höllisch viele Sträßchen, alle dicht beieinander. Du musst bloß in eine davon reinlaufen und bist in Sicherheit. Die kriegen dich nie. Du musst dich bloß rechts halten und rennen. Dann kannst du dich in den Büschen im Park verstecken. Die sind groß genug, um darin zu verschwinden. Es hat mal ein ganzes Jahr lang ein toter Mann dringelegen, und keiner hat ihn gesehen. Sie haben ihn erst gefunden, als ein Hund reinlief, um sein Stöckchen zu holen, und stattdessen mit einer Hand wieder rauskam.

Man kann sich auch in den Mülltonnen verstecken. Die stinken so, dass dich keiner darin sucht. Solange du den Atem anhalten kannst, kannst du dich da ewig verstecken.

Die Kirche gibt jedem ein Zuhause. Wenn du da reingehst, darf dir niemand etwas tun, das ist ein heiliges Gesetz. Du kannst auch in den Geschäften verschwinden. Als guter Kletterer kannst du auf eine Garage oder einen Baum steigen. Da können sie dich noch sehen, kriegen dich aber nicht. Sie sind zu schwer, um dir nachzuklettern. Sie könnten dich höchstens mit einem Lasso runterholen. Zu Hause ist jeder in Sicherheit. Nur nicht das Abschließen vergessen!

Dizzy sah mich am Haupttor. Ich hatte nicht damit gerechnet, das war sogar noch besser. Nach Schulschluss ist die beste Zeit für Verfolgungsjagden.

Dizzy: »Oi, Schisser, ich mach dich kaputt! Renn ruhig weg!«

Ich rannte einfach los. Die schnappen mich nie, die sind eben zu langsam. Manchmal renne ich den direkten Weg nach Haus, als käm ich um vor Hunger. Aber wenn ich Lust auf eine längere Jagd hab, suche ich mir eine verschlungenere Strecke. Ich rannte am Lehrerparkplatz vorbei zum Eisenspitzenzaun. Ich lief nicht Höchstgeschwindigkeit, denn Dizzy sollte denken, er könnte mich erwischen. Ich hielt an dem Schild:

Ich wartete, bis Dizzy näher kam, dann rüttelte ich an den Eisenstäben wie ein Gefangener. Da machte er noch rötere Augen. Zum Kaputtlachen.

Dizzy: »Keine Spielchen, Alter. Dafür f– ich dich!«

Ich ließ ihn noch ein Stück rankommen und rannte dann wieder los. Ich lief am Zaun entlang, durchs Tor und dann den Hügel runter Richtung Tunnel. Als ich mich umdrehte, war Dizzy immer noch oben auf dem Hügel und schnaufte wie ein kaputtes Trotro. Er musste aufgeben! Wieder hundert Punkte für Harrison Opoku! Ich sag ja, nichts ist schneller als meine Diadoras!

Richtig an zu rennen fing ich erst, als X-Fire auftauchte. Er ging über die Straße, als ich grade aus dem Tunnel kam. Als er mich sah, machte er voll die roten Augen und schoss direkt auf mich zu.

X-Fire: »Du bist tot, du kleines Arschloch!«

Meine Kraft wuchs. Ich rannte Richtung Kirche. Ich wollte rein, aber die Tür war abgeschlossen. Ich rannte am Jubilee Centre und der großen Bücherei vorbei, immer schnurgerade, um mehr Tempo zu machen. Hinter mir hörte ich X-Fires Füße auf die Straße hämmern. Ich merkte, wie seine tödlichen Gedanken sich selbständig machten und in der Luft verteilten wie nadelspitzer Regen.

X-Fire: »Du bist gef–!«

Ich schaffte es bis zur Ladenpassage. Die Lady in dem Sesselauto war direkt vor mir, ich wär beinahe in sie reingerannt. Ich musste eine Blitzentscheidung treffen und handelte, ohne nachzudenken. Ich sprang hinten auf ihr Sesselauto. Mir blieb nicht mal Zeit, mir bescheuert vorzukommen.

Sesselauto-Lady: »Was fällt dir ein? Runter da!«

Ich: »Kann nicht! Tut mir leid!«

X-Fire holte auf. Du wolltest, dass sie Gas gab, aber von wegen, Kolbenfresser. Wie ätzend! Es war eher noch langsamer als Zufußgehen. Alles fror ein. Du dachtest, du müsstest zusammenbrechen und an Langsamkeit sterben.

Ich: »Schnell, Lady! Bleifuß!«

Sesselauto-Lady: »Runter da!«

Ein paar kleinere Kinder rannten jetzt neben uns her. Sie hielten es für ein Spiel. Sie zeigten mir den Stinkefinger, als sie uns überholten.

Kleinere Kinder: »Volltrottel!«

Sesselauto-Lady: »Jetzt reicht's!«

Die Sesselauto-Lady machte eine Vollbremsung, und ich musste abspringen. Ich warf schnell einen Blick nach hinten. X-Fire war stehen geblieben. Dizzy hatte zu ihm aufgeschlossen. Beide lachten wie die Irren. Alle lachten.

Dizzy: »Heiße Karre, Schisser! Braucht man dafür n Führerschein?«

X-Fire: »Oi, Ghana! Sag dem Versoffenen, wenn ich seinen Köter noch mal seh, stech ich ihn ab!«

Dann drehten sie einfach ab zur Ladenpassage und nahmen das ganze Böse mit. Ich ärgerte mich nur, weil die Verfolgungsjagd so schnell vorbei war. Es war zu leicht gewesen. Ich holte erst mal Luft und lief dann wieder los. Ich holte die Sesselauto-Lady im Handumdrehen ein. Beim Vorbeilaufen winkte ich ihr zu.

Ich: »Vielen Dank fürs Mitnehmen! Entschuldigen Sie die Umstände!«

Sesselauto-Lady: »Verpiss dich, du freche kleine Ratte!«

In England können sie nie auseinanderhalten, wann sie verarscht werden und wann was ernst gemeint ist. Ich glaub, sie werden zu oft verarscht und wissen einfach nicht mehr, wie sich »ernst gemeint« anfühlt. Wenn ich mal alt bin, will ich ein schnelleres Sesselauto als Fluchtfahrzeug, mit dickeren Reifen, damit man besser über die Hubbel kommt.

JUNI

Unser Stützpunkt ist die Außentreppe von meinem Hochhaus, die zum ersten Stock rauf. Dort sind wir sicher. Nur die Junkys benutzen sie, und die sind immer so verschlafen, dass sie uns gar nicht sehen. Ich und Dean observierten von dort aus (observieren ist nur ein anderes Wort dafür, die Bösen zu beobachten). Wir mussten durchhalten, bis etwas passierte, und wenn es Tag und Nacht dauern sollte. Wir hatten Cherry Coke und Skips dabei, falls es wirklich so lange dauerte.

Ich hatte den Feldstecher, und Dean schrieb mit. Er musste alles protokollieren, was ich Verdächtiges sah.

Dean: »Ich wollte das Handy von meiner Mum mitbringen, aber sie braucht es selber. Die Kamera ist sowieso Scheiße, bloß drei Megapixel. Wir müssen es eben auf die altmodische Art machen.«

Mir gefiel die altmodische Art sogar besser. Habt ihr schon mal Skips probiert? Schmecken wie Garnelen, und der Geschmack kribbelt tatsächlich wie Brause auf der Zunge. Echt hammermäßig.

Ich: »Muss ich dir alles sagen, was ich sehe?«

Dean: »Nein, nur das, was verdächtig wirkt. Leute, die schuldbewusst wirken oder sich seltsam verhalten.«

Ich: »Zählt Jesus?«

Dean: »Nein, der gehört nicht zu den Verdächtigen. Killer fahren nicht auf Rollerblades, das ist viel zu auffällig. Damit würden sie sich bloß verraten.«

Ich: »Das dachte ich auch.«

Jesus fuhr gerade auf Rollerblades vorbei. Er fällt nie hin. Er ist sehr elegant. Er heißt Jesus, weil er einen Bart und lange Haare hat, nur dass sie grau sind. Alle sagen, er sähe so aus, wie Jesus aussehen würde, wenn er heute noch lebte. Ich sagte es Dean trotzdem, wir protokollierten es nur nicht:

Ich: »Jesus fährt auf Rollerblades an den Wohnblöcken lang. Er stürzt beinah über einen Riss im Pflaster, fängt sich aber gerade noch. Er fährt weiter. Ein kleineres Kind zeigt ihm den Stinkefinger. Uhrzeit?«

Dean: »Acht Minuten nach zwölf.«

Ich: »Bitte mitschreiben: Keine verdächtigen Vorkommnisse. Detective Opoku setzt Observation fort.«

Es kommt einem schon krass vor, von unserem Stützpunkt aus zu observieren. Keiner weiß, dass er von uns beobachtet wird. Vor allem mit dem Feldstecher sieht man so einiges, was man normalerweise nie zu sehen kriegt. Das ist sehr entspannend. Ich sah, dass Jesus eine Schlangentätowierung auf dem Arm hat. Das wusste ich vorher nicht. Toll. Ich sah ein Baby-Dreirad auf dem Dach der Bushaltestelle. Auch toll.

Ich konnte den Basketballplatz sehen, aber es war niemand drauf. Es machte ein bisschen traurig, ihn so leer und runtergekommen zu sehen. Ich weiß auch nicht, warum.

Das Beste war das Taubennest, das ich entdeckte. Sie leben vor den Fenstern vom Assel-Haus (das ist bloß ein großes, altes Haus, wo früher die Waisenkinder wohnten, aber es ist abgebrannt, bevor ich herkam). Ich konnte sie tatsächlich auf den Fensterbänken schlafen sehen. Meine Taube war nicht dabei, aber andere Tauben kamen und gingen. Wahrscheinlich brachten sie das Essen für ihre Frauen und Kinder nach Hause.

Taube: »Da bin ich wieder! Essenszeit!«

Baby-Taube: »Mmmm! Würmer, mein Lieblingsessen!«

Dean: »Vergiss die Tauben! Konzentrier dich, wir haben einen Job zu erledigen. Es sei denn, du willst Protokoll führen.«

Ich: »Okay, okay, ich konzentrier mich ja!«

Wir konzentrierten uns auf den Van von Chips n Tings. Der hält immer gegenüber meinem Block auf der anderen Straßenseite. Jeder, der sich sein Essen dort holt, ist verdächtig, denn von deren Burgern kriegst du das Kotzen. Du musst schon kriminell sein, um so was zu essen.

Dean: »Ich sag dir, das ist bloß eine Tarnung für Drogengeschäfte. Sie verstecken sie im Karton oder im Brötchen. Ich hab da mal Fritten haben wollen, und der Typ hat mich gar nicht bedient. Er hat gesagt, ich soll doch zu McDonald's gehen.«

Ich: »Hatte er einen Goldzahn?«

Dean: »Nein, aber er war am Qualmen. Wenn du in einem echten Imbisswagen eine Kippe rauchst, macht die Gewerbeaufsicht dir den Laden zu. Hygiene- und Sicherheitsbestimmungen. Da ist definitiv was faul.«

Sämtliche Schlägertypen hängen abends am Chips n Tings rum, rauchen und hören Ballermusik aus ihren Autos. Keiner fährt meilenweit zu einem Imbisswagen, dessen Essen stinkt. Ich würde nicht mal die paar Schritte gehen, und wenn ich am Verhungern wär. Ich hielt ganz still, damit das Fernglas nicht wackelte. Ich duckte mich, damit wir unseren Standort nicht verrieten. Wir warteten da ewig und drei Tage. Mein Hintern tat mir irgendwann wie irre weh, aber ich konnte einfach nicht als Erster eine Bewegung machen. Ich mochte den Schmerz beinah schon, schließlich machte so was einen echten Detective aus.

Dean: »Was zu sehen?«

Ich: »Bislang nicht. Unbekannter Erwachsener, weiß, kam, kaufte einen Burger und ging wieder. Keine Anzeichen für ein schlechtes Gewissen.«

Dean: »Holzauge, sei wachsam!«

Ich: »Alles klar, Meister! Holzauge, wachsam, jawoll!«

Anzeichen für ein schlechtes Gewissen

Hummeln im Hintern
Zu schnelles Reden
Sich ständig umschauen, als hätte man etwas verloren
Zu viel rauchen
Zu viel weinen
Sich kratzen
Nägelkauen
Spucken
Plötzliche Gewaltausbrüche
Unkontrollierte Flatulenz (= zu viel furzen)
Religiöse Hysterie

Dean hat das alles aus dem Fernsehen erfahren. Menschen können einige dieser Anzeichen aufweisen und dennoch unschuldig sein; etwa Hummeln im Hintern, weil man den Porzellangott grüßen muss. Wir interessierten uns nur für Leute, bei denen drei oder mehr zur gleichen Zeit auftraten. Drei ist die magische Zahl.

Dean: »Was ist mit dem? Er raucht, und ich glaub, ich hab ihn gerade an den Fingernägeln kauen sehen. Hol ihn mal ran.«

Ich holte ihn mal ran.

Ich: »Schon gut, das ist bloß Terry Takeaway. Der raucht immer so.«

Dean: »Aber kannst du für ihn bürgen? Ich finde, der sieht ganz schön zwielichtig aus. Beobachte weiter.«

Ich: »Er zeigt nur zwei Anzeichen, und beide sind für ihn normal. Der ist nur stehen geblieben, um sich Feuer geben zu lassen. Ich denke, der ist harmlos.«

Dean: »Bist du sicher?«

Ich: »Bin ich. Ist ein Freund von mir.«

Und da entdeckte mich Terry Takeaway. Asbo muss

mich zuerst gesehen haben, denn er begann an seiner Leine zu zerren, und als Terry Takeaway ihm folgte, schaute er genau zu unserem Stützpunkt hoch. Er formte die Hände zu einem Trichter, um seine Stimme noch lauter zu machen:

Terry Takeaway: »HALLO, HARRI!«

Terry Takeaway steht drauf, dich zu Tode zu erschrecken. Das findet er wahnsinnig lustig.

Dean: »F–, jetzt ist unsere Deckung hin! Mission abbrechen. Mist.«

Ich: »Sorry, Sarge. Mein Fehler.«

Dean: »Vergiss es. Das nächste Mal krieg ich den Feldstecher, ja?«

Ich: »Okay.«

Das nächste Mal werde ich mich tarnen, damit Zivilisten mich nicht erkennen. Man kann auf dem Markt falsche Nasen und Brillen kaufen, die kosten nur ein Pfund. Zivilisten sind alle Personen, die keine Kriminellen oder Cops sind.

Ich: »Vielleicht ist er ja gar nicht mehr hier. Wenn ich einen umgebracht hätte, würde ich einfach abhauen, damit die Polizei mich nicht schnappt.«

Dean: »Sie überwachen aber die Flughäfen. Nein, wahrscheinlich taucht er einfach eine Weile ab, bis die Polizei nicht mehr nach ihm sucht. Bald wird irgendein anderer Jugendlicher umgebracht, und dann müssen sie sich auf den konzentrieren. Dann kann unser Mörder einfach wieder auftauchen, als wär nichts gewesen.«

Ich: »Das ist eine Schweinerei.«

Dean: »Ich weiß. Aber deswegen brauchen wir ja Beweise. Wir müssen unsern Arsch in Bewegung setzen und anfangen, DNS zu sammeln. Blut, Speichel, sogar Scheiße. Popel. Alles, was vom Menschen stammt, das man einsammeln kann, ohne dass er es merkt. Solange du es im Kühlschrank aufbewahrst, wird es nicht schlecht. Alles, was wir brauchen, sind ein paar Beutel oder so, um die Proben darin aufzubewahren.«

Ich: »Augenblick mal.«

Ich holte ein Schwarze-Johannisbeer-Kaugummi aus meiner Tasche. Ich steckte das Kaugummi in den Mund, nahm dann den besten Popel, den ich finden konnte, und rollte ihn in das leere Papier. Er passte perfekt. Es war noch massig Platz, um es zusammenzufalten, so dass der Popel schön frisch bleiben würde.

Ich: »Perfekt!«

Ich schmiss die Popelbombe nach Dean. Er bückte sich gerade noch rechtzeitig. Ich gab ihm ein Chewit, und er machte das Gleiche. Er holte einen Riesenpopel raus, faltete ihn zu einer Bombe und schmiss ihn nach mir. Es würde sogar mit Scheiße funktionieren, solange es nur ein kleines Stückchen wäre. Ich weiß nicht, wie man an menschliche Scheiße kommen soll, ohne dass die Person, der sie gehört, was davon merkt. Ich will es gar nicht wissen! Dafür wird der Chief uns was extra zahlen müssen!

Ich: »Was ist DNS?«

Dean: »Das ist ein bisschen wie ein Fingerabdruck, aber von innen. Alle Zellen in deinem Körper haben so ein winziges Etikett, das nur dir gehört. Es ist sogar auf den Scheißezellen und den Spuckezellen, einfach auf allen. Man kann es nur mit einem Mikroskop lesen.«

Ich: »Und was steht dann da?«

Dean: »Das ist nur eine Menge Farben. Aber deren Reihenfolge ist bei jedem Menschen anders, meine DNS könnte vielleicht grün blau rot grün sein und deine grün blau grün rot, das Ganze eine Million Mal. Und ihre Reihenfolge bestimmt, ob du schlau oder schnell bist, welche Augenfarbe du hast und was für Verbrechen du begehen wirst. Die DNS entscheidet das alles schon, bevor du geboren wirst.«

Das hörte sich krass an. Deswegen kommt es wohl, dass ich so schnell bin, weil Gott wusste, dass ich schnell sein wollte. Er gab mir alle Fähigkeiten, die ich mir wünschte, noch bevor ich überhaupt darum bitten konnte. Ichschwör,

DNS ist eine tolle Erfindung. Ich wünschte, ich könnte meine Farben sehen, dann wüsste ich, welche Fähigkeiten ich später noch dazulerne. Ich hoffe, eine davon ist Basketball. Ich angelte noch einen Popel raus und betrachtete ihn durch das falsche Ende des Feldstechers, aber ich konnte nichts sehen, die Farben verbergen sich zu tief innendrin.

Eine Schande, dass der Mörder seine Farben nicht früh genug zu sehen bekam. Dann hätte er die Farbe für den Moment, in dem er den toten Jungen erstechen würde, mit einer anderen übermalen können, wie es Poppy immer macht. Sie lackiert ihre Nägel, und schon findet sie, dass ihr die Farbe doch nicht gefällt, und fängt noch mal von vorne an. Ichschwör, sie sollte einfach bei einer Farbe bleiben, sonst lackiert sie in alle Ewigkeit ihre Fingernägel und hat keine Zeit mehr, mich zu lieben!

Lydia ist verliebt in Samsung Jet. Das ist so eine Art Handy. Sie redet von nichts anderem mehr. Sie glaubt, Tante Sonia kauft ihr eins zum Geburtstag. Ich hab sogar gehört, wie sie darum gebetet hat, als sie im Badezimmer war. Ich wartete darauf, dass sie rauskommt.

Ich: »Das erzähl ich weiter. Du darfst nicht um ein Handy beten!«

Lydia: »Wer hat dich denn gefragt? Ich kann beten, wofür ich will!«

Ich: »Teufelsanbeterin!«

Lydia: »Arschlecker!«

Lydia wird kein Samsung Jet bekommen, das kostet hundert Pfund. Wenn sie ein Handy kriegt, werd ich wegen einer Xbox fragen. Sonst wär das nicht fair. Tante Sonia hat uns beide gleich lieb.

Ich höre total gern zu, wenn Leute am Handy reden. Man kann sie überall hören: im Vorbeigehen, an der Supermarktkasse, auf dem Spielplatz. Am besten ist es im Bus, dann können sie nicht weggehen. Man kann alles hören. Sie reden über eine Unmenge verrückter Sachen. Ich höre jedes Mal zu, wenn wir mit dem Bus zum Krebs-Laden fahren. (Der Fahrer sitzt hinter kugelsicherem Glas. Echt krass. Deswegen ist er vor Kugeln geschützt und wird auch nicht gebissen, wenn ein Tier Amok läuft.)

Einmal habe ich einen Mann über Käse reden hören. Er

erzählte jemand am anderen Ende des Telefons, dass er den Käse besorgt hätte.

Mann am Telefon: »Ich hab den Käse. Camembär konnte ich nicht bekommen, den hatten sie nicht. Ich hab stattdessen Brüh genommen.«

Ichschwör, das hat er echt gesagt! Voll lustig. Ein anderes Mal hab ich ein Mädchen über ihr Bauchnabelpiercing reden hören. Sie hat erzählt, wie sich von da aus alles vergiftet hat.

Mädchen am Telefon: »Ich weiß, dass man es sauber halten soll. Hab ich ja getan. Mit Salzwasser gespült, genau. Hat sich trotzdem entzündet. Da ist Eiter rausgekommen. Am Schluss hab ich es einfach wieder rausgenommen, mir doch scheißegal. Kann man Krebs im Bauchnabel kriegen?«

Ich schwöre bei Gott, man bekommt verrückte Sachen zu hören! Das ist sehr entspannend. Mamma sagt, das wär nur Gewäsch, aber ich find's toll. Ich finde es sehr interessant. Sie dürfen nur nicht mitkriegen, dass man sie belauscht, sonst hören sie auf und der Spaß ist vorbei.

Lydia: »Ich benutze es nur für Notfälle. Ihr habt ja auch was davon, ihr wisst dann immer, wo ich bin. Das ist sicherer.«

Ich: »Gelogen. Sie will es bloß, um mit Miquita über unanständiges Zeug zu reden.«

Lydia: »Was? Stimmt ja gar nicht!«

Mamma: »Was für unanständiges Zeug?«

Lydia: »Gar nichts!«

Ich: »Über Jungs und Küssen.«

Mamma: »Was für Jungen?«

Tante Sonia: »Lydia hat einen Freund!«

Lydia: »Nein, hab ich nicht. Der spinnt bloß.«

Ich: »Was ist denn mit deiner Nase passiert?«

Tante Sonia hat einen dicken Verband auf der Nase, und ihr Auge hat einen Bluterguss in vielen Farben wie ein Regenbogen. Sie sieht aus, als wär sie im Krieg gewesen. Ich war sofort bereit, die Schuldigen auszulöschen. Ich würde sie mit dem gezackten Messer erstechen, damit es extra wehtut.

Mamma: »Ja, sag mal, wie ist denn das passiert?«

Tante Sonia: »Das war eigene Dummheit. Ich hab nach meinem Koffer oben auf dem Kleiderschrank gegriffen, ich suchte nach einem Kleid. Er fiel runter und traf mich genau auf der Nase. Gebrochen. Ich hab richtig Sterne gesehen.«

Lydia: »Du Dummerchen!«

Mamma: »Du solltest vorsichtiger sein.«

Tante Sonia: »Ich weiß.«

Tante Sonia wurde ganz still, als Julius vom Porzellangott zurückkam. Er zog sie auf seinen Schoß wie ein Baby. Seine Hand legte sich wie eine Handschelle um ihren Arm, als würde sie sonst weglaufen. Seine Hand geht um ihren ganzen Arm, so groß ist die. Er dachte, das Gespräch drehte sich immer noch um Agnes (sie hat Fieber, aber sie wird nicht sterben, Gott wird das nicht zulassen, wenn wir alle versprechen, brav zu sein).

Julius: »Wenn sie Medizin braucht, ich kann ihr das gute Zeug besorgen. Nicht diesen ausgemusterten Scheiß mit abgelaufenem Verfallsdatum. Ich hab einen Freund in Legon, es kostet mich nur einen Anruf.«

Mamma: »Danke, nicht nötig. Du hast schon genug für uns getan.«

Julius: »Onkel Julius will nur alle Menschen glücklich machen, hm?«

Er lachte ein lautes dreckiges Lachen und flitschte an Tante Sonias Nahkampf-Nylons. Tante Sonia fiel beinah vom Stuhl. Du konntest sehen, wo ihr Schlüpfer sich unter der Nylonschrumpfhose abzeichnete. Es war ziemlich widerlich.

Mamma: »Ich muss langsam los zur Arbeit. Komm mal mit in die Küche, dann geb ich dir noch den Teekuchen.«

Ich: »Ich wusste gar nicht, dass wir Teekuchen haben. Kann ich welchen haben?«

Mamma: »Es ist das letzte Stück. Ich mache morgen neuen.«

Ich hörte, wie Mammas geheime Schublade aufgezogen und wieder geschlossen wurde. Die geheime Schublade erkennt man am Quietschen. Da ist kein Teekuchen drin, nur jede Menge Geld und Dairy-Milk-Schokolade. Ich weiß das, weil ich heute Morgen nachgesehen hab. Ich hab aber nichts genommen.

Ich: »Ich entdeckte keine Krümel am Mund der Verdächtigen, als sie aus der Küche zurückkam. Meine Spürnase sagte mir, da war etwas faul.« (Sagte ich natürlich nur im Kopf.)

Julius bricht immer so eilig auf, dass er hinter sich die Luft verwirbelt. Tante Sonia muss ihm nachrennen wie ein Hündchen. In Julius' Wind kriegt sie immer ein ganz starres Gesicht, wie bei dem Furzwind in der U-Bahn. Der von Julius riecht nach Gute-Nacht-Sprit und dem Überzeuger.

Mamma: »Denkt dran, der Aufzug ist kaputt. Pass auf der Treppe auf, damit es nicht noch einen Unfall gibt.«

Tante Sonia: »Mach dir um mich keine Sorgen. Welche Farbe soll dein Handy denn haben?«

Mamma: »Nein, Sonia. Das ist wirklich nicht nötig.«

Lydia: »Rot.«

Tante Sonia: »Ich schau mal, was ich tun kann.«

Lydia: »Vielen Dank!«

Ich: »Achte auf die Pfützen! Leute erleichtern sich auf den Stufen.«

Lydia: »Harri spuckt da hin.«

Mamma: »Was ist das denn jetzt wieder für eine Geschichte?«

Ich: »Stimmt ja gar nicht! Ich schwöre bei Gott, Mamma!«

Julius: »Los, Abmarsch!«

Julius war am Ende des Flurs. Er ließ die Tür zurückschwingen und ging einfach weiter. Beinahe wär sie Tante Sonia ins Gesicht geknallt. Ichschwör, zwei gebrochene Nasen an einem Tag wär der Weltrekord in Pech! Am Glas, das Julius benutzt hatte, fand ich keine Fingerabdrücke, die Dämpfe von seinem Gute-Nacht-Sprit müssen sie weggeätzt haben. Ich hab den mal von nahem gerochen, und es hat mir die Haut von den Augen gebrannt. Ich war eine Stunde lang blind.

Wenn Connor Green Poppy noch mal Sexschlampe nennt, stech ich ihm einen Zirkel ins Bein. Conner Green behauptet, er hätte Poppys Möpse gesehen. Er behauptet, er hätte die Möpse von allen Mädchen in der 7. Klasse gesehen.

Connor Green: »Das war, als sie Schwimmen hatten. Als die Lehrerin mal nicht da war, haben sie mich reingelassen und sie mir alle gezeigt. Die Mösen auch. Es war nicht mal meine Idee, die wollten es selber. Du kannst sie fragen.«

Ich: »Das tue ich.«

Connor Green: »Sie werden es nicht zugeben. Sie wollen nicht, dass du erfährst, was sie für Schlampen sind.«

Connor Green ist einfach nur ein Lügner. Niemals hat der Poppys Möpse gesehen. Er sagt das nur, weil er selbst ihr Freund sein will. Als er die Nachricht sah, die Poppy für mich gemacht hat, sind seine Augen voll dunkel geworden. Daher weiß ich das. Er wollte, dass die Nachricht für ihn wäre, das sah man.

PM + HO

G. A. W. A.

Das bedeutet, Poppy und ich gehören zusammen. Dafür stehen die oberen Buchstaben: PM steht für Poppy Morgan und HO für Harrison Opoku. Das + zwischen den Namen bedeutet, dass diese beiden Menschen eins sind, wie eine Summe. So hat Poppy es mir erklärt.

Poppy: »G. A. W. A. steht für ›Gilt Auch Wenn Ausgewischt‹. Das bedeutet, dass es auch noch zählt, wenn jemand es wegwischt. Niemand kann es zerstören, es gilt für immer.«

Poppy hat es auf ihr Pult geschrieben. Im Englischunterricht. Wisst ihr, was Tippex ist? Das ist eine Spezialfarbe, mit der man Fehler wegmachen kann. Sie ist weiß, in derselben Farbe wie das Papier. Wenn du einen Fehler machst, übermalst du ihn einfach mit Tippex und fängst noch mal an. Dann kann niemand den Fehler sehen, den du gemacht hast. Das ist ganz schön schlau. Ich wünschte, es würde bei allem funktionieren, nicht bloß beim Schreiben.

Poppy: »Jetzt musst du es hinschreiben. Es muss genauso groß sein wie meins.«

Ich: »Was ist, wenn Mrs Bonner das sieht?«

Poppy: »Wird sie nicht. Ich halte meinen Schnellhefter davor.«

Poppy hielt den Schnellhefter davor, während ich die Botschaft schrieb. Man darf das Tippex nicht einatmen, denn darin ist das gleiche Gift wie im Marker. Der Pinsel ist ganz schmal. Das ist gut zum Schreiben, denn damit wird es sehr akkurat. Das Allerbeste aber ist – wenn es trocken ist, kann man es nicht mehr wegwischen. Ich wollte, dass die ganze Welt es sieht. Ich musste es nur so lange verheimlichen, bis das Tippex trocken war.

Meine Hand war etwas zittrig, weil es schnell gehen musste. Es sah trotzdem noch hammergut aus.

HO + PM

G. A. W. A.

Meine Botschaft war die gleiche wie ihre, nur dass ich HO vor PM geschrieben habe. Ich habe meine Buchstaben nach vorne gesetzt, weil die Botschaft von mir war. Alles andere war gleich. Ich hielt bis zum Ende der Stunde mein Mäppchen davor. Ich las es noch mal, ehe ich die Klasse verließ. Es war super, es dastehen zu sehen. Es wirkte bedeutend. Selbst Poppy fand das, sie fand es toll, das sah man. Sie strahlte von einem Ohr zum anderen. Nun wird jeder, der an meinem Pult sitzt, wissen, dass ich und Poppy zusammengehören. Man kann es nicht zurücknehmen. Es ist so, als wäre man verheiratet. Es ist sogar noch besser als das, denn man muss nicht mit ihnen sexen.

Wenn du geheiratet hast, wartet deine Familie, deine Mamma, dein Papa und deren Mammas und Papas, die *alle*, vor dem Zimmer, in dem der Sex gemacht wird. Der Ehemann und die Frau gehen da rein und tun es. Sie dürfen erst wieder rauskommen, wenn sie es getan haben. Wenn sie es getan haben, heißt das, sie sind vor Gott verheiratet, und können nie geschieden werden. Danach gibt es ein großes Fest. Aber wenn ein Fisch aus der Toto des Mädchens kommt, heißt das, sie hat es schon mit einem anderen Jungen getan. Dann ist sie angebrochen, und du musst sie nicht heiraten, du kannst sie zu ihrer Familie zurückschicken. Gut für den Fall, wenn ein Mädchen hässlich ist, aber nicht so gut, wenn es schön ist und du es behalten wolltest!

Connor Green: »Ich hab mal so ein Video gesehen, wo eine Frau mit einem Hund bumst. Ich glaub, es war ein Schäferhund. Ist mit Hunden ficken in deiner Religion eine Sünde?«

Ich: »Mit einem Tier zu bumsen ist eine Sünde, sei es ein Hund, ein Huhn oder ein Wurm, das ist egal. Gott reißt dir dafür die Augen aus.«

Connor Green: »Was ist mit Kindersex? Das ist das Schlimmste, schlimmer geht's ja wohl nicht. Was passiert, wenn du ein Kind fickst, was macht Gott dann mit dir?«

Ich: »Dann tötet er dich auf die schlimmste aller Arten. Vielleicht fällt dir die Haut ab und dein Gehirn verkocht. Deine Augen springen raus und deine Innereien fallen dir aus dem Arsch raus.«

Dean: »Übel!«

Das nicht-ganz-richtige Mädchen ist immer verängstigt wie ein kleines Kaninchen, weil ihr Großvater mit ihr sext. Das sagt Dean jedenfalls. Sie lebt bei ihrem Großvater. Er sext den ganzen Tag mit ihr. Deswegen geht sie so komisch. Deswegen ähnelt sie einem Kaninchen.

Ich: »Warum erzählt sie das nicht ihrer Mamma?«

Dean: »Ihre Mum ist tot. Es gibt nur sie und ihren Opa.«

Ich: »Warum erzählt sie es dann nicht der Polizei?«

Dean: »Wenn sie das tut, nehmen sie ihren Opa mit, und sie hat keinen Platz mehr, wo sie wohnen kann.«

Da tat mir das nicht-ganz-richtige Mädchen leid. Ich wollte ihr sagen, dass sie bei mir leben kann, aber dann würden alle denken, dass ich sie liebe.

Connor Green: »Es gibt eben Leute, die ficken selbst ein Loch in der Wand. Die machen ein Loch in die Wand und stecken ihren Schwanz durch. Normalerweise machen die das auf Toiletten.«

Ichschwör, ich hab's nicht geglaubt! Völlig verrückt. Die tun so, als wäre das Loch eine Lady. Manchmal ist sogar eine Lady auf der anderen Seite der Wand. Wenn sie den Bulla des Mannes durchs Loch kommen sieht, küsst sie ihn.

Ich: »Wofür ist dann die Wand gut?«

Connor Green: »Damit sie sich nicht sehen können.«

Ich: »Wieso? Sind die hässlich?«

Connor Green: »Meistens.«

Ich: »Warum sie dann sexen? Warum nicht einfach die Wand sexen?«

Dean: »Weil sie nicht wollen, dass die Leute sie für pervers halten.«

Poppy würde Connor Green niemals ihre Möpse zeigen.

Sie hält ihn für einen Spasti. Mädchen mögen dich nicht, wenn du ein Spasti bist, sie mögen dich nur, wenn du sexy bist. Ichschwör, Connor Green hat noch nie eine Titte gesehen, da wette ich eine Million Pfund drauf.

Leute erleichtern sich offenbar auf der Treppe, das riecht man aus tausend Meilen Entfernung. Man muss aufpassen, nicht in die Pfützen zu treten. Wenn du in eine normale Pfütze springst, bist du bloß bescheuert, aber wenn du in eine Pisspfütze springst, bist du bepisst.

Wenn man auf einer Nadel landet und sie geht durch die Sohle, bekommt man Aids. Man muss ganz schnell und gleichzeitig sehr vorsichtig laufen. Das erfordert große Geschicklichkeit. Vielleicht wird das ja meine nächste Superkraft.

Ich kann nicht mehr mit dem Aufzug fahren. Nie mehr. Kippen-Lil war drin. Ich sah sie erst, als es zu spät war. Die Tür war schon zugegangen. Sie stand die ganze Zeit hinter mir. Den ganzen Weg nach oben starrte sich mich mit ihren großen, wässrigen Augen an. Sie wollte mich umbringen, das merkte man.

Dabei bin ich es doch gar nicht gewesen, sondern Jordan. Ich weiß nicht, warum sie dachte, ich wär es gewesen. Ich hab überhaupt nicht geschossen. Ich wollte bloß Pässe üben. Der Aufzug hielt.

Kippen-Lil: »Hölle und Teufel!«

Ich dachte, jetzt müsste ich sterben, aber dann fuhr der Aufzug weiter. Es war nur falscher Alarm. Sie muss mich nur mit ihren Klauen kratzen und ich bin vergiftet. Wenn ich dann schlafe, schneidet sie mich in Stücke und macht eine Pastete aus mir. Ich wollte mich entschuldigen, aber die Wörter kamen einfach nicht raus. Ich konnte mich nicht mal bewegen. Es war ganz schrecklich. Ich berührte meinen Alligatorzahn in der Hosentasche. Ich betete um eine zweite Chance.

Der Aufzug brauchte einfach ewig. Mein Bauch war ganz kalt. Ich konnte spüren, wie Kippen-Lil mich weiter mit ihren krass blauen und hungrigen Augen anstarrte. Wenn ich mich umdrehte, würde sie mir Gift ins Gesicht spucken und mich in ihre Höhle schleppen. Dabei will ich jetzt noch nicht sterben. Der Aufzug hielt wieder an.

Ich: »Hölle und Teufel!«

War ich erleichtert, als sich die Türen öffneten, das schwöre ich bei Gott! Kippen-Lil stieg aus. Ich ließ sie nicht aus den Augen, für den Fall, dass sie sich noch mal umdrehte, aber sie ging einfach weiter. Dann schlossen sich die Türen wieder und ich ließ einen Specht-Furz los. Ich widmete ihn Gott und allen Engeln. Auweia, das war knapp! Von heute an steige ich nie wieder in den Aufzug. Ich darf nur noch die Treppe nehmen. Die Treppen sind sicher. Wenn ich schnell genug renne, erwischt mich nicht mal der Pissegeruch.

Wenn der Nachrichtenmann bei *London Tonight* so ein voll ernstes Gesicht macht, weißt du, dass du zuhören musst. Du merkst, er sagt die Wahrheit. Wenn er über den toten Jungen spricht, weißt du, dass er ihn auch vermisst. Du weißt, dass er ihn liebt. Du musst einfach zuhören, es ist deine Pflicht. Selbst Lydia war diesmal derselben Meinung. Sie sagte mir, ich soll lauter machen.

Nachrichtensprecher: »Mittlerweile sind vier Monate vergangen, seit ihm vor einem Schnellimbiss tödliche Stichverletzungen zugefügt wurden, ein weiteres Opfer der nicht enden wollenden Serie von Messerattacken, die die Hauptstadt erfasst hat. Die Polizei macht die Furcht vor Repressalien dafür verantwortlich, dass aus der Öffentlichkeit keine sachdienlichen Hinweise eingehen. Heute Abend wollen wir fragen, was getan werden kann, um diese Mauer des Schweigens zu durchbrechen und alle zu ermutigen, die weiterführende Hinweise geben können. Ihre Anrufe nehmen wir unter den wie üblich am unteren Bildrand eingeblendeten Telefonnummern entgegen.«

Ich: »Sie sollten ihnen einen Preis geben. Sie einfach fragen, was sie am liebsten haben wollen, und es ihnen dann kaufen. Dann reden sie bestimmt. Zum Beispiel ein neues Fahrrad oder irrsinnig viele Chinakracher. Oder wenn sie schon alles haben, was sie sich gewünscht haben, dann würden sie niemanden umbringen, dazu wären sie viel zu glücklich. Dann kämen sie gar nicht auf die Idee.«

Lydia: »Und wer kauft das ganze Zeug?«

Ich: »Die Queen. Die hat massig Geld. Die braucht das nicht mal alles, die ist alt.«

Lydia: »Dann schreib der Queen doch mal. Bitte sie um ein neues Fahrrad und guck, was sie sagt.«

Ich: »Mach ich auch. Ich schreibe ihr eine E-Mail. Und ich bitte sie auch um ein neues Gesicht für dich. Dein altes ist so hässlich.«

Lydia: »Wer hat dich denn gefragt? Bitte sie auch um ein neues Gehirn für dich. Deins ist matschig.«

Ich: »Oder um einen neuen Hintern für dich. Deiner ist zu fett. Der sieht aus wie ein Bungalow.«

Lydia: »Dein Kopf sieht aus wie eine Kloschüssel.«

Ich: »Dein Kopf ist eine Kloschüssel. Deswegen riecht er auch nach Scheiße.«

Jetzt war eigentlich Lydia wieder dran, aber sie schaute bloß das Bild des toten Jungen im Fernseher an. Ihr Gesicht war ganz traurig, als hätte sie ihn gekannt.

Ich: »Den kannst du nicht ablutschen, der ist tot.«

Lydia: »Pass bloß auf! An so was hab ich überhaupt nicht gedacht. Du bist ekelhaft.«

Da hat er sogar Glück. Ein Kuss von Lydia, und er hätte alle Doofheitsviren der Welt. Ich frag mich, wie es im Paradies wirklich ist. Ob es da für Jugendliche anders ist als für Erwachsene. Ob da immer noch einer ist, der den Jungen sagt, sie sollen vom Fußballspielen nach Haus kommen, wenn es dunkel wird? Der tote Junge konnte die tollsten Tricks, er konnte den Ball mit der Hacke hochschlagen und ihn mit beiden Füßen stundenlang in der Luft halten. Seine Torschüsse knallte er immer platziert in den Winkel, genau wie es sein soll, und er köpft sogar gut. Er ist in allem gut. Ich frag mich, ob es da Hunde wie Asbo gibt, die einem den Ball klauen. Das wäre witzig. Ich hoffe, im Himmel können die Tiere reden, dann können sie dir verraten, wann sie zufrieden sind, und man muss nicht raten. Normalerweise sieht man es an den Augen, aber das funktioniert nur bei größeren Tieren, nicht bei Tauben oder Fliegen. Deren Augen sehen immer traurig aus.

Nachrichtensprecher: »Das war es von uns für heute. Gute Nacht.«

Ich: »Gute Nacht!«

Ich antworte immer darauf. Mir doch egal. Wenn er es zu mir sagt, sag ich es zurück.

Lydia: »Der redet doch gar nicht mit dir.«

Ich: »Tut er wohl, er sieht mich direkt an.«

Lydia: »Aber er kann dich nicht sehen. Er weiß nicht, dass du da bist.«

Ich: »Das weiß ich. Ich bin ja nicht blöd.«

Ichschwör, das bringt Lydia immer durcheinander! Ich weiß, dass er mich nicht sehen kann. Aber er spricht trotzdem mit mir, sonst würde er's nicht sagen. Das ist das Gleiche, wie wenn du mit jemandem am Telefon sprichst, er kann dich auch nicht sehen, aber er redet trotzdem mit dir. Es ist nur fair. Er sagt es zu mir, und ich erwidere es. Gute Manieren kosten nichts, wie Mamma immer sagt. Lydia ist selbst die Blöde.

Ich: »Danke sehr! Und bis morgen!«

Als ich klein war, bin ich immer hinter den Vögeln hergejagt, aber das hab ich aufgegeben. Man erwischt sie nie. Die einzigen, die man kriegen kann, sind Hühner, und die zählen nicht, das ist zu einfach. Da war eine Taube mit nur einem Bein, fast so schön wie meine. Sie konnte trotzdem noch ganz gut laufen. Sie hüpfte am Rand des Rasens herum und suchte nach Würmern.

Ich: »Hast du dein Bein in einem Taubenkrieg verloren, oder war das eine Katze? Bist du schon so zur Welt gekommen? Keine Angst, du bist in Sicherheit; ich sag dir schon, wenn ich irgendwelche bösen Kinder sehe. Ich lass nicht zu, dass sie dir was tun.«

Taube: » «

Ich weiß, dass Jesus sagte, ich wäre hundert Spatzen wert, aber ich weiß nicht, was er von Tauben hält. Ich finde, wir sind beide gleich viel wert. Tauben vielleicht sogar mehr, denn sie können fliegen und ich nicht. Ich liebe sie, ob ein Bein oder zwei.

Wo vorher der Baum war, ist jetzt Rasen. Nachdem der Baum umgefallen war, haben die Männer ihn ausgegraben und das Loch mit Erde gefüllt. Jetzt ist da Rasen. Es ist schon fast alles zugewachsen. Man kann kaum noch die Erde sehen. Eine erstaunliche Sache. Ich weiß nicht, wo das Gras so schnell herkommt, ich hab nicht gesehen, dass es jemand aussäte. Es ist einfach so gewachsen. Das ist wie ein Wunder.

Die Samen müssen mit dem Regen heruntergekommen sein. Das ist die einzige Möglichkeit, die ich mir denken kann.

Ich setzte mich in das frische Gras und hörte dem Wind in den Bäumen zu. Wenn der Wind durch die Blätter geht, hört es sich wie das Meer an. Ich liebe es, wenn der Wind wie das Meer klingt, das ist sehr entspannend. Drinnen ist es manchmal zu eng, da fühl ich mich eingezwängt. Ich möchte einfach draußen beim Meer und den Vögeln sein.

Wenn Agnes stirbt, tausche ich einfach den Platz mit ihr. Sie kann mein Leben haben. Ich schenke es ihr und sterbe an ihrer Stelle. Mir würde das nichts ausmachen, ich hab ja schon ganz schön lange gelebt. Agnes hat erst knapp über ein Jahr gelebt. Ich hoffe, Gott ermöglicht mir das. Mir macht es nichts aus, vorzeitig in den Himmel zu kommen. Wenn er will, dass ich den Platz tausche, tu ich das. Ich hoffe bloß, dass ich vorher noch den Horror Mix von Haribo probieren kann. (Meine Lieblingssorte von allen Haribos. Die Weingummis haben alle möglichen verrückten Formen, Fledermäuse zum Beispiel, Spinnen und Gespenster. Mamma sagt, das wäre gegen Gottes Willen, aber sie macht sich einfach zu viele Sorgen.)

Mamma: »Red keinen Unsinn. Agnes wird nicht sterben, sie hat doch nur Fieber.«

Ich: »Die Schwester von Moses Agyeman hatte auch Fieber. Die ist gestorben.«

Mamma: »Das ist nicht dasselbe.«

Lydia: »Sie ist nur gestorben, weil ihre Mamma zu einem Juju-Doktor gegangen ist. Das weiß doch jeder.«

Ich hatte trotzdem große Angst. Jeder kann sterben, selbst ein Baby. Babys sterben jeden Tag. Der tote Junge hat niemandem was getan und ist erstochen worden. Ich hab das Blut gesehen. Sein Blut. Wenn es ihm passieren kann, kann es jedem passieren. Ich wartete darauf, dass Agnes mir hallo sagte, aber es kam nicht. Sie konnte nur atmen, und das war auch nicht wie sonst. Das Atmen war nicht laut genug. Es klang zu schnell und kratzig.

Grandma Ama: »Sie wird wieder gesund. Gott wacht über sie.«

Ich: »Wo ist Papa?«

Grandma Ama: »Arbeiten. Soll ich ihm etwas ausrichten?«

Ich: »Sag ihm bloß, dass er eine Decke für Agnes mitnehmen soll, wenn er zu uns rüberkommt. Die Decken im Flugzeug sind zu kratzig, von denen wird man elektrisch aufgeladen.«

Grandma Ama: »Das sag ich ihm. Mach dir keine Sorgen.«

Als ich das Telefon hinlegte, konnte ich immer noch Agnes' Atem hören. Wäre er doch lauter gewesen. Er klang so weit weg. Ich weiß auch gar nicht, warum man erst sterben muss, bevor man zum lieben Gott kommt, da sollte es einfach eine Tür geben, durch die man gehen kann. Dann könnte man zu Besuch zurückkommen, wann immer man möchte, es wäre wie Ferien statt für immer. Für immer und ewig ist zu lang, das ist ungerecht.

Haie schlafen nie. Sie müssen immer weiterschwimmen, sonst sterben sie, daher dürfen sie nie einschlafen, nicht mal für eine Sekunde. Ich glaube, ich hab das in meinem Monster-der-Tiefsee-Buch gelesen, vielleicht hab ich es auch bloß aus meinem Traum. Mein Traum war einfach schwarz. Ich war in einen Ozean von Schwarz gefallen. Es war DAS TOTE, wo auch Agnes hinkommen würde. All die Ektopen und ungewollten Kinder waren da, ich hörte sie weinen, und sie prallten gegen mich, als ich vorbeischwamm. Ich konnte keins von ihnen mitnehmen, es stand mir nicht zu. Ich musste immer weiterschwimmen, genau wie ein Hai. Ich hörte Agnes nach mir rufen:

Agnes: »**HARRI!**«

Aber ich durfte nicht anhalten. Sie war auf sich allein gestellt. Ich konnte nur weiterschwimmen und hoffen, eine der Wellen, die ich machte, würde sie erreichen und mitnehmen. Das war meine einzige Möglichkeit, sie zu retten.

Als ich aufwachte, waren meine Beine müde vom vielen Strampeln. Ich hoffte nur, dass ich schnell genug geschwommen war, um eine ausreichend große Welle zu machen. Sie hatten es weit.

Papa hat mir das Schwimmen im Meer bei Kokrobite beigebracht, nachdem wir Stühle ausgeliefert hatten, die er für das Hotel am Strand gemacht hatte. Zuerst hatte ich Angst, da könnten Haie sein, doch Papa wusste, wie man sie wegscheuchte, falls sie zu nahe kamen.

Papa: »Du haust ihnen einfach auf die Nase. An den Nasen sind sie besonders kitzelig. Davon müssen sie niesen, und wenn sie dann die Augen zumachen, schwimmst du weg. Dann passiert dir nichts.«

Papa hielt meinen Bauch hoch, ich musste bloß mit den Beinen strampeln. Ganz einfach. Ich machte so gern Wellen. Es schien, als brächten die Wellen uns näher zueinander, damit wir uns nicht verloren. Wenn ich dachte, ich würde davonschweben, drehte Papa mich einfach zu sich um, und schon war ich wieder sicher. Ichschwör, der Ozean ist größer, als du es dir vorstellen kannst. Wenn ich ans Ende des Ozeans schaute, war es gar nicht mehr unheimlich, es war, als sähe ich den Ort, von dem ich gekommen bin. Jedes Mal, wenn einer der Fischer in den Ozean sprang, machte es wieder platsch, und die entstehenden Wellen schlossen sich unseren an. Sie stießen sich nicht gegenseitig ab, wie ich es erwartet hatte, sondern griffen ineinander wie die Finger beim Händchenhalten. Alle Wellen gingen ineinander auf, und der Ozean streckte sich wieder in dieselbe Form, die er vorher hatte. Das war sehr schlau gemacht. Eure eigenen Wellen halten euch zusammen, damit ihr nicht verloren geht. Einfach in die richtige Richtung zielen und strampeln.

Ich bin zu schnell aufgewacht, um dich zu sehen. Du warst draußen vor meinem Fenster, das spürte ich, bevor ich die Augen öffnete, aber als ich hinsah, warst du schon losgeflogen! Bleib das nächste Mal doch, ich will bloß mit dir reden. Ich will dich nur fragen, ob es wirklich ein Parad–

Taube: »Das gibt es.«

Ich: »Ist der tote Junge dort? Ich wusste es doch! Was ist mit Agnes, wird sie wieder gesund? Ich will nicht, dass sie auch noch stirbt. Sie mag es nicht, wenn sie allein ist, dann bekommt sie Angst.«

Taube: »Ihr wird nichts zustoßen. Wir lassen sie nicht allein, versprochen.«

Ich: »Woher soll ich wissen, dass du die Wahrheit sagst? Was, wenn es dich nur in meinem Kopf gibt?«

Taube: »Kannst du mich in deinem Bauch fühlen?«

Ich: »Manchmal, aber das könnte auch davon sein, dass ich zu schnell gegessen hab oder es mir zu sehr wünsche.«

Taube: »Nein, das bin ich. Vertrau mir, Harri, ich würde dich nicht belügen. Und nun schlaf weiter.«

Ich: »Darf ich dieses Mal von dir träumen, dass wir zusammen fliegen, als wäre ich genauso wie du? Ich möchte dem bösen Kerl auf den Kopf scheißen, das wär voll gut!«

Taube: »Mal sehen, was ich tun kann. Jetzt schließ die Augen.«

Brayden Campbell niest wie eine Maus. Du denkst, da kommt jetzt ein mordsmäßiger Nieser, weil er ein harter Typ ist, aber dann kommt nur ein ganz winziger raus, den du kaum hören kannst. Er macht kaum ein Geräusch. Ich-schwör, du lachst dich tot!

Connor Green: »Das klingt wie eine Maus, die einen Orgasmus hat.«

Da muss man lachen, oder er macht einen zur Schnecke. Orgasmus ist bloß ein anderes Wort für das Mäuseniesen. Es ist mein heutiges Lieblingswort. Ich sage es anstelle von Gesundheit.

Brayden Campbell: »Hatschi!«

Ich: »Orgasmus!«

Brayden Campbell: »F– dich!«

Brayden Campbell ist der Stärkste im 7. Schuljahr. Er ist noch nie besiegt worden. Er ist groß und gleichzeitig schnell. Sein Spezialgriff ist der Schwitzkasten. Das ist, wenn sie sich deinen Kopf unter den Arm klemmen und du weder sehen noch atmen kannst. Außerdem kann er am besten richtig zuschlagen. Die meisten hauen bloß in die Luft, aber Brayden Campbell schlägt dich richtig. Er boxt wie ein Mann. Ich habe es mit eigenen Augen gesehen. Er hat Ross Kelly gegen den Hinterkopf geschlagen, und dem flog die Spucke aus dem Mund. Man konnte sogar hören, wie der Schlag auftraf. Verrückt. Brayden Campbell kann dich mit einem Schlag ausknocken.

Chevon Brown ist der Zweitstärkste. Er ist nicht so groß wie Brayden, aber er ist wahrscheinlich schneller. Er hat nie Angst. Der tritt dich glatt. Ihm ist es egal, ob er dich umbringt. Der tritt dich in den Bauch oder sogar in die Nüsse.

Kyle Barnes schubst dich einfach bloß um. Er schubst dich gegen die Wand oder in die Sträucher. Das ist ganz schön link. Eigentlich ist es Betrug, er benutzt die Welt um uns rum, um dich zu besiegen. Er schubst dich einfach in egal, was da ist. Den kannst du nur besiegen, indem du Abstand hältst. Wenn du nicht nah genug bist, kann er dich nicht schubsen. Er schubst nur, das ist der einzige Trick, den er kennt. Ich könnte ihn besiegen. Ich bin zu schnell für ihn. Er kann mich nicht hinschubsen, weil ich nie nah genug bin.

Kyle Barnes: »Komm doch her und ich zeig's dir, du Memme!«

Ich: »Tut mir leid! Nix zu machen!«

Ich bin auch stärker als Gideon Hall. Er ist in der Parallelklasse. Alle sagen, Gideon Hall wär der Harte, aber das liegt nur daran, dass er immer Rückendeckung hat. Wenn er allein ist, ist er schwach. Einmal wollte Gideon Hall mich nicht vorbeilassen. Ich hab ihn einfach mit meinem Ellbogen gerammt, und er wär fast hingefallen. Er ist mir nicht mal nachgerannt. Der ist kein bisschen hart.

LaTrell hat einen Jungen aus dem 9. Schuljahr verprügelt. Ich bin ihm nie begegnet, ich habe nur davon gehört. Er hat dem anderen Jungen richtig den Arm gebrochen. Da ist sogar die Polizei gekommen.

Alle: »Er hat ihn einfach gebogen, bis er gebrochen ist. Das war echt abartig. Du konntest den Knochen rausstehen sehen und alles. Der andere Junge kann nie wieder Basketball spielen. Er kann seinen Arm nicht mehr über den Kopf kriegen, er kann ihn nicht mal grade machen.«

Brett Shawcross wird zu schnell wütend und vergisst dann, wie man kämpft. Er rennt einfach rum wie ein blindwütiger Irrer. Bevor er wütend wird, ist er echt hart, er schlägt platziert oder stellt dir ein Bein. Aber er wird schnell wütend und verliert die Kontrolle. Dann ist man gerettet. Dann kann er keinen einzigen Treffer landen. Vor lauter roten Augen schlägt er nur blind um sich.

Deans Spezialschlag ist der Uppercut. Das ist, wenn du jemanden von unten schlägst. Du bewegst deine Hand von unten nach oben und haust ihm unters Kinn. Er hat ihn noch nie eingesetzt. Der ist nur für Notfälle.

Dean: »Der ist nämlich zu gefährlich. Da können sie n Hirnschaden von kriegen. Ich benutz den nur, wenn ich keine andere Wahl hab.«

Ich selbst hab bislang eigentlich keinen Spezialschlag. Ich bin besser in der Defensive als im Angriff. Ich gehör trotzdem zu den Härtesten im 7. Schuljahr, auf Platz vier oder drei. Ich bin sehr schnell. Einmal hat Connor Green versucht, mich aufs Ohr zu hauen, und ich hab ihn mit Tae-Kwon-Do abgeblockt. Hat tatsächlich funktioniert! Alle haben es gesehen. Jetzt glauben sie, ich könnte Tae-Kwon-Do. Jetzt versuchen sie erst gar nicht, sich mit mir zu prügeln. Sie wissen, dass ich sie entweder abblocke oder entkomme.

Mittags gab es eine Prügelei. Es war die bislang beste. Erst mal dachte ich, es ist nur Quatsch, bis ich sah, wie ihr die Haare ausgerissen wurden. Ich hätte nicht geglaubt, dass Mädchen so kämpfen können. Es waren Miquita und Chanelle. Keiner wusste, warum sie sich schlugen, wir konnten nur zusehen. War ganz schön scheußlich. Miquita hat Chanelle voll vor den Kopf gehauen, ein richtig fieser Schlag, wie von einem Mann. Dann hat Chanelle Miquitas Haare erwischt. Miquita hat geschrien wie eine irre Hexe.

Chanelle war dagegen still, so hart konzentrierte sie sich. Ihr Gesicht war ganz rosa, und ihre Augen blitzten böse. Sie kochte vor Wut.

Miquita: »Du verf– Schlampe! Einen Dreck wirst du erzählen!«

Dann hat Miquita an Chanelles Haaren gerissen. Einige blieben lose in ihrer Hand. Sie pustete sie aus der Hand, und sie wehten zu uns allen rüber. Wer davon getroffen wurde, kreischte wie irre, denn es war voll eklig.

Alle bildeten einen Kreis, um zuzusehen. Miquitas Freundinnen und Freunde johlten, sie soll Chanelle umbringen. Keiner feuerte Chanelle an. Da tat sie mir leid, es ist nicht fair, wenn nur eine angefeuert wird.

Chanelle machte eine Bombe. Sie kugelte sich zusammen und rannte Miquita voll in den Bauch. Miquita flog um. Sie hätte beinah den Kreis durchschlagen, aber sie wurde vom Kreis zurück in die Mitte katapultiert. Der Kampf sollte weitergehen. Sie wollten Blut sehen. Miquita versuchte, Chanelle ihre Finger in die Augen zu stoßen. Chanelle kniff die Augen zu, um es zu verhindern. Dann versuchte Miquita, Chanelles Ohr abzureißen. Das war der komischste Teil. Alles hielt den Atem an.

Chanelle: »Ohrringe!«

Miquita ließ Chanelles Ohr los, dann ging der Kampf weiter. Miquita schaffte es, Chanelle in den Schwitzkasten zu nehmen. Sie quetschte ihren Kopf. Chanelle konnte sich nicht rühren. Sie trat um sich. Sie versuchte, auf Miquitas Fuß zu stampfen, sah aber nichts. Es sah aus, als könnten sie sich gegenseitig umbringen. Du wolltest, dass sie aufhörten. Es war nicht mehr komisch. Irgendjemand würde draufgehen. Aber alle johlten weiter.

Alle: »Mach sie alle! Mach sie alle!«

Ein paar von der Dell Farm Crew waren da und lachten. Sie fanden es toll. Dizzy filmte alles mit seinem Handy.

Dizzy: »Krass! Jetzt stirbst du, Bitch!«

Killa lachte nicht. Er machte ein hartes Gesicht. Er hatte Angst um Miquita. Er wollte, dass sie gewann. Er konnte gar nicht hinsehen, er ging einfach weg Richtung Cafeteria.

X-Fire: »Wo willst du hin, Alter? Du solltest dir das ansehen. Du hast den Scheiß ja angerührt.«

Killa: »F– dich, Alter. Gar nichts hab ich.«

Chanelles Hintern platzte beinah aus ihrer Hose. Aus ihrer Nase tropfte es auf den Boden und landete auf Miquitas Schuhen. Sie kreisten immer weiter umeinander. Sie würden nie mehr aufhören. Miquita versuchte, Chanelle so zu drehen, dass sie vor dem Cafeteriafenster stand. Alle wussten, was sie vorhatte:

Dizzy: »Schmeiß sie durchs Fenster, Alter!«

Das hätte sie glatt gemacht. Sie zerrte Chanelle auf das Fenster zu. Chanelle zog in die andere Richtung. Ihre Füße schleiften über den Boden. Es war, wie wenn man eine Ziege zum Schlachten führte, und die Ziege wollte nicht. So war Chanelle. Sie wusste, dass sie sterben würde. Sie zog und zog. Miquita zerrte und zerrte.

Miquita: »Das hast du jetzt davon! Du hältst besser die Fresse, Bitch!«

Ich wollte die Augen schließen, musste aber weiter hinsehen. Es war einfach zu krass. Ich sah Lydia gegenüber im Kreis. Sie wusste nicht, auf wessen Seite sie sein sollte, auf der von Miquita oder der von Chanelle. Sie beobachtete einfach beide. Ihr Gesicht war ganz ängstlich und angespannt.

Dann kamen die Lehrer. Sie brachen den Kreis auf, packten Miquita und Chanelle und zerrten sie weg. Alle verstummten. Sie waren enttäuscht, das merkte man. Sie wollten sehen, wie jemand umgebracht wird. Die Lehrer trennten uns. Der Kreis zerstreute sich, kurz darauf war niemand mehr da.

Auf dem Boden sah man noch die Rotze und ein paar Haare von Chanelle, die ein verrücktes Spinnennetz bildeten. Da lag auch ein Fingernagel. Jemand trat drauf und zermalmte ihn, bevor ich ihn als Beweismittel sichern konnte. Ich konnte mich für den Rest des Tages nicht konzentrieren, alle dachten immer noch an die Schlägerei. Sie spielten ihre Lieblingsstellen nach, wie bei einem Film. Keiner konnte glauben, dass der Kampf real gewesen war, einen besseren hatten sie noch nie gesehen. Das Beste war der Gedanke, dass jemand, den du nicht liebst, sterben würde, dann kommst du dir vor wie unsichtbar.

Die Billardkugeln im Jugendclub sind alle kaputt und verdellt. Sie rollen gar nicht richtig. Die Leute werfen andauernd damit. Man soll nicht damit werfen, aber sie tun es trotzdem. Und manche der Stöcke haben gar keine Spitzen mehr. Nie trifft man die Kugel richtig damit, immer läuft sie krumm. Ichschwör, das nervt. Der Billardtisch riecht nach feuchtem Staub. Es sind massenhaft Brandlöcher von Zigaretten drauf. Wenn man daran lecken würde, bekäme man Millionen von Bazillen. Nicht mal Nathan Boyd würde sich trauen, daran zu lecken.

Lydia ging als Erste rein, um nachzusehen, ob X-Fire drin war. Sie schaute um die Ecke. Ich kreuzte die Finger (das ist schneller als Beten, wenn es ein dringender Fall ist).

Ich: »Ist die Luft rein?«

Lydia: »Ja! Jetzt komm, sonst sind wir die ganze Nacht hier.«

Es war unsere einzige Chance. X-Fire glaubt, der Billardtisch gehört ihm, es kommt kein anderer dran, solange er da ist. Außer Derek ist da. Derek ist größer als X-Fire und kann Tae Kwon Do. Er hat mir einen Unterarmblock gezeigt. Einen, um einen Angriff von oben abzublocken, und einen gegen einen Angriff von unten. Gar nicht so schwierig. Eine Angriffstechnik wollte Derek mir nicht zeigen, falls ich sie gegen Lydia einsetzen wollte. Wenn jemand ihn bittet, ihm einen Schlag beizubringen, dann meistens, weil er damit seine Schwestern umhauen will. Er bringt dir nur Verteidigungstechniken bei.

Wir spielten nicht lange, die verrückten Kugeln nervten.

Lydia gab sich kein bisschen Mühe. Sie hat die weiße Kugel absichtlich ins Loch geschossen, um zu verlieren.

Lydia: »Das war's. Du hast gewonnen.«

Ich: »He! Du darfst nicht absichtlich verlieren, das ist Betrug!«

Lydia: »Ich kann machen, was ich will. Es ist sowieso ein doofes Spiel.«

Das sagt sie nur, weil sie nicht gut darin ist. Aber das heißt nicht, dass man aufgeben darf. Mamma sagt, aufgeben ist eine Sünde. Es ist das Gleiche wie Lügen. Es ist sogar noch schlimmer, weil du dich damit selbst belügst.

Als wir rauskamen, hielt ich mit meinem Feldstecher nach Feinden Ausschau. Miquita und Killa saßen auf dem Mäuerchen. Miquita rauchte eine dicke Zigarette, und Killa hatte seine Hand hinten in ihrer Hose. Es war ganz schön ekelhaft. Ich hätte am liebsten gekotzt.

Miquita: »Hallo, Zuckerschnecke.«

Ich: »Haubloßab.«

Miquita: »Chlamydia, willste auch mal?«

Miquita hielt Lydia ihre dicke Zigarette hin. Der Rauch roch wie Schweißfüße. Mein Herz schlug voll schnell davon.

Lydia: »Nein danke.«

Miquita: »Ist sie nicht ein braves Mädchen? Und sie weiß, wann sie die Klappe halten muss, im Gegensatz zu Chanelle. Der Bitch musste ich zeigen, wo's langgeht. Was immer sie da zu wissen glaubt, die weiß einen Scheiß. Die will sich bloß wichtigmachen, das ist alles. Die soll mal erwachsen werden.«

Die Brandstellen vom Feuerzeug auf Miquitas Hand glänzten wie Wachs. Für die gab es nicht mal einen guten Grund, wie für Tante Sonias Verbrennungen, sie waren bloß eine Masche. Killa hat sie ihr bloß gemacht, damit Miquita ihn bewundert. Da konnte er einem glatt leidtun. Ich musste Poppy nicht erst verbrennen, damit sie mich bewundert, ich musste sie nur zum Lachen bringen. Damit kriegst du sie am besten dazu, dich zu bewundern, das sollte ihm mal jemand sagen. Viel leichter als verbrennen.

Killa: »Glotz mich nicht so an, Alter. Ich hau das Scheißding zu Klump, wenn du es nicht runternimmst.«

Sein Mund sah durch den Feldstecher nur doof aus. Von so nah dran war er gar nicht mehr wütend, er sah aus wie im Zeichentrick. Ich find Killa gar nicht so zum Fürchten. Der kann nicht mal seinen Namen richtig schreiben. Eigentlich schreibt man das Killer. In seine Augen stieg der Rauch, und sie sahen ganz traurig aus. Ich wusste, wie er sich fühlte, der Rauch brennt ganz schön.

Killa: »Im Ernst, Alter, ohne Scheiß jetzt. Verpiss dich, du Opfer.«

Killa sprang auf, voll rote Augen. Ich drehte mich husch-husch um und guckte mir stattdessen das Jubilee Centre an. Man kann immer noch die Schatten der schlimmen Wörter auf der Wand sehen, wie sie darauf lauern, dich zu verleiten. »Fuck off« und »DFC« und »Lutsch mir die Eier«. Da umklammerte Killa mich von hinten. Damit hatte ich nicht gerechnet. Er packte meine Hände und quetschte sie so fest, dass ich den Feldstecher fallen lassen musste. Er klatschte ihn immer wieder an die Wand, bis er in tausend Stücke zersprungen war.

Killa: »Ich hab's dir gesagt. Geh mir nicht auf den Sack.«

Derek: »Was ist hier los?«

Derek kam nach draußen geschossen wie der Blitz, und Killa haute ab. Miquita rannte ihm nach, und ihr fetter Hintern wabbelte dabei wie ein Sack voll verrückter Mäuse.

Ich: »Das bezahlst du! Ich sag der Polizei, dass du es kaputtgemacht hast!«

Den kann ich unmöglich reparieren, dafür ist er zu schwer verletzt. Ohne den Feldstecher bin ich wieder bloß Zivilist.

Lydia: »Ich kauf dir einen neuen.«

Ich: »So einen findest du doch nie wieder. Ich hatte ihn vom Straßenfest.«

Lydia: »Es muss doch nicht unbedingt einer in Tarnfarbe sein.«

Ich: »Ich find Tarnfarbe gut, da kann man sich besser verstecken.«

Lydia: »Dann versteck dich nicht mehr.«

Ich: »Geht nicht, ich muss meinen Auftrag ausführen.«

Lydia: »Gehen wir nach Haus, es wird langsam spät.«

Anzeichen von schlechtem Gewissen

Hummeln im Hintern
Zu schnelles Reden
Sich ständig umschauen, als hätte man was verloren ✓
Zu viel rauchen ✓
Zu viel weinen
Sich kratzen
Nägelkauen
Spucken ✓
Plötzliche Gewaltausbrüche ✓
Unkontrollierte Flatulenz (= zu viel furzen)
Religiöse Hysterie

In meine Aufzeichnungen für Dean trug ich ein:

Ich: »Detective Opoku beobachtete vier Indizien für schlechtes Gewissen bei Verdachtsperson: Killa. Der Verdächtige behinderte daraufhin Detective Opoku an der Ausübung seiner Pflicht. Detective Opoku schlägt vor, ihn zum Hauptverdächtigen zu machen. Zu beachten: die Komplizin des Verdächtigen (Miquita Sinclair aka Wurstfinger aka Miquita ShitEater) höchstwahrscheinlich unkooperativ. Totale Bitch. Mit Vorsicht zu genießen. Over und aus.«

Aka bedeutet AlsoKnownAs. Das funktioniert bei Namen, die man ihnen gibt, und bei Namen, die sie sich selbst gegeben haben.

Alle Frauen regten sich auf, wo sie jetzt ihr Fleisch herbekommen sollten.

Eine Frau: »Wo soll ich jetzt mein Fleisch herbekommen? Ich hab mein Fleisch immer bei Nish gekauft.«

Andere Frau: »Sein Fleisch ist besser. Beim Metzger ist das Fleisch immer so zäh. Nicht so frisch.«

Die eine Frau: »Ich weiß. Was machen wir jetzt bloß?«

Es war zu spät, irgendwas zu machen, Nish wurde schon weggebracht. Er brüllte und schrie wie ein Alien. Es klang wütend. Er wollte nicht weg. Die Polizisten zerrten und zerrten an ihm, aber er klammerte sich an seinen Van. Er wollte einfach nicht loslassen. Sie mussten seine Finger abreißen. Ich hörte sie brechen. Es war grausam, ichschwör.

Uhrendoktor: »Lasst die Finger von ihm! Polizeischikane!«

Obstmann: »Wurd auch Zeit! Ab nach Hause!«

Einfach verrückt. Es war nicht fair. Er hatte ja nicht mal jemanden vergiftet. Ich wollte ihm helfen, aber da standen die Polizisten, sie hätten mir Säure ins Gesicht gesprüht.

Nishs Frau fiel hin. Der Polizist hatte sie geschubst, ich habe es genau gesehen. Ihr Schuh blieb liegen. Ich hob ihn für sie auf. Sie weinte. Ihre Zehennägel waren rot lackiert. Sie sahen so verrückt und hübsch aus. Ihre Lippen waren auch rot. Überall lag Fleisch. Die Leute stahlen es. Ich wollte sie umbringen.

Noddy: »Oi, lass das liegen, du diebische Ratte!«

Versoffener: »F– dich doch, Fleischmütze!«

Es kamen neue Polizisten dazu, um die Diebe aufzuhalten. Sie verschlossen den Van von Nish, damit niemand reinkonnte. Dann brachten sie Nish und seine Frau weg. Sie legten ihnen Handschellen an. Sie weinten jetzt beide. Davon wurde mir ganz kalt im Bauch. Nish ist aus Pakistan, ich hab die Fahne in seinem Van gesehen. Sie hat einen Stern und einen Mond, es ist meine zweitliebste Fahne nach der von Ghana.

Ein Stern auf einer Flagge steht für Freiheit. Der Stern zeigt in alle Richtungen, das bedeutet, du kannst überall hingehen, wohin du willst. Deswegen liebe ich Sterne, weil sie für Freiheit stehen.

Ich: »Haben die jemanden vergiftet?«

Noddy: »Nein, die haben keinen vergiftet.«

Ich: »Wieso bringen die sie weg? Ich versteh das nicht.«

Lydia: »Was glaubst du wohl? Du bist vielleicht unterbelichtet.«

Noddy: »Sie haben bloß ihr Ticket verloren, das ist alles.«

Ich: »Was für ein Ticket?«

Deans Mamma: »Ich wusste gar nicht, dass sie Illegale waren. Deren Hackfleisch war jedenfalls besser als der Mist vom Metzger. Das ist viel zu fett.«

Noddy: »Irgendwann musste es sie ja mal erwischen. Drei Pfund, bitte, junge Frau. Ich kann Ihnen Rabatt geben, wenn sie noch ein Paar kaufen, drei für vier Pfund.«

Deans Mamma: »Abgemacht.«

Deans Mamma kaufte Strümpfe. Sie haben am Bündchen alle möglichen Sportler, einen, der Tennis spielt, zum Beispiel, oder einen, der Fußball spielt oder Rad fährt. Ich hab selber auch solche. Ich wette um eine Million Pfund, dass die für Dean sind.

Ich: »Was passiert jetzt mit ihnen, werden sie zurückgeschickt? Gibt es in Pakistan auch einen Markt?«

Lydia: »Natürlich, du Dummkopf. Überall gibt es Märkte.«

Ich: »Haben sie auch unterirdisch fahrende Züge?«

Noddy: »Das weiß ich nicht so genau.«

Ich hoffe, sie haben welche. Ich hoffe, Pakistan ist so schön wie hier. Wenn ich wieder nach Hause müsste, würde ich die U-Bahn am meisten vermissen. Und meine Freunde. Poppy findet es toll, wenn ich Wolken für sie verjage. Ich starre die Wolke einfach so lange an, bis sie sich weiterbewegt hat und die Sonne wieder rausgekommen ist. Poppy glaubte nicht, dass ich es war, sie dachte, das wäre bloß der Wind. Ich glaub trotzdem, dass ich es war.

Ich: »Von was für einem Ticket hat er geredet? Haben wir so eins?«

Lydia: »Er meint ein Visum. Der hat nur Ticket gesagt, weil er denkt, du wärst blöd. Ach, ich hab ganz vergessen, du *bist* ja blöd.«

Ich: »Meinst du so ein Visum, wie Julius sie verkauft? Einmal hab ich ihn am Telefon darüber reden hören. Er hat gesagt, er könnte ein Visum für fünfhundert besorgen. Warum kauft Nish sich nicht einfach eins, dann könnte er bleiben.«

Lydia: »Die kann man eigentlich nicht kaufen. Die, die Julius verkauft, taugen nichts.«

Ich: »Wieso, was stimmt denn mit denen nicht?«

Lydia: »Die funktionieren nicht, die sind gefälscht. Vergiss Julius, der ist ein Gauner. Wenn du von dem ein Huhn kaufst, ist daraus wieder ein Ei geworden, bis du zu Hause bist.«

Ich: »Aber unser Visum funktioniert, oder?«

Lydia: »Ja.«

Ich: »Bist du sicher?«

Lydia: »Ja, ich bin sicher! Nerv nicht!«

Ich hoffe, unser Visum funktioniert. Wenn sie versuchen, uns wegzubringen, mache ich mich einfach unsichtbar, und wenn sie mich dann nicht sehen können, schleiche ich mich hinter sie, nehm ihnen ihr Spray mit der Säure weg und sprüh sie ein, bis sie nur noch Asche sind. Ich wünschte, ich wär darauf gekommen, bevor sie der Frau von Nish auf den Kopf getreten haben.

Wenn ich Dean das nächste Mal sehe, frag ich ihn, wie ihm seine neuen Strümpfe gefallen. Wenn ich sie ultrastylisch finde, findet er das bestimmt auch.

Ich kann mich jetzt an mein ganzes Französisch erinnern, ohne ins Buch gucken zu müssen. Ich kann ein ganzes Gespräch führen. Mr Staines lobt sogar meine Aussprache. Ich kann nur ein Gespräch. Für wenn man jemandem zum ersten Mal begegnet, um sich vorzustellen:

Ich: »Je m'appelle Harrison Opoku. J'ai onze ans. J'habite a Londres. J'ai deux sœurs. J'aime football.«

Wollt ihr wissen, was das heißt? Das heißt, mein Name ist Harrison Opoku, ich bin elf Jahre alt, ich wohne in London, ich habe zwei Schwestern und spiele gern Fußball. Es klingt besser, wenn man es sagt. Es bloß hinschreiben macht nicht so viel Spaß.

Wenn wir nach Frankreich kämen, wäre unser erster Weg auf die Spitze des Eiffelturms, um runterzuspucken. Wir waren uns alle einig, bis auf Connor Green, der würde stattdessen runterpissen.

Connor Green: »Bloß dass die Leute unten wahrscheinlich versuchen würden, es aufzufangen. In Frankreich trinken sie nämlich Pisse. Die glauben, dadurch lebt man länger. Blöde Hunde.«

Jordan war die erste Wahl für eine Speichelprobe, weil er so gerne spuckt. Es würde gar nicht schwierig sein, die Probe zu kriegen, er würde sie mir sofort geben.

Jordan: »Verpiss dich, Alter, da spuck ich nicht rein!«

Ich: »Es ist sauber.«

Jordan: »Mir doch egal. Wieso willst du denn überhaupt meine Spucke, was hast du damit vor?«

Ich biss mir auf die Lippe, um das Grinsen zu unterdrücken. Lügen ist in Ordnung, wenn es einem guten Anlass dient.

Ich: »Es ist für mein Science-Projekt. Ich will testen, wie Bakterien in Speichel überleben. Man sammelt massig verschiedene Spucke und tut da Bakterien rein, und die Spucke, die die Bakterien am schnellsten killt, ist die Superspucke. Du könntest ein Heilmittel gegen irgendwas in deiner Spucke haben. Damit könntest du ein Vermögen verdienen.«

Jordan: »Ich will kein Heilmittel sein, sollen sie doch abkratzen, mir doch kackegal. Nimm mir das Ding ausm Gesicht, Alter.«

Ich schmiss die Probenflasche in den Mülleimer. Und wieder eine Idee gestorben! Oweh, keiner will bei der Ermittlung helfen. Da fühlst du dich, als wärst du allein unter lauter Bösen. Da fühlt man sich sehr einsam. Ich hab mir bislang noch nicht mal eine Lieblingswaffe ausgesucht. Ich hab noch nicht richtig drüber nachgedacht. Wenn ich mich auf eine festlegen müsste, wäre es wahrscheinlich ein Supersoaker. Die verkaufen sie auf dem Markt. Die verschießen nur Wasser. Das ist voll krass, das Wasser spritzt echt weit. Du musst den anderen um Erlaubnis fragen, bevor du ihn nassspritzt, denn wenn sie das nicht mögen, gibt es eine Schlägerei. Ich werd mir im Sommer eine zulegen.

Jordans Lieblingswaffe ist eine Glock.

Jordan: »So eine benutzen die ganzen harten Gangstertypen. Schon mal gesehen?«

Ich: »Nein, wie ist die denn?«

Jordan: »Voll abartig, Alter. Das ist die absolut wirkungsvollste. Wenn ich mit ner Glock auf dich schießen würde, würde dir der Kopf wegfliegen. Die schießt mit Dumm-dumm.«

Ich: »Was zum Teufel soll das denn sein?«

Jordan: »Das sind spezielle Kugeln, die durch Wände und alles gehen. Absolut tödlich. Das ist die erste Waffe, die ich mir zuleg, sobald ich die Kohle hab.«

Ich: »Ich auch.«

Jordan: »Du kannst keine Glock nehmen, das ist meine. Du kanntest die ja nicht mal, bis ich dir davon erzählt habe.«

Ich: »Ich find sie trotzdem gut.«

Jordan: »Tja, aber nicht so gut wie ich. Ich find sie besser.«

Wir warteten auf den Bus. Wir standen an der Bushaltestelle gegenüber der Siedlung. Wenn du im Bushäuschen wartest, kann dich keiner sehen. Du springst erst raus, wenn der Bus kommt, das ist dann eine Riesenüberraschung. Dann haben sie gar keine Zeit, dich aufzuhalten.

Du kriegst zehn Punkte für jedes Mal, wenn du den Bus irgendwo triffst. Fünfzig Punkte kriegst du, wenn du ein Fenster erwischst. Für das große Fenster, wo der Fahrer sitzt, gibt's hundert Punkte. Wenn das Fenster kaputtgeht, tausend.

Wenn du einen Reifen triffst, und der platzt und der Bus verunglückt, wären das eine Million Punkte, aber das hat bislang noch keiner geschafft. Das ist nahezu unmöglich.

Jordan ist besser im Werfen. Er hat mehr Kraft dahinter. Das liegt nur daran, dass er mir bei den glatten Steinen immer zuvorkommt. Ich hatte nur eckige Steine, und die sind nicht aerodynamisch (aerodynamisch bedeutet, dass sie besser durch die Luft fliegen. Meine Steine waren nicht aerodynamisch, weil sie zu spitz waren).

Jordan hat schon mal eine wirklich echte Glock gesehen, sogar in der Hand gehalten, als er für die Dell Farm Crew eine Waffe vergraben musste.

Jordan: »Die haben immer irgendwo eine Waffe vergraben, für den Fall, dass sie eine brauchen. Die haben überall jeden Menge davon verbuddelt.«

Ich: »Warum behalten sie die nicht einfach zu Hause?«

Jordan: »Bist du bescheuert, was, wenn die Polizei die findet?«

Ich: »Hast du damit geschossen?«

Jordan: »Nein, es war keine Munition drin. Die Munition hebt man immer woanders auf, nicht bei der Waffe. Ich hab aber trotzdem damit geschossen. Ich hab den Abzug abgedrückt und alles. Das war echt hammermäßig.«

Jordan war davon begeistert, das merkte man. Seine Augen wurden ganz groß. Er behauptet, es wäre sicherer, eine Waffe bei irgendwem im Garten zu vergraben, weil da außer demjenigen niemand hinginge. Im Park, wo viele Leute hingehen, ist die Wahrscheinlichkeit größer, dass jemand sie findet und mitnimmt.

Die kennen denjenigen gar nicht, dem der Garten gehört. Die fragen ihn nicht mal. Es ist für gewöhnlich ein alter Mensch. Die kriegen nichts davon mit. Wenn die jemand nach einer Waffe fragt, wissen die gar nicht, wovon die Rede ist. Das ist einfach sicherer.

Jordan: »Du vergräbst sie immer nachts. Du suchst dir irgendwas Abgelegenes aus, wo es keine Straßenlaternen oder so gibt. Vergrab sie irgendwo, wo du noch gut drankommst, am besten neben einer Pflanze, einem Stein oder irgendwas anderem, damit du dir merken kannst, wo sie liegt. Du musst allerdings schnell sein, wenn dir einer gefolgt ist, ist alles gelaufen, dann bringen sie dich um, weil du das Versteck verraten hast. Ich hab das nur zweimal gemacht.«

Ichschwör, eine Waffe einzupflanzen – verrückt! Wenn man Pflanzen einpflanzt, wächst da wenigstens was draus. Aus einer Waffe wird gar nichts. Ich stellte mir vor, ich hätte eine Waffe eingepflanzt und ganz viele Babywaffen wüchsen aus dem Boden. Dann verkaufte ich sie auf dem Markt.

Ich: »Hallo, hallo! Frische Babywaffen! Zwei Pfund das Pfund! Babywaffen, ganz frisch!«

Eine Waffe einzupflanzen, so was Verrücktes hab ich ja noch nie gehört.

Man sollte immer wissen, wo man eine Waffe findet, wenn man in Eile ist, man weiß nie, wann man sie braucht. Am wahrscheinlichsten braucht man sie für einen Krieg oder einen Überfall. Ein Überfall geht damit leichter.

Jordan: »Wenn sie eine Waffe sehen, machen sie keine Zicken, dann haben sie zu viel Angst und geben dir alles, was du willst. Ist kinderleicht, Alter.«

Du musst nicht mal damit schießen, du musst sie nur auf sie richten. Die Waffe macht alles einfacher.

Jordan: »Ich kann's echt kaum abwarten, jemanden zu erschießen, Alter. Ich würd direkt ins Gesicht schießen. Ich will sehen, wie der Kopf explodiert, das muss irre sein. Ich will sehen, wie die Augen rausfliegen und das Hirn durch die Gegend spritzt. Bus!«

Der Bus kam. Wir machten uns bereit. Ich hatte meine Steine in beiden Händen. Ich wartete auf Jordans Kommando. Mein Herz schlug superschnell. Ich zielte auf die Seite, Jordan zielte auf das große Fenster vorne. Man darf erst wegrennen, wenn man alle seine Steine geworfen hat. Ich wartete. Der Bus wurde langsamer.

Ich musste ein Fenster einschmeißen. Ich brauchte tausend Punkte, um aufzuholen.

Jordan: »Jetzt!«

Wir sprangen vor. Jordan warf seinen ersten Stein. Er traf das große Fenster, machte es aber nicht kaputt. Ich warf alle meine Steine gleichzeitig. Ich zielte nicht mal, ich warf sie einfach so schnell und so fest, wie ich konnte. Der erste ging daneben, aber der zweite traf die Seite und prallte ab. Es stiegen Leute aus dem Bus. Sie versuchten gar nicht erst, uns aufzuhalten.

Jordan: »F-er!«

Jordan warf seinen zweiten Stein. Er zischte einem am

Kopf vorbei und traf das große Fenster am Rand. Der Busfahrer kriegte rote Augen, wir konnten ihn sehen. Es sah aus, als würde er aus der Haut fahren. Ichschwör, es war super. Mir wurde erst mau, als ich Mamma kommen sah. Sie stieg aus dem Bus. Sie sah mich direkt an. Ich weiß überhaupt nicht, wie das passieren konnte, das war das schlimmste Pech überhaupt.

Jordan: »Abhauen!«

Wir rannten weg. Ich hatte zu viel Angst, mich umzudrehen. Ich hätte am liebsten gekotzt. Ich blieb erst stehen, als wir den Tunnel erreicht hatten. Wir holten Luft.

Jordan: »Meine waren alle Treffer. Einer ans große Fenster, einer am Rand, ein paar an der Seite. Was war mit deinen?«

Ich: »Ich weiß nicht. Einer an der Seite, glaub ich, mehr nicht.«

Jordan: »Bist du ne Flasche, Alter! Ich hab gewonnen!«

War mir doch egal. Ich brauchte die Punkte gar nicht so dringend. Wir kamen ans andere Ende des Tunnels. Mamma wartete auf uns. Mein Bauch wurde wieder kalt. Jetzt war alles aus.

Mamma: »Halt! Was sollte das denn gerade? Sag mir, dass das eben nicht passiert ist. Was hast du dazu zu sagen?«

Ich: »Es tut mir leid, Mamma.«

Mamma: »Du dummer Junge. Du kannst was erleben. Und jetzt ab nach Haus, aber schnell.«

Mamma fing an, mich vor sich herzuschubsen. Jordan fing an zu lachen. Ich wollte bloß sterben.

Mamma: »Und du hältst dich in Zukunft von diesem Jungen fern.«

Ich: »Es war nicht mit Absicht. Wir haben nur ein bisschen gespielt.«

Mamma: »Der taugt nichts. Wenn ich dich noch mal mit diesem Jungen seh, kannst du was erleben.«

Mamma schubste mich zum Eingang unseres Hochhauses. In dem Moment, wo ich mich umsah, traf mich die Spucke im Gesicht. Ich spürte sogar, wie ich sie ins Auge kriegte.

Jordan: »Hier hast du deine Probe, Muttersöhnchen!«

Jordan zeigte mir den Stinkefinger, dann Mamma. Ich wischte mir mit dem Ärmel das Auge aus, bevor die Bazillen in mein Gehirn eindringen konnten. Jetzt sind ich und Jordan Feinde fürs Leben. Alles passierte viel zu schnell.

Ich: »Fick dich!«

Ich weiß nicht mal, für wen es gemeint war, Jordan oder Mamma. Es war mir auch nicht mehr wichtig. Ich spürte die Wörter, als sie herausschossen, sie waren blank und scharf wie Messer. Es war grauenhaft, aber ich konnte es nicht aufhalten.

Mamma: »Was hast du da gesagt!? Ich schlag dich grün und blau!«

Mamma schlug mich. Es donnerte in meinen Ohren, als hätte der Himmelsgott Geburtstag.

Mamma: »Das Wort will ich nie wieder aus deinem Mund hören. Ich brauch deine Faxen nicht. Reiß dich zusammen, Harrison. Denk darüber nach, was du getan hast.«

Ich weiß, was ich getan hab, ich hab alles verdorben. Alles ist hin, und ich bin schuld. Ich wusste, dass es so war, ich spürte es in meiner Seele. Wäre ich doch anständig geblieben. Ich hätte lieb sein müssen, aber ich hab mich vergessen, und nun wird Gott uns richten. Bestimmt tötet er Agnes zuerst, nur um mir eine Lektion zu erteilen. Ich konnte kaum atmen. Ich wollte es auch gar nicht. Ich wollte schon mal wissen, wie es wäre, tot zu sein. Ich hielt den Atem an, so lange ich konnte, aber es war doch ein zu komisches Gefühl. Mein Kopf wurde davon voll schummerig, da musste ich wieder atmen. Ich würde reichlich Luftlöcher in meinen Sarg machen lassen. Nur damit ich es leichter hab. Es wären sozusagen die Fenster meines Flugzeugs.

Euer Aberglaube amüsiert mich, wie ihr ständig Knöpfe berührt oder Salz über eure Schultern werft. Irgendwie ist es rührend – ihr glaubt, indem ihr den Tod in Kostüme und Rituale kleidet, könntet ihr ihn auf eure Seite ziehen. Ihr glaubt wohl, ihr könnt ihn einfach ablenken, indem ihr noch mehr von euch macht, schnitzt mehr von euch aus demselben Holz, als könntet ihr ihn mit den Splittern blenden. Werft keine Steine nach uns, auch wir folgen nur dem Ruf der Natur. Ich plustere meine Nackenfedern auf und nicke beharrlich. Ein bisschen hinterherscharwenzeln, um sie in meinen Bann zu ziehen. Siehst du diese Farben, diese starke, stolze Brust? Unsere Kinder werden Sieger sein, immun gegen all die -osen und -kokken, die unsere Ahnen dahinrafften. So ist's recht, steck deinen Schnabel in meinen, es dauert nur ein Sekündchen. Bingo!

Ich finde ja, es ist ein ganz schöner Aufwand für bescheidene Ausbeute, ich weiß nicht, was daran so toll sein soll. Aber ich schulde es dem Jungen. Ich schulde es euch allen, dieses witzlose Anrennen gegen das unaufhaltsame Rieseln von unzureichend verpacktem Sand. Ich löse mich und schwinge mich auf zur untergehenden Sonne.

Es ging ein herrlicher Wind. Der Regen hatte ganz aufgehört, und die Sterne standen am Himmel. Ich lief raus auf den Balkon und versuchte mich zu erinnern, wie es sich vor Agnes' Geburt angefühlt hatte. Ein Stern ist bloß altes Licht. Das sagt sogar Google. Wenn man einen Stern anguckt, guckt man einfach Millionen von Jahren in die Vergangenheit. Ich muss keine soundso viel Millionen Jahre sehen, nur zwei. Ich suchte mir den Stern aus, den ich am schönsten fand, und bat ihn, sie mir zu zeigen. Wenn ich spüren könnte, was damals anders war, dann wüsste ich auch, was kaputt war und wie man es reparierte. Dann könnte ich uns retten. Ich betete von ganzem Herzen darum. Ich blinzelte nicht, damit es nicht schiefging und ich noch mal von vorne anfangen müsste.

Die schönste Zeit war der Stromausfall. Alle Lichter in unserer Straße waren ausgegangen. Ich, Papa und Patrick Kuffour sind im Pick-up rumgefahren und haben für alle anderen die Laternen mit Paraffin aufgefüllt. Es war schon spätabends, als wir mit allen durch waren. Überall wurde uns etwas angeboten, aber wir konnten nicht bleiben, sonst wären wir nie rechtzeitig fertig geworden. Ich und Patrick fuhren hinten auf dem Pick-up mit wie Soldaten. Wir fühlten uns, als wären wir bei einem wichtigen Einsatz.

Patrick Kuffour: »Achte auf die Bäume, da könnten Heckenschützen sitzen. Sei wachsam. Wenn wir den Auftrag nicht erfüllen, kommen wir in Teufels Küche.«

Ich und Patrick waren die Frager. Wir fragten die Leute, ob sie Paraffin brauchten, und dann füllte Papa es ihnen aus dem großen Kanister ab. Die Leute blieben auf der Straße. Keiner hatte Lust, ins Bett zu gehen. Am Schluss war es eine Riesenparty. Alle hatten die gleiche Idee. Niemand sagte es als Erster, wir alle kamen gleichzeitig drauf.

Ein Stromausfall endet immer mit einer Party. Das ist das Beste daran.

Die Laternen hingen in den Fenstern, an Dächern und Zäunen. Sie sahen wie herabgefallene Sterne aus. Wir hatten sie wieder zum Leben erweckt. Zur Feier des Ereignisses tanzten Menschen auf der Straße. Ich erzählte Agnes die gute Nachricht. Sie war noch in Mammas Bauch, aber ich wusste, dass sie mich hören konnte.

Ich: »Ich hab die Sterne für dich repariert! Sie werden auf dich warten, wenn du rauskommst!«

Mamma: »Danke schön, du lieber Kerl!« (Sagte sie mit ganz leisem Stimmchen, als wäre es Agnes, die spricht.)

Als Lohn für den guten Einsatz bekamen wir einen Schluck Bier. Wir taten so, als wären wir betrunken. Patrick Kuffour machte den besten Sturz: Er fiel rückwärts von seiner Mauer auf den Rücken, und als ich hinter der Mauer nachsah, strampelte er mit Armen und Beinen wie ein Käfer auf dem Rücken. So was Komisches hatte ich noch nie gesehen.

Dann stellte Mr Kuffour seinen Generator an, und Mrs Kuffour, Mamma und Grandma Ama machten Bohneneintopf für alle. Wir aßen im Schein der Laternen unseren Eintopf, während die Motten unsere Köpfe umflatterten und Musik aus Mr Kuffours Transistorradio kam. Es war Spitze. Die verträumte Musik kitzelte unsere Ohren wie eine sanfte Brise. Alle vergaßen, dass Nacht war. Die Mädchen spielten Ampe, wir warfen Kakaoschoten nach ihren Füßen, um sie aus dem Takt zu bringen. Dann ging ihnen die Puste aus, und alle sanken wie ein Haufen müder Blätter zu Boden.

Als die Sonne aufging, war mir traurig und glücklich zugleich zumute. Ich wollte, dass die Nacht nie aufhörte. Alle taten so, als würden sie weinen, als Mr Kuffour seinen Generator abstellte. Die Musik hörte husch-husch auf, und es war an der Zeit, nach Hause zu gehen. Ich ging mit einem strahlenden Lächeln zu Bett, und die Sonne, die durch meine Lider schien, erfüllte mich ganz mit Wärme. Ichschwör, es war die allerbeste Nacht aller Zeiten. Man wollte, dass sie nie aufhörte. Man wollte sich immer so fühlen.

Als ich dieses Gefühl wiedergefunden hatte, schloss ich die Augen und ließ mich erneut davon erfüllen. Dann wusste ich, was ich zu tun hatte. Ich schloss die Tür ganz vorsichtig und legte den Schlüssel zurück. Ich schlich an Mammas Zimmer vorbei. Mamma und Lydia schnarchten wie die niedlichsten Schweine. Papa würde es verstehen. Er würde mir sogar zustimmen. Es war die einzige Möglichkeit, es wiedergutzumachen.

Ich warf meinen Alligatorzahn in den Müllschlucker. Ich hörte ihn nach unten fallen und verschwinden. Es war ein Opfer an den Vulkangott. Es war ein Geschenk für Gott persönlich. Wenn ich ihm meinen besten Glücksbringer gab, würde er uns vor allem Bösen beschützen, der Krankheit, dem Messerstechen und toten Babys, er würde uns alle wieder zusammenführen. Er musste es tun, sonst wäre es nicht fair. Es war ein guter Tausch, da konnte niemand etwas anderes behaupten. Ich wusste, es würde funktionieren. Danke, Taube, dass du mir den richtigen Stern gezeigt hast!

X-Fire und Dizzy entdeckten uns, als wir gerade an der Kirche waren. Ich wusste, dass sie uns anhalten würden, und versuchte gar nicht erst, wegzulaufen. Sie würden es kurz machen, weil sie sonst ins Klassenbuch eingetragen würden. Ich stellte mich einfach auf den Rasen vor der Kirche.

Ich: »Kommt, hier können sie euch nichts tun.«

Dean und Connor folgten mir. Sie blieben direkt hinter der Kante stehen. Keiner darf dir was tun, wenn du mit beiden Füßen auf geweihtem Boden stehst.

Dizzy: »Sehen wir aus, als ob uns so ein Scheißdreck interessiert? Wir sind zu alt für solche Kindermärchen.«

Dizzy blieb gar nicht stehen. Er trampelte einfach durch die Blumenbeete. Es würde ein schmutziger Kampf, das sah man seinem Gesicht an. Lag alles daran, dass ich meinen Alligatorzahn nicht mehr hatte. Das gehörte mit zum Deal: Gott musste zuerst die anderen schützen, ich passte auf mich selbst auf. Und es machte mir nicht mal was aus. Ich trat vom Kirchenrasen zurück auf den Weg.

Ich: »Lass sie in Ruhe, die haben nichts damit zu tun.«

Dizzy: »Schön, wie du willst.«

Dizzy schlug mir zweimal gemein auf den Arm. War mir doch egal. Es tat nicht mal weh. Ich schrie nur zum Schein, damit er Dean und Connor in Ruhe ließ. Dizzy lachte wie ein dummer Affe.

Dizzy: »Weichei.«

X-Fire: »Komm jetzt, das reicht. Der isses nicht wert, das kleine Arschloch.«

Wir warteten, bis sie fast am Tunnel waren, dann zeigten wir ihnen den Stinkefinger. Alle zusammen.

Connor Green: »Affenarsch!«

Dean: »Schwanzjockeys!«

Ich: »Du schlägst wie ein Mädchen!«

Sie hörten uns nicht. Die können mir gar nicht mehr wehtun. Das Ganze war ein Trick. Ich wusste, dass sie es nicht ernst gemeint hatten.

Ich: »Scheißefresser!«

Dean las meine Notizen, dann faltete ich sie husch-husch zusammen und steckte sie weg, bevor uns jemand sah. Wir waren vor der Schulaula und hatten direkte Sicht auf die Cafeteriatreppe. Nur dass wir mit bloßem Auge nicht viel sahen. Wir brauchten einen neuen Feldstecher.

Dean: »Vier Anzeichen für schlechtes Gewissen ist eine Menge, aber immer noch kein Beweis. Wir werden kein Geständnis kriegen, es sei denn, wir foltern ihn, und dafür fehlt uns die Ausrüstung. Man braucht Autobatterien, Drähte, einen Hammer und alles. Ich glaube immer noch, mit DNS geht es am besten. Bist du an irgendwelche Proben rangekommen?«

Ich: »Nein. Ich hab meinen Freund Jordan um Spucke gebeten, aber er wollte mir keine geben.«

Dean: »Was ist mit Pisse?«

Ich: »Ich könnte welche aus dem Krankenhaus kriegen. Wenn ich mir Mammas Ausweis besorge, könnte ich mich reinschleichen, wo sie die Pisse von den kranken Leuten aufbewahren. Die ist schon kalt, die bewahren sie im Kühlschrank auf.«

Dean: »Nein, das ist zu riskant, deren Sicherheitsvorkehrungen sind wasserdicht wie ein Entenarsch. Augenblick mal. Was geht denn da ab?«

Dizzy, Clipz und Killa alberten vor der Cafeteria rum. Dizzy hatte Killa gegen das Fenster gedrängt und tat so, als wäre er ein Cop und würde ihn nach Waffen durchsuchen. Killa musste die Beine spreizen und die Hände hochnehmen. Seine Hände lagen mit der ganzen Handfläche platt am Glas, damit er nicht nach vorn kippte. Jeder einzelne Finger berührte das Glas. Jeder einzelne seiner Fingerabdrücke auf dem Silbertablett. Clipz hielt den Verdächtigen mit einer unsichtbaren Pistole in Schach.

Dean: »Das ist unsere Chance. Jetzt oder nie. Was sagst du?«

Mein Bauch wurde ganz kalt. Mein Blut wurde zu Metall. Ich war bereit. Ich musste es sein. Der Plan war einfach: Ich würde rennen, denn ich bin der Schnellste. Dean würde die Fingerabdrücke sichern. Ich nahm das Sellotape aus meiner Tasche und gab es ihm.

Dean: »Rempel ihn hart genug an, um ihn abzulenken, verschaff mir Zeit, die Probe einzusammeln. Wenn er dich verfolgt, renn einfach weg.«

Ich: »Alles roger? Dies ist ein Code Red.« (Das bedeutet, es geht los.)

Wir gingen zuerst ganz langsam Richtung Cafeteria, als wäre nichts Besonderes. Wir mussten es jetzt tun, bevor sie weggingen. Ich lief die Treppe hoch. Wenn sie etwas sagen, einfach nicht hinhören. Auf keinen Fall stehen bleiben. Dean ging hin, stellte sich ans Fenster und tat ganz normal. Ich stellte mich hinter Killa und rammte dann hart seinen Rücken. Ich hatte gar keine Zeit zum Angsthaben, ich rempelte ihn einfach an.

Killa: »Was soll der Scheiß?«

Ich: »Spasti! Spasti!«

Dizzy: »Schnappt ihn!«

Dizzy und Clipz verfolgten mich. Killa stand bloß da, total verwirrt und rote Augen. Dean machte sich mit dem Sellotape ans Werk; er klebte es dort auf, wo Killas Finger das Fenster berührt hatten, dann zog er es husch-husch wieder ab und rannte in die entgegengesetzte Richtung zurück zur Aula. Killa wusste nicht, was er machen oder wem er nachjagen sollte. Er guckte einfach hin und her in beide Richtungen, wie eine orientierungslose Ratte in einem Abflussrohr.

Killa: »Was hast du da gemacht?«

Er wischte seine Fingerabdrücke vom Fenster, aber es war zu spät. Er konnte uns nicht mehr aufhalten. Wir hatten ihn auf seinem eigenen Terrain geschlagen.

Killa: »Kleiner Pisser!«

Sie kamen alle hinter mir her. Ich drehte mich einfach um und rannte auf den naturwissenschaftlichen Bau zu. Ich lief in Mr Tomlins Klasse. Er bereitete gerade seine Stunde vor, ich sah die Zitronen aufgereiht. Jemand anderer würde von der Zitronenbatterie erfahren. Ich wünschte, das könnte ich sein. Ich wünschte, ich könnte es noch mal ganz neu lernen, als wäre es das erste Mal.

Mr Tomlin: »Was gibt's denn, Harri? Warum rennst du so?«

Ich: »Nichts. Hab mich verlaufen.«

Mr Tomlin: »Du würdest deinen Kopf verlieren, wenn er nicht festgeschraubt wär.«

Ich: »Das will ich nicht hoffen!«

Killa und Dizzy waren an der Tür. Als sie Mr Tomlin sahen, blieben sie stehen. Killa trat gegen die Tür. Es war vorbei, er sollte es doch zugeben. Die Bösen verlieren am Schluss immer.

Killa: »Du bist tot!«

Mr Tomlin: »Die Pause dauert noch vier Minuten. Sucht euch jemand anderen, den ihr ärgern könnt.«

Mr Tomlin war so was wie mein Kugelschutz. Er schirmte mich vor den tödlichen Gedanken der Schurken ab. Ich ging superschnell durch den naturwissenschaftlichen Bau, und bevor sie merkten, was los war, war ich schon wieder raus. Jetzt musste ich ihnen nur in den Pausen und nach Schulschluss aus dem Weg gehen. Wenn ich die Augen offen hielt, würden die mich nie erwischen.

Wir warteten im Computerclub, bis alle anderen nach Haus waren. Kennt ihr schon YouTube? Das ist so ein Ort im Internet nur für Filme von Geschöpfen, die sich gegenseitig auffressen. Dean hat mir eine Schlange gezeigt, die einen Jungen frisst. Sie hat ihn tatsächlich komplett verschluckt. Es war in irgendeinem staubigen Land ganz weit weg. Die Dorfbewohner schlugen die Schlange mit Stöcken, bis sie den Jungen wieder rauswürgte. Sie wussten nicht, ob er tot war oder bloß schlief. Er war fest zu einem behaglichen Ball zusammengerollt. Er war total mit dem Magenschleim der Schlange überzogen, aber seine Arme und Beine waren noch alle dran. Er war kleiner als wir.

Dean: »Ich würde gerne mal sehen, wie eine Schlange ein Auto frisst, das wär scharf. So was ist schon vorgekommen.«

Ich: »Ich würd gern mal eine Schlange sehen, die sich selbst frisst. Die würde sich dann einfach in nichts auflösen.«

Dean: »Super.«

Wir warteten, bis die Luft rein war, dann holten wir unsere Probe raus, um sie zu untersuchen. Dean hielt die Fingerabdrücke gegens Licht.

Ich: »Man kann ja kaum was erkennen. Er ist zu verschmiert. Mist!«

Dean: »Ich hatte es ja auch eilig. Du hättest sie ja abnehmen können.«

Ich konnte trotzdem ein paar Linien erkennen. In der Mitte waren sie klar und deutlich, aber nach außen verschwammen sie miteinander, als hätten sie sich bewegt, als die Aufnahme gemacht wurde. Es waren zwei Finger und der Rand eines Daumens. Wir brauchten breiteres Sellotape.

Dean: »Scheiße. Aber keine Sorge, wenigstens haben wir jetzt einen Abdruck. Vielleicht kriegt der Polizeicomputer das hin. Die können zoomen und alles. Bist du mal so freundlich?«

Ich: »Okie-dokie, Boss.«

Ich klebte das Sellotape an eine Seite aus meinem Schulheft, faltete sie dann zusammen und schrieb vorne den Namen des Verdächtigen drauf. Killa. Ich bewahre sie mit den anderen auf, bis wir sie brauchen. Es war ein richtig schön gruseliges Gefühl, als gehörte mir ein Stück von Killas Leben. Er kann nicht mal untertauchen, deine Fingerabdrücke erzählen deine Geschichte, ob du willst oder nicht. Als die Schlange den Jungen wieder rauswürgte, sah es aus, als würde er geboren. Vielleicht war er ein Schlangenjunge, und es sollte so sein. Vielleicht wird er Snake Man, wenn er erwachsen ist. Das werd ich Altaf erzählen, wenn ich ihn das nächste Mal sehe, der fände es toll, wenn es tatsächlich wahr wird. Ich aber auch. Tippt einfach »Schlange frisst Junge« bei YouTube ein und seht es euch selbst an. Ich garantiere, da bleibt euch die Sprache weg!

Agnes: »HARRI!«

Ichschwör, besser hat sie es noch nie gemacht, es war ein süßes Klingeln in meinen Ohren. Es dauerte ganz lange, und ich wollte, dass es gar nicht mehr aufhört.

Ich: »Hallo, Agnes! Geht es dir besser?«

Grandma Ama: »Sag ja.«

Agnes: »JA!«

Mamma weinte Glücklichtränen. Da kamen Lydia auch ein paar.

Lydia: »Jedenfalls hat sie ihre Stimme wieder. Sag Lydia.«

Agnes: »LYDIA!«

Lydia: »Wir haben dich lieb!«

Ich: »Wir lieben dich, Agnes!«

Mein Bauch war so wunderschön warm, weil ich sie gerettet hatte. Ich hätte auch Glücklichtränen geweint, aber weil Lydia guckte, hielt ich sie zurück.

Grandma Ama: »Ihr geht's gut. Als sie heute Morgen aufgewacht ist, wollte sie Banane. Sie hat gegessen, bis sie nicht mehr konnte.«

Mamma: »Hat sie noch Temperatur?«

Papa: »Die ist normal. Alles ist in Ordnung. Mach dir keine Sorgen.«

Mamma: »Ich wünschte nur, ich wäre bei euch.«

Papa: »Ich weiß. Wir sehen uns ja bald, okay?«

Ich: »Ist das Dach noch dicht?«

Papa: »Dem geht es prima! Gestern war hier ein Sturm, und es hat nicht mal gewackelt!«

Ich: »Mach keine neuen Sachen mehr, okay? Verkauf einfach, was du schon fertig hast. Dann kannst du schneller herkommen. Okay?«

Papa: »Okay.«

Ich: »Auf Wiedersehen, Agnes!«

Agnes: »**WISEHN**!«

Ichschwör, Agnes ist die beste Ruferin der Welt. Ich tat so, als wäre das ihre Superkraft. Wenn sie groß ist, soll sie SuperShouter heißen. Ich mache sie sogar zu meinem Sidekick (das ist ein kleinerer Superheld, der mit dem großen Superhelden herumzieht, so was wie ein Assistent und bester Freund).

Ich habe Papa nicht erzählt, dass mein Alligatorzahn weg ist. Ich wollte nicht alles wieder verderben.

Auf dem Tisch stapelten sich Reisepässe. Julius steckte sie in eine Tüte, ehe ich reingucken konnte. Ich fragte mich, wie die Fotos wohl aussähen, ob die Leute lächelten oder ob sie wohl verrückte Frisuren, Brillen oder Narben hätten. Ich fragte mich, ob einer von ihnen aussah wie ich.

Tante Sonia: »Du kannst das Guthaben abtelefonieren. Es ist ein Prepaidhandy.«

Julius: »Hier ist alles prepaid, stimmt's oder hab ich recht?« (Tascht auf ihren Hintern.)

Lydia hat zum Geburtstag ein Samsung Jet bekommen. Sie war so glücklich, dass sie tatsächlich geweint hat. Sie hat gekreischt wie eine Irre. Das war sehr beschämend. Das Handy hat sogar einen Fotoapparat.

Lydia: »Sag Cheese!«

Du musst Cheese sagen, wenn jemand ein Foto von dir macht, davon kriegst du das richtige Gesicht. Lydia knipste alles und hörte gar nicht mehr auf. Ich beim Lächeln. Ich beim Spielen mit meinem Auto. Mamma und Tante Sonia, die sich umarmen. Tante Sonias Baum. Julius, der seinen Gute-Nacht-Sprit trinkt und gefährlich guckt. Das Bild von Nana Acheampong an der Küchenwand. Durch den Türspion, aber das wurde unscharf.

Ich wollte sie schon bitten, dich auch zu knipsen, aber dann fiel mir wieder ein, dass du dich nicht gern fotografieren lässt. Niemand sonst hat deinen Schatten am Fenster vorbeifliegen sehen, nur ich. Mach, dass sie dich nicht sehen, ich möchte, dass du nur mir gehörst. Einfach, weil mir das lieber wäre. Wenn Mamma dich sieht, nimmt sie dich mir bloß weg.

Ich hab ein Auto mit Fernsteuerung bekommen, obwohl ich gar nicht Geburtstag hatte. Ichschwör, das ist absolut Wahnsinn, es fährt superschnell. Die Fernsteuerung fährt man wie echt. Keine Drähte. Es sieht aus wie ein Beach Buggy. Es hat keine Wände, nur einen Rahmen, so dass man einen kleinen Fahrer drin sitzen sieht. Es ist rot und silbern und fährt hundert Meilen die Stunde.

Am Anfang konnte ich es nicht gut fahren, ich krachte ständig gegen die Wand.

Ich: »Hör auf, mich zu knipsen, davon bau ich immer Unfälle!«

Lydia: »Hör auf, Unfälle zu bauen, davon muss ich dich immer knipsen!«

Gott sei Dank ist vorn eine dicke Stoßstange, das Auto geht also nicht kaputt, wenn es irgendwo dagegenfährt. Ich übte auf dem Flur vor Tante Sonias Wohnung. Das Auto fährt auf jeder Art Untergrund gut. Ich testete es auf dem Teppich und auf den Fliesen, und es fuhr superschnell. Die Reifen sind ultradick mit guter Haftung, es bleibt also nicht stecken. Ich will es auf jeder Art von Boden ausprobieren. Sand, Schlamm und Gras, überall. Ich wette, es fährt genial auf Schnee. Ich schwöre bei Gott, sobald der Schnee kommt, bin ich als Erster draußen. Dann hab ich den ganzen Schnee für mich allein, bevor die vielen Füße ihn kaputtmachen. Meinen ersten Schneeball werd ich nach Vilis schmeißen. Ich will ihn im Gesicht treffen. Ich schwör bei Gott, das wird soooo schön.

Fliegen Tauben im Winter nach Süden?

Überall, wo du hingehst, bin ich auch.

Das ist gut! Dann kannst du im Baum sitzen und zusehen, wie ich meine Schneebälle werfe.

Julius reparierte den Überzeuger, er klebte neues Tape

hin, wo das alte Tape vom Schweiß und zu vielem Zuschlagen ganz rissig geworden war. Er machte das richtig sanft und behutsam, als wär der Baseballschläger eine einbeinige Taube, der er ein neues Bein anklebt.

Ich: »Könntest du damit auch einem richtig den Kopf abschlagen?«

Julius: »Na, das eher nicht, aber du kannst schon einiges anrichten. Wenn du es richtig machst, haben sie nachher einen Gehirnschaden. Ich hab mal einem eins auf die Rübe gegeben, dem seine Augen schalteten direkt auf blöd, als hättest du ne Lampe ausgeknipst. Ich hab ihm sein Gehirn kaputtgeschlagen, das war sofort klar. Seine Stimme wurde ganz langsam, und er fing an zu sabbern, bloß von nem kleinen Klaps an der richtigen Stelle. Für optimalen Effekt. War selber schuld, soll er doch seine Schulden zahlen, wie alle anderen auch. Jetzt ist er balla-balla und trägt ein Lätzchen wie ein Baby.«

Julius stieß ein lautes, dreckiges Lachen aus. Mamma spülte nur schneller die Teller, als wollte sie die Sünde von ihnen abwaschen. Ich möchte lieber vom Überzeuger getötet werden als mit einem Messer. Ein Messer ist zu scharf, das zerfetzt zu viel Seele. Ein Baseballschläger ist runder, der lässt mehr Seele beisammen. Dann kommt man schneller in den Himmel, und es gibt für deine Mamma weniger Sauerei wegzumachen. Es macht nichts, wenn er dein Gehirn kaputtmacht, du bekommst es zurück. Es ist die Seele, auf die es ankommt.

Tante Sonias Babybaum sah noch kleiner aus als sonst. Die Blätter glänzten wie die Brandnarben. Er kriegt keinen Regen ab, wenn er die ganze Zeit drinnen ist. Ich gab ihm etwas Wasser, als niemand hinsah. Das Wasser verschwand einfach zwischen den Steinen im Topf, er wuchs gar nicht.

Ich musste einen Brief von Mr Smith überbringen. Ich machte es nur ungern. Manchmal geben dir Lehrer nur einen Brief, um dich zu testen.

Anthony Spiner: »Einmal hat mir Mr Smith einen Brief gegeben. Ich hab ihn aufgemacht, und rat mal, was drinstand.«

Ich: »Was denn?«

Anthony Spiner: »Hör auf, diesen Brief zu lesen. Mehr stand da nicht. Es war ein mieser Trick.«

Lincoln Garwood: »Das ist ja fies, Alter. Ich hasse Mr Smith, der ist n Arsch.«

Ich guckte nicht in den Brief, sondern brachte ihn direkt ins Sekretariat. Ich hatte zufällig keine Lust, mich reinlegen zu lassen. Ich sah sie auf dem Weg zurück. Ich hab nie mit ihr gesprochen, aber ich glaub, sie ist in der 10. Sie trägt immer ein weißes Kopftuch. Sie kniete auf dem Boden. Sie hatte sogar eine Matte, sie lag mitten im Flur. Sie hatte die Augen zu und so. Ich blieb stehen.

Ich sah ihr nur zu. Es war sehr entspannend. Ich durfte keine Bewegung machen und musste ultraleise sein, wenn ich nicht alles verderben wollte. Ich atmete so wenig wie möglich. Ich wollte nicht, dass es vorbei war.

Ich sah ihre Lippenbewegungen, aber was sie sagte, hörte ich nicht. Manchmal beugte sie sich vor, bis ihr Kopf fast den Boden berührte. Bei ihr ging alles superlangsam. Ich wurde schon vom Zusehen ganz schläfrig. Ich wollte sie fragen, wofür sie betete, aber ich verschluckte die Wörter wieder.

Es konnten unmöglich Bomben sein. Du wusstest einfach, dass es etwas Gutes sein musste.

Ich stand hinter der Ecke und sah zu. Niemand da außer mir. Stille, wie sie am schönsten war. Ich vergaß ganz, zurück in die Klasse zu gehen. Ich hätte selbst mitgemacht, aber ich wollte nicht alles verderben.

Das Kopftuch-Mädchen hatte ausgebetet, öffnete die Augen und stand auf. Ich drehte mich husch-husch um und ging durch den Flur zurück. Ich versuchte, kein Geräusch zu machen. Ich wollte nicht, dass sie mich sah. Sie sollte nicht merken, dass ich da gewesen war, sonst hätte das vielleicht alles ruiniert. Ich wartete, bis sie weg war, erst dann wurde ich wieder lebendig. Als ich an die Stelle kam, wo sie gebetet hatte, hielt ich den Atem an. Ich machte einen Bogen darum, damit ich nicht drauftrat.

Hinter der nächsten Ecke kam mir Killa entgegen. Er sah mich, bevor ich irgendwas tun konnte. Er zerrte mich in den Waschraum. Es passierte zu schnell, es war nichts zu machen. Er drängte mich zwischen die Waschbecken. Er hatte einen Cutter aus dem Kunstunterricht dabei und hielt ihn mir vor die Nase.

Killa: »Ich will meine Fingerabdrücke zurück. Die gehören mir. Was hast du damit gemacht?«

Ich: »Die hab ich weggeworfen, sie haben nicht mal richtig gehalten. War doch bloß aus Quatsch.«

Killa schubste mich gegen die Wand. Mein Kopf knallte laut gegen den Kasten mit Papierhandtüchern. Das Licht am Fenster entflammte die Messerklinge, ein Sonnenblitz, und ich war blind. Ich kniff die Augen zu und wartete aufs Verbrennen. Es wurde ganz still. Die Welt hielt an. Dann wieder Killas Stimme, mit einem Knacks wie beim Lügen. Das ist immer so, wenn du gefährlich sein willst, ehe du genug Kraft gesammelt hast.

Killa: »Halt dich aus meinem Scheiß raus, klar? Das geht dich alles nichts an. Du kannst sowieso nichts beweisen. Lass es einfach, bevor du ernste Schwierigkeiten kriegst, klar?«

Er knallte mich noch mal feste gegen den Papiertuchspender und haute dann ab. Ich tastete an meinem Kopf nach Blut, fand aber nichts. Ich wartete, bis ich wieder ruhig atmen konnte. Mir war nur ein bisschen zittrig. Auf meinem Hemd war ein schwarzer Fleck von Killas dreckigen Fingern. Keiner sollte seinen Dreck an dir abwischen dürfen.

Keiner sollte in die Stille eines anderen einbrechen dürfen, das ist einfach nicht fair. Das Feuchte in meiner Hose war nur Schweiß, von weil es draußen so warm war.

In England feiern sie den Sommeranfang, indem alle die Fenster weit aufreißen und superlaut Musik aufdrehen. Das ist Tradition. Damit du weißt, dass Sommer ist. Das muss man machen, sobald sich die ersten Sonnenstrahlen zeigen, und zwar alle gleichzeitig.

Außerdem hängen sie noch ihre Flagge raus. Wenn du eine Flagge hast, musst du sie zu diesem Termin raushängen. Dann weiß jeder, dass du dazugehörst und der Sommer losgeht.

Die Musik ist nicht ein und dieselbe, sondern ganz unterschiedliche. Auf dem Weg zu den Wohnblocks konnte ich schon von weitem alle möglichen Musiksorten durcheinander hören. War das schön. Am liebsten hätte ich getanzt. Ich grinste von Ohr zu Ohr, ich konnte nicht anders.

Da wollte ich auch mitmachen. Ich holte den CD-Player aus Mammas Zimmer und legte meine CD von Ofori Amponsah ein. Ich spielte Broken Heart, das ist mein Lieblingsstück. Alle sollten es hören. Ich riss mein Fenster auf und hielt den CD-Player nach draußen.

Ich: »Hallo! Hier Harri! Das ist meine Musik! Ich hoffe, sie gefällt euch!«

Dann bekam ich Angst, er könnte mir runterfallen, darum nahm ich ihn wieder rein. Hoffentlich haben alle mein Stück gehört, unser CD-Player spielt nicht besonders laut. Dann brauchte Lydia ihn zurück. Sie hat Geburtstag und will sich zwei neue CDs anhören.

Lydia: »Beeilung!«

Ich: »Ich bring ihn ja schon! Keine Panik!«

Mamma: »Wehe, du ärgerst sie. Dann geb ich dein Stück Torte den Tauben.«

Lydias Torte ist Schokolade und sonst nichts. Ich möchte

zum Geburtstag eine Spiderman-Torte. Lydias Geschenke von zu Hause kamen in einem großen Karton. Ich schaffte es schneller zur Tür als sie. Wir hatten beide ganz gespannt gewartet, aber dann musste Lydia den Porzellangott grüßen, und genau da klopfte es an der Tür. Der Postbote gab mir das Paket. Erst wollte ich es behalten. Ich hab nur nachgegeben, weil sie ja Geburtstag hat.

Lydia: »Flossen weg! Ich bring dich um!«

Ich: »Da träumst du von!«

Ich knipste alles mit Lydias Handy: Sie mit dem Paket in den Armen. Wie sie das Paket aufmacht. Das Paket von innen. Es war nicht nur ein Geschenk drin, sondern ganz viele. Abena hatte zwei CDs reingetan, eine von Michael Jackson und eine von Kwaw Kese.

Dann Ohrringe von Grandma Ama. Sie waren einfach nur rund und aus echtem Gold (man erkennt echtes Gold daran, dass keine Zahnabdrücke drinbleiben, wenn man reinbeißt).

Lydia: »Nimm meine Ohrringe aus dem Mund! Du sabberst die ja total voll!«

Ich: »Soll ich sie testen oder nicht?«

Lydia: »Nein!«

Es war ein unheimlich süßes Bild von Agnes' Hand dabei. Das ist gar nicht schwer zu machen: Sie haben ihr nur Farbe auf die Hand gestrichen und sie dann auf das Papier gedrückt. Sie hatten Agnes geholfen, ihren Namen zu schreiben, auf die gleiche Art, wie ich meinen Namen schreiben gelernt hab: Sie haben mir einfach den Stift in die Hand gedrückt und sie dann für mich bewegt. Die Buchstaben kamen ganz niedlich und krakelig raus, wie von einer Spinne geschrieben.

Papa hatte Lydia eine Tänzerin geschnitzt. Ich glaube, das sollte sie selbst darstellen. Sie sieht genau aus wie Lydia, bis auf das Gesicht. Er weiß nicht, dass sie das Tanzen aufgegeben hat. Und immer vergisst, zu lächeln.

Sie fing an zu weinen.

Ich: »Ich nehm sie, wenn du sie nicht willst. Ich kann sie in der Schule tauschen. Vielleicht krieg ich dafür sogar eine Disco-Watch.«

Lydia: »Halt dich raus!«

Ich: »Was ist denn mit dir?«

Mamma: »Sie vermisst Papa, sonst nichts. Ärger sie nicht.«

Ich: »Sei nicht traurig. Du hast doch Geburtstag. Deine Nase ist ganz verrotzt.«

Lydia: »Halt die Klappe!«

Mamma: »Harrison, lass sie in Ruhe.«

Ich musste Lydia wieder zum Lachen bringen. Wenn ich sie nicht zum Lachen brachte, wäre der ganze Tag im Eimer. Ich versuchte die vielen Sprüche zusammenzukriegen, die ich gelernt hatte. Ich wollte sie alle durchprobieren, bis einer funktionierte.

Ich: »Na los, Zuckerschnecke. Lach mal wieder.«

Nichts. Nicht mal das winzigste Lächeln.

Ich: »Kopf hoch, auch wenn der Hals dreckig ist!«

Wieder nichts.

Ich: »*Du bist mein Sonnenschein, du liebes Läster-schwein.*

Du machst mich glücklich und froh, so wie ein Griff ins Klo.«

Mamma: »Harrison! Schluss mit den Klosprüchen!«

Lydia: »Lass es.«

Sie hatte kurz gelächelt, ich hab's gesehen. Ich würde es schaffen. Ich würde die Lage retten. Ich brauchte nur noch einen Anlauf.

Ich: »Schubidu, schubidei, was soll die Flennerei, mach die Tränendüse dicht, sonst knutscht dich mein Arschge-sicht.«

Lydia: »Aufhören!«

Ich: »Ich hab dich! Gewonnen!«

Lydia platzte vor Lachen. Es ließ sich nicht länger unterdrücken. Ich liebe es, wenn ich die Lage rette. Ich wollte nicht mal die Punkte dafür. Die hab ich ihr geschenkt.

Ich: »Willst du jetzt mein Geschenk? Du musst mitkommen, es ist draußen.«

Lydia: »Von wegen. Ich fall nicht auf noch einen Trick rein.«

Ich: »Es ist kein Trick, ehrlich.«

Mamma: »Mich musst du nicht ansehen, ich hab damit nichts zu tun.«

Ich: »Komm schon mit, Angsthase!«

Schließlich musste Lydia doch mitkommen, denn ihre Neugier auf das Geheimnis wurde riesig, und sie hielt es nicht mehr aus. Ich ging vor, und sie folgte mir. Auf dem Weg die Treppe runter hielten wir beide den Atem an.

Lydia: »Wo gehen wir hin?«

Ich: »Siehst du gleich. Vertrau mir.«

Wir gingen zur Rückseite des Wohnblocks, bis ich stopp sagte. Lydia sah sich überall nach dem Geschenk um. Sie schaute hoch in die Bäume, unter die Autos und in die Fenster. Sie sah sogar unter der Mülltonne nach. Sie war baff. Sie wusste nicht mal, wonach sie eigentlich suchte. Spitze!

Lydia: »Jetzt gib mir einfach das Geschenk und lass uns gehen! Wo ist es?«

Ich: »Direkt vor dir.«

Sie haben hinten am Hochhaus eine neue Rampe gebaut, damit die Rollstühle rauf- und runterfahren können. Wir haben es erst heute Morgen entdeckt, als der Mann von der Stadt mit der Zementmischmaschine kam. Dean wollte mich provozieren, reinzuklettern, aber ich riskierte nichts, ich wusste, dass Zement zur tödlichen Falle werden konnte. Ich wusste direkt, was ich tun würde. Ichschwör, es hat mich beinah verrückt gemacht, das Geheimnis den ganzen Tag lang für mich zu behalten!

Der Beton war noch feucht. Der Mann von der Stadt

war weg zum Mittagessen. Wenn, dann mussten wir es jetzt machen. Man konnte es nicht besser planen.

Lydia: »Was soll ich denn hier?«

Ich: »Einfach reinspringen. Das wird super. Dann sind deine Fußabdrücke drauf, und wenn der Beton trocknet, bleiben sie da für immer. Dann ist das *unsere* Rampe, und alle Welt weiß Bescheid. Nicht nur die Rampe, das ganze Hochhaus ist unseres. Du musst aber richtig feste springen. Du musst es richtig wollen.«

Lydia: »Das ist ja bescheuert. Da spring ich nicht rein.«

Ich: »Na los! Das dauert nur eine Sekunde! Du machst deine Fußabdrücke da rein, und ich schreib deinen Namen daneben, damit jeder Bescheid weiß. Wir machen es beide. Ich zuerst.«

Ich nahm meine ganze Kraft zusammen, stellte mich in die richtige Position, beide Füße nebeneinander, und sprang dann mit voller Wucht auf die Rampe. Ich versuchte, mein ganzes Körpergewicht im Beton zu konzentrieren.

Lydia: »Das sieht aus, als wärst du beim Scheißen.«

Ich: »So geht es am besten. Mach es mir einfach nach.«

Ich zählte bis zehn. Dann schraubte ich mich ein bisschen rein, damit der Fußabdruck auch sauber im Beton saß, und sprang dann seitwärts raus, um ihn nicht zu versauen. Es ging alles glatt wie geschmiert. Einfach perfekt. Meine Fußabdrücke waren im Zement, hübsch, deutlich und neu. Du konntest sogar das Diadora-Zeichen von der Sohle meiner Turnschuhe sehen. Das ganze Muster der Sohle und alles. Es war krass.

Ich: »Es ist ziemlich schwer, wieder rauszukommen. Der Beton will dich festhalten. Du brauchst mehr Kraft, wenn du wieder rausspringst. Du bist dran.«

Lydia: »Du spinnst ja wohl.«

Ich: »Mach einfach, Trantüte! Du kannst ein Geschenk nicht ablehnen, das einer für dich geplant hat. Das ist, als würdest du sagen, du hasst ihn.«

Lydia: »Okay, okay!«

Lydia tat so, als machte sie rote Augen, aber sie konnte keinem was vormachen. Sie ging mit genauso viel Schwung ran wie ich. Sie ging in die Scheiß-Hocke und legte einen richtig großen Sprung hin. Sie landete direkt neben meinen Fußabdrücken. Sie zählte sogar bis zehn, ich konnte sehen, wie sich ihre Lippen bewegten.

Ich: »Und jetzt dreh dich ein bisschen rein.«

Lydia: »Tu ich ja, tu ich ja!«

Sie versuchte, zur Seite rauszuspringen, aber ihre Füße klebten fest, und sie wäre beinahe hingefallen. Sie heulte wie ein Baby.

Lydia: »Hilf mir, hilf mir!«

Ich: »Keine Panik, ich hab dich.«

Ich richtete sie wieder auf und zog sie aus dem Zement. Ihre Fußabdrücke waren direkt neben meinen. Sie waren sauber und deutlich. Alle Linien waren so gut zu sehen wie bei mir. Jetzt fand sie es sogar toll. Ihre Augen wurden groß, bevor sie es verhindern konnte.

Lydia: »Schnell, schreib die Namen, bevor er zu fest wird.«

Ich setzte mich neben die Rampe und schrieb unsere Namen unter die Fußabdrücke. Ich musste meinen Finger ziemlich fest reinpressen, damit die Buchstaben gut rauskamen. Ich konnte es trotzdem entziffern. Ichschwör, es sah supergut aus:

Harri   Lydia

Lydia strahlte von einem Ohr zum anderen.

Ich: »Alles Gute zum Geburtstag! Ich wusste, dass es dir gefällt!«

Der Zement an meinem Finger sah wie Teekuchenteig aus, roch aber wie Kotze. Wenn du ihn nicht abmachst, bevor er hart wird, wird dein Finger zu Stein. Wir machten unsere Schuhe in einer Pfütze sauber; ich nahm ein Stöckchen, um die ganzen Klumpen rauszupulen. Jetzt weiß die ganze Welt von uns. Die Fußabdrücke sollen der ganzen Welt sagen, dass wir hier sind. Ich kann es kaum erwarten, dass sie durchgetrocknet sind. Bewach sie für mich, bis sie hart sind, okay?

Mach ich gerne. Jeder, der dir den Spaß verderben will, wird mehr Ärger kriegen, als er verdauen kann, ich scheiß auf jeden, der auch nur in die Nähe kommt. Wollt ihr wissen, was ich glaube? Und ich bin lange genug dabei, um mir eine Meinung erlauben zu können. Euer Problem ist, dass ihr alle gerne das Meer wärt. Aber ihr seid nicht das Meer, ihr seid bloß einzelne Regentropfen. Einer unter zahllosen anderen. Wenn ihr das nur akzeptieren könntet, dann wäre vieles leichter. Sprecht es mir nach: Ich bin ein Tropfen im Ozean. Ich bin Nachbar, Nation, Norden und Nirgendwo. Ich bin einer unter vielen, und wir alle fallen gemeinsam.

Aber vielleicht bin ich ja auch nur eine Ratte mit Flügeln und hab keine Ahnung, was ich da rede.

Ich liebe gute Überraschungen. Wie den Zement, der nur darauf wartet, dass wir uns darin verewigen, oder wenn du denkst, jemand ist in irgendwas eine Niete und dann kann er es in Wirklichkeit supergut. So war es auch mit Manik: Keiner hätte ihm zugetraut, ein guter Torwart zu sein, weil er so dick ist, aber wie sich rausstellte, ist Manik ein klasse Torwart. Es ist unmöglich, gegen ihn ein Tor zu schießen. Nichts kommt an ihm vorbei. Einmal hab ich ihm aus Versehen einen Ball an den Kopf geschossen, und er hat nicht mal gezuckt, sondern einfach weitergespielt, als wär nichts gewesen. Nur seine Augen wurden feucht, sonst hätte man nicht gemerkt, dass er eins vor den Kopf gekriegt hatte. Anschließend hieß er bei uns nur noch »die Pranke«. Er freut sich darüber, das merkt man. Immer, wenn wir das sagen, grinst er von einem Ohr zum anderen.

Alle: »Die Pranke hat wieder zugeschlagen! Der Junge ist heiß!«

Ich hätte nicht gedacht, dass Dean so ein guter Kletterer ist, denn er hat so rötliche Haare. Ich hab es ihm einfach nicht zugetraut. Aber tatsächlich klettert er wie ein As. Er ist so gut wie Patrick Kuffour (und der ist in glatten drei Sekunden auf dem Dach vom Bürgerhaus. Wir nannten ihn Klammeraffe).

Dean: »Keine Sorge, ich hol ihn schon. Ich bin saugut im Klettern.«

Wir spielten zwischen zwei Rinnsteinen, und ich hatte

einen hohen Ball geschossen, der auf dem Dach der Garage gelandet war. Ich hatte nicht mal gewusst, dass ich mit meinem neuen Ball so weit schießen konnte. Ich war ein bisschen stolz darauf. Dean sprang auf die Müllcontainer und zog sich aufs Garagendach. Das alles geschah blitzschnell. Bei ihm sah es kinderleicht aus. Er warf den Ball runter, und ich fing ihn auf. Als ich zu ihm da oben auf dem Garagendach hochsah, wurde mir glatt ein bisschen schwindelig. Die Sonne stand in meinen Augen. Ich hörte Flügel schlagen, ich konnte nur nicht sehen, von wo.

Dean: »Komm hoch, das ist einfach. Ich zieh dich.«

Ich: »Und wenn einer den Ball stiehlt?«

Dean: »Sei keine Memme!«

Ich: »Bin ich nicht! Komm runter, neun beide. Unentschieden, das nächste Tor gewinnt.«

Er wollte nicht runterkommen. Ihm gefiel es zu gut da oben, das merkte man. Er stolzierte auf und ab wie ein König.

Dean: »He, was ist das denn?«

Er hob etwas auf. Es war eingewickelt wie ein Päckchen. Es war nass, weil es in den Pfützen auf dem Dach gelegen hatte, und ganz verschmiert. Die Verpackung sah wie zerrissene Kleidung aus.

Dean: »Ob ich das aufmachen soll?«

Ich: »Mach's auf.«

Dean: »Willst du wirklich, dass ich es aufmache? Und was, wenn es Milzbrand ist oder menschliche Zähne?«

Ich: »Nerv mich nicht und mach's auf!«

Er machte die Verpackung ab. Es war ein Portemonnaie. Selbst mit der Sonne in den Augen konnte ich erkennen, dass es ein Portemonnaie war. Ein blaues mit schwarzem Klettverschluss.

Ich: »Ist Geld drin?«

Dean: »Warte, es ist ganz klebrig. Ich komm runter.«

Er kletterte von der Garage und zeigte mir das Portemonnaie. Es hatte dunkle Flecken. Er machte es auf und sah rein. Geld war keins drin. In einem der Fächer steckte etwas, das der Regen total durchweicht hatte. Dean holte es vorsichtig raus: Es war ein Foto. Als ich es sah, wurde mir voll kalt im Bauch.

Ich: »Das ist der tote Junge!«

Dean: »Meinst du?«

Ich: »Ich schwöre bei Gott! Er trägt sogar sein Chelsea-Trikot.«

Das Foto war ganz klein und hatte Flecken, wo es nass geworden war. Es war der tote Junge mit einem weißen Mädchen. Man sah nur ihre Köpfe und Schultern. Beide strahlten von einem Ohr zum anderen. Sie war fast so schön wie Poppy, nur dass eins ihrer Augen in die falsche Richtung zeigte, konnte aber auch Absicht sein, nur zum Spaß. Es war alles furchtbar traurig. Ich stellte mir vor, der tote Junge wär in dem Bild gefangen, und jetzt war es zu spät, ihn da rauszuholen. Ich wünschte, ich wäre da gewesen, als er erstochen wurde. Ich hätte den Killer verjagt, bevor er überhaupt so weit gekommen wäre. Ich hätte ganz laut nach der Polizei gerufen oder einen Stein nach ihm geworfen oder ihn mit meinem Eisatem eingefroren. Ich weiß nicht, warum keiner etwas getan hat.

Dean: »Ich hätte ihm voll Kung-Fu in die Eier.«

Ich: »Ich auch.«

Dean gab mir das Portemonnaie in die Hand. Ich fühlte, wie klebrig es war, und sagte stumm im Kopf ein Gebet. Einfach nur: Tut mir leid. Was anderes fiel mir nicht ein.

Ich: »Was meinst du, was das Klebrige ist? Meinst du, das ist Blut?«

Dean: »Sieht so aus, oder Öl vielleicht. Vielleicht ist da irgendwo ein Fingerabdruck drin. Nehmen wir es mit ins Labor.«

Ich fragte Dean nicht nach dem Passwort, das gilt nur für Zivilisten. Wir schoben zur Sicherheit mein Bett vor die Tür. Dean hielt das Portemonnaie, und ich machte Sellotape über die klebrige Stelle. Ich klebte es extra sorgfältig auf, damit es keine Falten bildete, und zog es dann ganz langsam wieder ab. Das Klebrige blieb an dem Sellotape haften. Ich hielt es gegen das Licht. Keine Muster, nur ein einzelner großer, dunkelroter Fleck. Keine Fingerabdrücke, nichts für einen Abgleich.

Dean: »Mach dir nichts draus, die Chancen waren eh gering. Wir haben ja immer noch die DNS, wenn es Blut ist.«

Ich: »Leck mal dran, wie es schmeckt.«

Dean: »Da leck ich nicht dran, vielleicht ist da Aids drin. Versteck es einfach, okay? Von dem Blut krieg ich ne Gänsehaut.«

Ich hatte ein bisschen Blut am Finger. Es war einfach nur klebrig. Ich wollte es essen, damit die Seele in mir weiterleben konnte, aber ich hatte auch Angst vor dem Aids. Ich wartete, bis es dunkel war, bevor ich es abwusch. Ich wollte es eigentlich dranlassen, aber nachher juckte es doch zu sehr.

Das Loch, wo der Baum war, ist völlig verschwunden. Es ist jetzt komplett zugewachsen, nicht nur mit Gras, sondern mit allen möglichen Pflanzen und Unkraut. Du würdest nie darauf kommen, dass da mal ein Loch gewesen ist. Asbo legte einen Riesenhaufen drauf. Dahin scheißt er neuerdings am liebsten. Als er mich sah, wedelte er so wild mit dem Schwanz, dass ich dachte, ihm fällt noch der Arsch ab. Er liebt mich, weil ich ganz sanft und leise mit ihm rede. Daran merken sie, dass du ihr Freund bist.

Terry Takeaway: »Willst du mal halten? Hier, bitte schön.«

Terry Takeaway gab mir Asbos Leine. Er ließ sie mich ganz allein halten. Asbo ist sehr stark. Er konnte nicht auf mich warten und rannte sofort los. Ich musste hinterher, oder er hätte mich umgerissen.

Terry Takeaway: »Sag ihm bei Fuß, dann zieht er nicht so.«

Ich: »Bei Fuß.«

Terry Takeaway: »Ein bisschen lauter. **BEI FUSS!**«

Es funktionierte. Asbo hörte auf, so zu ziehen. Er wurde langsamer und lief neben mir her.

Ich: »Braver Hund.«

Man muss zu einem Hund immer braver Hund sagen, wenn er brav gewesen ist. Dann ist er später auch immer brav. Sie wissen nur, dass sie brav sind, wenn man es ihnen immer wieder sagt. Man muss es ihnen immer wieder sagen, sonst vergessen sie es. Terry Takeaway zeigte mir, wie man die Leine richtig hält. Wenn du ihn kurz hältst, kann der Hund nirgendwo hin. Dann muss er neben dir laufen. Wenn du sie zu lang lässt, vergisst der Hund, dass er überhaupt an der Leine ist, und versucht wegzukommen. Am Schluss hatte ich Asbo im Griff. Er versuchte nicht mehr wegzukommen. Wenn ich in eine bestimmte Richtung ging, folgte er mir. Wenn ich stehen blieb, blieb er auch stehen. Ichschwör, es war super. Es kam mir vor, als wäre er meiner. Es kam mir vor, als gehörte er zu mir.

Ich: »Asbo, such das Böse! Los, Junge, folg deiner Nase! Find den Geruch des Bösen!«

Asbo sah sich überall um, als wäre er unterwegs auf einem Kommandounternehmen. Er schnüffelte am Bein eines Mannes, der vorbeiging. Ich beobachtete sein Gesicht: Seine Ohren bewegten sich nicht, und seine Augen wurden auch nicht groß. Nicht Böses also. Als wir in den Park kamen, ließen wir Asbo von der Leine. Er rannte weg, kam aber sofort zurück. Meistens rannte er bloß im Kreis. Er liebt das Rennen sogar noch mehr als ich. Dann übten wir ein paar Kunststückchen.

Terry Takeaway: »Sitz.«

Asbo setzte sich. Er saß einfach da und sah uns an. Er wartete darauf, dass wir ihm etwas sagten.

Terry Takeaway: »Platz.«

Asbo legte sich ins Gras. Er lag auf dem Rücken. Sein Schwanz wibbelte immer noch. Ich konnte seine ganzen Nippel und die Eier sehen. Er liebte das, das sah man. Es war alles ein Spiel.

Terry Takeaway: »Gib Pfötchen.«

Das war das Beste. Asbo gab mir seine Pfote. Ich schüttelte ihm die Hand. Das war ohne Ende lustig. Dass er seine Kunststückchen auch bei mir machte. Er liebte das. Als ich ihm befahl, zu sitzen, setzte er sich. Als ich ihn um seine Pfote bat, reichte er sie mir. Das war der Hammer. Ich hätte zu gerne, dass er meiner wäre. Ichschwör, so was Lustiges hab ich noch nicht gesehen.

JULI

Fingerabdrücke sind bloß zum Fühlen da, und sie helfen, nasse Sachen festzuhalten. Also bedeuten sie eigentlich nichts. Wenn du keine Fingerabdrücke hättest, könntest du sein, wer immer du willst.

Augenbrauen sind dazu da, den Schweiß aus den Augen rauszuhalten. Ich dachte immer, Augenbrauen gäbe es aus keinem besonderen Grund, aber das stimmt nicht, sie halten den Schweiß und den Regen zurück. Wenn sie nicht wären, würden dir Schweiß und Regen in die Augen laufen und dich blind machen. Mit Wimpern ist es das Gleiche. Die sind da, damit dir kein Staub in die Augen kommt. Oder Insekten.

Die vielen Dinge, von denen du glaubst, sie hätten keinen besonderen Zweck, sind eigentlich dazu da, dir zu helfen oder dich vor irgendwas zu schützen. Das Haar auf dem Kopf verhindert, das dein Gehirn zu heiß wird, wenn es heiß draußen ist, und zu kalt, wenn es draußen kalt ist. Haar ist viel schlauer, als du geglaubt hast. Alle haben die gleichen Schutzvorrichtungen. Alle haben Augenbrauen, Fingernägel und Wimpern. Alle haben Haare an den gleichen Stellen. Auf diese Weise haben alle die gleiche Überlebenschance. Damit ist es fair. Andernfalls wäre es unfair.

Connor Green: »Und wieso haben Männer dann Brustwarzen?«

Mr Tomlin: »Weil sie ohne Brustwarzen blöd aussähen. Nächste Frage.«

Mr Tomlin hatte Connor Green den Witz verdorben. Er hasst so was. Er versucht immer, Mr Tomlin zu verarschen, aber Mr Tomlin ist immer zu clever für ihn.

Connor Green: »Wie kommt es, dass das Wasser, wenn man in der Badewanne sitzt, nicht am Arschloch reinfließt und man innerlich ertrinkt?«

Mr Tomlin: »Weil der innere Afterschließmuskel sich unwillkürlich zusammenzieht und den Analkanal verschließt. Mehr Fragen?«

Connor Green: »Sie haben anal gesagt. Das dürfen Sie vor uns nicht aussprechen, das ist sexueller Missbrauch.«

Mr Tomlin: »Du hast jetzt Sendepause, Connor. Sonst noch jemand?«

Dean: »Wächst das Haar noch weiter, wenn man tot ist? Mein Onkel sagt ja. Die Fingernägel auch. Stimmt das, Sir?«

Mr Tomlin: »Nein, das ist ein weitverbreiteter Irrtum.«

Connor Green: »Sind Sie eigentlich Mitglied?«

Mr Tomlin: »Es reicht. Connor? Verlass bitte das Klassenzimmer.«

Connor Green: »Aber Sir, ich hab doch bloß gefragt, ob Sie hier Mitglied sind ...«

Mr Tomlin: »**RAUS!**«

Connor musste die Klasse verlassen. Er bekam ein knallrotes Gesicht, wie bei einem Krebs. Eigentlich war ich sogar froh, dass Mr Tomlin ihn rausgeschmissen hatte. Er kann wirklich nerven. Manchmal wünsche ich mir, dass er einfach die Klappe hält, damit der Lehrer uns helfen kann. Man lernt die interessantesten Sachen in Naturwissenschaft.

Mr Tomlin sagt, die Weltraumstation gibt es wirklich. Zuerst sah sie bloß wie ein heller Stern aus, aber wenn du länger hinguckst, siehst du, wie sie sich bewegt. Ich hab sie nur einmal gesehen, weil der Himmel nie dunkel genug ist, da ist das ganze Licht von den Straßenlaternen und Häusern im Weg. Auf der Weltraumstation müssen sie in ein spezielles Rohr scheißen, das alles raus in den Weltraum saugt. Deswegen hat das Shuttle auch Scheibenwischer. Das sagen alle.

Der Flur vor unserer Wohnungstür ist ideal, um meinen Beach Buggy zu fahren. Der Boden ist ganz glatt. Deshalb fährt das Auto superschnell. Da fühlst du dich selbst ganz schnell, auch wenn du stillstehst. Du musst rechtzeitig blinzeln, bevor dir schwindelig wird.

Ich behielt Jordans Tür im Auge. Ich wartete, dass sie aufging. Ich klopfte leicht dagegen, aber so, als wäre es ein Versehen. Die Tür ging auf. Zuerst sagte Jordan nichts, er guckte nur zu. Und zwar ewig lange. Ich konnte mich nicht konzentrieren, während er zusah, und fuhr dauernd irgendwo gegen. Er sollte endlich fragen.

Jordan: »Lass mich auch mal.«

Das ging schon mal nach Plan, aber ich musste ihn noch hinhalten.

Ich: »Gleich.«

Ich fuhr einfach weiter. Er sollte denken, dass ich ihn noch dranlassen würde. Ich wollte, dass er es bereute. Dann wäre ich endgültiger Sieger, für immer. Ich spürte seine Augen auf mir. Ich fuhr einfach weiter. Ich tat so, als wäre er Luft. Jordan wurde allmählich zappelig. War ein total gutes Gefühl. Meinetwegen hätte es ewig so weitergehen können.

Jordan: »Komm schon, Alter, lass mich auch mal. Du hast ihn schon so lange.«

Ich: »Du machst ihn bloß kaputt.«

Jordan: »Nein, mach ich nicht, ich bin ein Superfahrer. Ich hab noch nie einen Crash gebaut.«

Ich: »Wir sind ja schließlich keine Freunde mehr.«

Jordan: »Wer sagt das? Komm schon, Alter.«

Ich: »Noch zwei Minuten.«

Jordan: »Eine Minute. Ich zeig dir, wie man einen Überschlag macht, das ist voll krass.«

Genau darauf hatte ich gewartet. Ich musste ihn richtig heiß machen. Er sollte darum betteln. Auf die Art würde es noch mehr wehtun, wenn ich das Auto wegnahm. Ich wollte ihn bestrafen. Das war ich mir schuldig.

Um mich wurde es still und dunkel. Ich spürte, wie mein Herz zu rasen begann, während ich auf den perfekten Moment wartete, auf das coole Gefühl dabei. Ich war vor meiner Tür. Perfekt. Ich musste mir auf die Lippen beißen, um nicht loszulachen.

Ich: »Leider zu spät, ich muss jetzt rein. Abendessen ist fertig.«

Ich nahm mein Auto hoch und ging rein. Dann machte ich die Tür hinter mir zu. Es war fantastisch. Es ging husch-husch, er hatte nicht mal Zeit, es kommen zu sehen. Jetzt bin ich ein für alle Mal Sieger.

Poppy braucht sich nicht schminken, weil sie auch so schön genug ist. Miquita und Chanelle und all die anderen müssen Schminke tragen, weil sie darunter hässlich sind. Miquita trägt immer grünen Lidschatten. Damit sieht sie aus wie ein Frosch.

Damit sieht sie aus wie eine hässliche grüne Blödfrau, aber das sagte ich ihr nicht. War mir sowieso egal.

Miquita schminkte sich mit ihrem kirschroten Lippenstift. Mein Herz schlug ganz schnell. Jetzt konnte ich nicht mehr zurück.

Miquita: »Und, bist du bereit für mich? Hast du dir die Zähne geputzt? Nein, ich mach nur Spaß, ich weiß, dass du sauber bist. Du bist ein lieber Junge.«

Miquita bringt mir bei, wie man küsst. Miquita hat schon hunderten Jungs einen abgelutscht, sie weiß ganz genau, wie man es machen muss. Wenn ich richtig gut küssen kann, wird Poppy nie wegen eines anderen Jungen Schluss mit mir machen.

Ich will nicht, dass Poppy Schluss mit mir macht. Ich will, dass sie für immer mein ist. Das fühlt sich so schön an. Das Beste ist, wenn ich sie vor bösen Dingen beschützen kann, etwa wenn ich die Wespen wegscheuche. Poppy ist immer dankbar. Dann lächelt sie für mich und mir wird ganz warm und angenehm im Bauch.

Es war jetzt schon ein abartiges Gefühl, aber du musstest stillhalten. Vergiss einfach, dass du Miquita hasst, denk einfach an ihren großen saftigen Hintern, ihren großen wackelnden Busen und ihre erfahrenen Lippen. Benutz sie einfach, um dich auf das Eigentliche vorzubereiten. Lydia lachte sogar. Sie hatte ihren Spaß daran.

Lydia: »*I need a lover*
No Casanova.«
Ich: »Hau bloß ab!«
Lydia: »*We are going to love every day.*
You are my lover.«
Ich: »Halt die Klappe! Ich hau dir eine rein!«
Miquita: »Halt einfach still, Zuckerstück. Entspann dich.«

Ich war auf dem Sofa festgenagelt. Miquita saß auf mir drauf. Ich konnte nicht mal weg, wenn ich es gewollt hätte, sie wiegt eine Tonne. Sie leckte sich die Lippen wie ein großer verrückter Fisch. Ich kniff die Augen zu, damit es schneller vorbei war.

Miquita: »Mach den Mund ein bisschen weiter auf. Gut so. Entspann dich, Alter. Es wird dir gefallen, versprochen.«

Es ging alles ganz langsam. Ich spürte, wie Miquita näher kam. Ich konnte sie ganz heiß in mein Gesicht atmen hören, dann berührte ihr Busen meinen Arm. Dann küsste sie mich direkt auf den Mund, ziemlich weich. Es fühlte sich nicht mal schlecht an, bis ich ihre Zunge im Mund hatte.

Ich: »Gargggllll, vunZunnnghassdunggtgesgt!«
Miquita hörte auf. Ich bekam wieder Luft.

Miquita: »Hä, wie?«

Ich: »Von Zunge hast du nichts gesagt!«

Miquita: »Jeder steht auf Zunge. Entweder lernst du es richtig oder du kannst es vergessen. Also zieh einfach mit.«

Lydia: »Die sind doch erst in der 7. Klasse, was müssen die denn über Zungen wissen?«

Miquita: »Klappe, Alter, was weißt du denn schon? Lass mich einfach meine Arbeit machen, klar? Oder willst du, dass dein Bruder eine Schwuchtel wird?«

Sie steckte ihre Zunge wieder rein. Sie war ganz heiß und schleimig. Ichschwör, es war scheußlich. Ich wollte mich unter ihr rausschlängeln, aber sie drückte mich nur noch fester runter. Miquita machte ein schreckliches, stöhnendes Kussgeräusch wie ein verliebter Zombie. Ihre Lippen hörten nicht auf zu saugen. Ihre Zunge wand sich wie eine böse Schlange in meinem Mund. Ich dachte nur an Poppy. Ich ließ mich von ihrem Gelb erfüllen wie von Sonnenschein. Dann packte jemand meine Hand. Ich krallte sie fest ins Sofa, damit sie sie nicht losbekam.

Lydia: »Miquita.«

Miquita: »Entspann dich einfach, Alter. Gib sie her.«

Sie kniff mir in die Hand, damit ich losließ, dann nahm sie sie und schob sie in ihre Hose. Ich konnte Haare an meinen Fingern spüren. Sie waren ganz kratzig. Es kitzelte. Da wurde es dann abartig. Ich schwöre bei Gott, ich hätte mich am liebsten übergeben. Sie spreizte meine Finger auseinander und steckte einen in ihre Toto. Sie fühlte sich nass und gummiartig an. Sie nahm noch einen Finger und noch einen und rieb meine Hand hin und her. Ihre Lippen saugten und saugten, und ihr Atem blies mir weiter in die Nase. Ich konnte nicht dagegen an. Und dabei mag ich Kirschgeschmack gar nicht. Mein Bauch war krank wie die See.

Ich: »Mpfffhöhn! Lydia, hllfffee! Nimmsiwg!«

Lydia: »Er hat genug. Er hält ja schon den Atem an.«

Miquita: »Ich sag, wann er genug hat, was willste dagegen machen, Chlamydia? Hör auf zu zappeln, Alter. Ich dachte, du willst was lernen.«

Ich: »Ich hab's mir anders überlegt. Geh runter von mir!«

Ich nahm meine ganze Kraft zusammen und stieß sie weg. Miquitas Augen waren ganz schläfrig und dumm, und sie atmete heftig, wie nach einem Kampf. Ihre Jeans war auf, und sie hielt immer noch meine Hand in ihrer Hose. Ich zog sie husch-husch raus, solange ich die Chance hatte. Meine Haut kribbelte von den kratzigen Haaren, und meine Finger glänzten von ihrer Toto. Ich wär am liebsten gestorben.

Miquita: »Nicht schlecht für einen Anfänger. Aber leck nicht über meine Zähne, das mögen Mädchen nicht. Willste noch mal?«

Ich: »Bloß nicht, ich mach das nicht noch mal! Verpiss dich!«

Ich lief weg, bevor sie mich wieder runterdrücken konnte. Ich wusch mir die Lippen und Hände. Als ich versuchte, mich zu erleichtern, kam es ganz komisch raus, ich glaube, sie hat da irgendwas kaputtgemacht. Lydia hätte das verhindern müssen. Hätte ich sie bloß nicht rangelassen. Ich weiß gar nicht, wie das alles passiert ist. Wenn Poppy rausfindet, dass ich ein anderes Mädchen abgelutscht hab, wird sie mich garantiert absägen.

Ich: »Dumme Bitch. Das war nicht komisch.«

Miquita stand vor dem Badezimmer. Sie grinste wie ein fetter doofer Frosch.

Miquita: »Wir sind noch nicht fertig, das war Lektion eins. Hab ich deinen Pimmel hart gemacht? Hattest du da unten so ein komisches Gefühl?«

Ich: »Nein.«

Lydia: »Red nicht so mit ihm, er ist noch zu klein. Lass ihn doch in Ruhe.«

Miquita: »Wer bist du, seine Mum? Nur weil du so verklemmt bist, muss ja nicht jeder so sein. Ihr seid alle so was von spießig, Alter.«

Lydia: »Wenigstens ist mein Freund kein Mörder.«

Alles blieb stehen. Lydia machte ihren Mund husch-husch wieder zu, aber es war zu spät, die Wörter waren schon raus, sie konnte sie nicht zurückholen. Miquitas Gesicht erstarrte.

Miquita: »Was hast du gesagt?«

Ich dachte schon, Lydia würde weinen. Sie rührte sich nicht. Sie war total geschockt. Das waren wir alle. Ich hätte das in einer Million Jahren nicht erwartet, es war zu groß, um es auszusprechen. Es war die falsche Art von Stille, und jemand musste sie brechen. Nie ist Mamma da, wenn wir sie brauchen.

Ich: »Du solltest dich nicht von denen verbrennen lassen.«

Miquita: »Was?«

Lydia fühlte an die Narbe vom Brenneisen in ihrem Gesicht, die schon beinah verschwunden war. Meine Botschaft und die Kraft, die ich ihr geschickt hatte, waren bei ihr angekommen.

Lydia: »Sag ihnen einfach, sie sollen damit aufhören. Schau dir doch deine Hände an, wie kannst du so was zulassen? Das ist einfach nur schwach.«

Miquita knöpfte ihre Jeans zu. Du konntest ihre Hände nicht sehen. Sie bewegten sich zu viel. Du konntest ihre dicken Hände mit den ganzen Brandwunden nicht länger hassen, es erschien irgendwie nicht fair.

Miquita: »Wer ist hier schwach? Du hast doch gesehen, was ich mit Chanelle gemacht hab.«

Ich: »Sie ist aber nicht Chanelle, sie ist Lydia. Und wenn du sie noch mal anrührst, stech ich dich mit dem Tomatenmesser. Ich lass dich von Julius vermobben, der ist ein echter Gangster.«

Lydia: »Nein, machst du nicht. Geh einfach nach Haus, Miquita. Wir wollen dich hier nicht mehr haben.«

Miquita: »Und, soll mich das jucken? Du bist doch nur ne dumme kleine Bitch.«

Ich wartete auf ein Erdbeben, aber es kam nicht. Miquita wusste nicht, was sie tun sollte, sie ging einfach still und leise. Ich verriegelte hinter ihr und holte die Oreos aus Mammas geheimer Schublade. Es war eine neue Packung. Lydia durfte sie aufmachen. Das erste ist immer das leckerste.

Ich dachte an nichts Böses und pickte ein paar Sesamkörner auf, die die Lady mit dem Sesselauto ausgelegt hat. Sie sieht uns gerne von ihrem Küchenfenster aus zu, sie träumt vom Nacktbaden in warmen Gewässern, von Seepferdchen, die an ihren kitzligen Zehen knabbern und ihre winzigen Greifschwänze um die weichen rosa Anker ihrer Nippel schlingen. Jedem, wie es ihm beliebt, sag ich nur, das Leben ist zu kurz, um sich seiner Träume zu schämen.

Sie kamen wie aus dem Nichts, ich war völlig unvorbereitet. Vier von ihnen. Zuerst spürte ich ein WHUUMP von zerreißender Luft und kollabierendem Raum in meinem Rücken. Bevor ich mich umdrehen konnte, hatte er sich auf mich gestürzt, das große Männchen, beugt sich über meine Schulter und hackt mir seinen Riesenschnabel ins Gesicht. Ich sehe die teilnahmslose Entschlossenheit in seinen kleinen glänzenden Augen. Er und seine Spießgesellen wollen mich für irgendeine Kränkung zahlen lassen, vielleicht passt es ihnen auch nur nicht, wie ich laufe; jedenfalls ich bin jetzt am Boden festgenagelt, und seine drei Komplizen stehen im Dreieck um mich herum und hindern mich an der Flucht. Ich trete, beiße, flattere hoch, aber zwei Ecken des Dreiecks arbeiten sich nun heran, und dann stecken drei Messer in meinen Rippen, drei Paar Klauen graben sich in mich wie in lockere Ackerkrume, ich spüre, wie ich auseinandergerissen werde, wie meine Taubenhaut sich zu lösen beginnt. Ich mache mich zu einer

Nagelbombe, doch die Schotten der Welt schlagen zu, und vielleicht bin ich letztlich doch sterblich. Aber wenn ich nicht da bin, wer kümmert sich dann um den Jungen?

Ich: »**AAARRRGGGHHHHHH! VERPISST EUCH, DRECKSELSTERN!**«

Ich rannte und sprang zwischen ihnen herum und scheuchte sie alle weg. Meine Taube saß im Gras, sie sah ganz verängstigt und niedergeschlagen aus. Ich musste beinahe weinen, aber ich konnte kein Blut oder gebrochene Teile sehen.

Ich: »Alles in Ordnung mit dir?«

Taube: » «

Ich wollte sie aufheben, doch bevor ich sie erreichte, war sie schon weg, sie flog hoch aufs Dach der Nicht-ganz-Richtigen-Häuser; es funktionierte alles noch bei ihr, alles in Ordnung. Ichschwör, das war eine Riesenerleichterung.

Ich: »Sei vorsichtig, Taube, vielleicht sind sie noch hinter dir her. Halt die Augen offen. Ich komm auf dem Heimweg von der Schule noch mal nach dir sehen, okay?«

Taube: »Okay. Du bist ein lieber Junge, Harri. Danke, dass du mich gerettet hast.« (sagte Herr Taube nur in meinem Kopf)

Mädchen lieben es, wenn man ihnen Geschenke macht. Das bedeutet, dass du es ernst mit ihnen meinst. Mädchen wollen immer, dass du es ernst mit ihnen meinst, andernfalls machen sie sich zu viele Sorgen und dann macht es keinen Spaß mehr. Ich gab Poppy einen Weingummiring. Das war meine insgeheime Entschuldigung dafür, dass ich Miquita geküsst hatte. Sie schob ihn auf ihren Finger. Ich hatte sie gar nicht darum gebeten, sie tat es einfach.

Poppy: »Danke schön!«

Ich: »Gern geschehen.«

Dann aß sie ihn auf.

Ich will Poppy gar nicht küssen. Ich will überhaupt

keinen mehr küssen, nicht nachdem mir Miquita beinahe meinen Mulla gebrochen hat. Ich küsse Poppy nur, wenn sie mich darum bittet. Wenn ich am Sportfest gewinne, wird sie mich wahrscheinlich küssen wollen. Ich werde es nur tun, wenn ich muss, aber nicht auf den Mund.

Clipz: »Oi, Schwanzlutscher! Hast du sie schon gevögelt? Soll ich dir zeigen, wie's geht?«

Wir gingen einfach weiter. Ich hab ihn nicht mal angesehen. Ich will überhaupt nicht auf den obersten Stufen sitzen, an denen ist gar nichts Besonderes. Ich finde die Treppe vor dem naturwissenschaftlichen Bau besser, da sieht man fast genauso viel, und Poppy ist da, um sie mit einem zu teilen. Die oberen Stufen sind es gar nicht wert.

400 Meter ist eine komplette Runde um die Laufbahn. Es sieht ziemlich weit aus. Ich berührte meine Bahn, weil das Glück bringt. Ich habe gesehen, dass Brett Shawcross das macht. Ich und Brett Shawcross waren die Favoriten. Niemand wusste, wer von uns gewinnen würde, sie konnten sich nicht festlegen. Sie wollten, dass wir beide gewannen, aber das ist unmöglich. Nur einer kann Sieger sein.

Brett Shawcross: »Du kannst Silber haben. Ich hol mir Gold.«

Ich: »Viel Glück.«

Brett Shawcross: »Ich brauch kein Glück, dich mach ich nass.«

Es gibt keine Medaillen, man bekommt nur eine Urkunde. Ich muss nur gewinnen, um zu beweisen, dass ich der beste Läufer bin und weil ich es Papa gesagt habe.

Lincoln Garwood war auf Bahn eins. Er würde betrügen, das hat er uns selbst gesagt. Er weiß, dass er nie gewinnen wird, weil die Mütze, die er tragen muss, um seine Dreadlocks zu halten, zu schwer ist. Die macht ihn zu langsam und sieht schwul aus. Das hat er sogar selber gesagt.

Lincoln Garwood: »Ich bin einfach zu langsam, Alter. Ich will nicht schwul aussehen.«

Er wollte nicht als Letzter ankommen, deswegen hatte er sich einen Plan ausgedacht: Er wollte absichtlich hinfallen und es so aussehen lassen, als hätte er sich den Knöchel verstaucht. Wir haben alle versprochen, ihn nicht zu verraten.

Wir warteten auf den Pfiff. Es war sehr nervös. Ich konnte mein Herz wie verrückt schlagen hören. Es waren jede Menge Zuschauer da. Nicht nur meine Freunde, sondern auch ein paar der Mammas und Papas.

Nur meine Mamma nicht. Sie war wieder arbeiten. Sie hatte gesagt, sie würde dafür beten, dass ich gewinne, aber ich weiß nicht, ob sie daran denkt.

Ich wollte sie nicht enttäuschen. Ich wollte, dass es das beste Rennen aller Zeiten wird.

Alle Läufer standen noch herum. Einige von ihnen hatten Angst. Kyle Barnes kaute Kaugummi. Saleem Khan bohrte in der Nase. Brett Shawcross glaubte, er wäre ein richtiger Läufer, er schüttelte seine Beine aus, wie es richtige Läufer vor dem Rennen tun. Es sah voll überzeugend aus, als wär er der sichere Gewinner.

Mr Kenny: »Auf die Plätze!«

Alle mussten die Startposition einnehmen. Das heißt, runter auf ein Knie, beide Arme gerade ausgestreckt vor dir auf dem Boden. Dadurch wirkte es noch bedeutender. Niemand will es verpatzen. Alle wurden ganz still.

Mr Kenny: »Fertig.«

Das ist das Gleiche wie »Auf die Plätze«, nur dass man dann weiß, dass es gleich losgeht. Man muss ganz still halten. Irgendeiner furzte. Alle lachten.

Mr Kenny: »Los!«

Mr Kenny blies auf der Trillerpfeife, und wir rannten los. Lincoln Garwood fiel sofort hin. Ich sah, wie er über die eigenen Füße stolperte. Es sah richtig echt aus. Er wälzte sich und hielt seinen Fuß. Ich hörte den Schrei hinter mir. Ich lief weiter.

Ich und Brett Shawcross lagen vorne. Alle anderen lagen hinter uns. Ich war auf Bahn 4 und Brett Shawcross auf Bahn 6. Ich wusste nicht, welche die glückbringendere war. Es war sehr eng. Wir gaben beide unser Bestes, das sah man. Es war krass. Brett Shawcross hat Nikes. Ich habe nur Diadoras, lag aber trotzdem vorne. Ich sah einfach nur geradeaus. Ich wollte gewinnen – mehr als alles andere.

Kyle Barnes gab auf. Er hatte keine Puste mehr und fiel hin. Alle anderen lagen Meilen zurück.

Alles wurde mäuschenstill. Ich fühlte mich wie in Zeitlupe, obwohl ich wusste, dass ich schnell lief. Meine Beine brannten, es kam einem nicht mehr wie ein Wettrennen vor, ich rannte um mein Leben. Wenn sie mich erwischen, reißen sie mich in kleine Stücke. Ich musste einfach entkommen. Ich musste gewinnen, oder es war alles aus.

Als ich in die letzte Kurve ging, dachte ich, ich falle zurück, ich musste langsamer laufen, um in meiner Bahn zu bleiben. Auf der Zielgeraden konnte ich wieder schneller werden, aber mir ging die Puste aus. Mir wurde schwindelig. Ich erinnerte mich an den guten Geist in meinen Turnschuhen. Ich sprach im Kopf ein schnelles Gebet.

Ich: »Guter Geist, gib mir deine Kraft! Gib mir deine Schnelligkeit! Lass mich nicht sterben!«

Ich konnte die Ziellinie sehen. Ich war fast da. Poppy wartete auf mich, klatschte für mich bis zuletzt. Das war der größte Energieschub. Ich fühlte, wie der Geist mir die Lunge füllte. Ich ließ meine Beine höher schnellen und meine Arme schneller schwingen. Ich war Usain Bolt, ich war Superman. Ich lebte noch, und sie würden mich nie kriegen. Mit meinem letzten Atemstoß warf ich mich der Ziellinie entgegen. Brett Shawcross rannte in mich rein, und wir ließen uns beide fallen. Ich schloss die Augen und wartete auf den Pfiff.

Mr Kenny: »Erster Platz, Opoku! Shawcross Platz zwei!«

Ich hatte gewonnen! Ichschwör, ich konnte es nicht fassen! Ich hätte am liebsten JA! geschrien, aber ich hatte keine Puste mehr. Ich legte mich einfach auf den Rücken. Der Himmel war ganz schummerig, und die Wolken wirbelten herum. Mein Kopf kribbelte irgendwie. Ich wollte bloß in den Himmel schauen und einschlafen. Ich wollte die Runde am liebsten noch mal laufen.

Brett Shawcross: »Gut gemacht. Gutes Rennen.«

Ich fühlte, wie sich ein Grinsen auf meinem Gesicht breitmachte, als hätte Gott es mit einem kitzligen Pinsel draufgemalt. So herrlich schlecht war mir noch nie. Ich bin der Schnellste in der Jahrgangsstufe 7, ganz offiziell. Ich kann kaum erwarten, es Papa zu erzählen. Als ich wieder aufstand, wollten mir alle die Hand schütteln, selbst Brett Shawcross und Mr Kenny. Poppy drückte mich ganz lange. Ichschwör, ich fühlte mich, als wäre ich der Größte. Alle bewunderten mich, und niemand wartete am Haupttor auf mich, sie wussten, dass sie mir nichts anhaben konnten, bis der Zauber verfliegt. Ichschwör, ich wünschte, jeder Tag wäre wie heute!

Tante Sonia wird sich auf dem Boot verstecken müssen. Wenn sie sie finden, werfen sie sie den Haien zum Fraß vor. Das geht so: Zuerst schneiden sie dich, damit die Haie dein Blut riechen können, dann schmeißen sie dich ins Meer, damit du gefressen wirst. Ein Blutrausch, das ist, wenn alle Haie zusammenkommen und sich um dich balgen. Wenn sie fertig sind, sind von dir nur noch Knochen und ein Blutteppich auf dem Wasser übrig.

Mamma: »Du musst nirgendwo hingehen. Du kannst bei uns bleiben, bis du was anderes gefunden hast.«

Sonia: »Damit Julius hier auftaucht und jedem Schwierigkeiten macht? Ich möchte nicht, dass ihr noch mehr darin verwickelt werdet, als ihr schon seid.«

Mamma: »Dafür ist es sowieso zu spät. Sonst hätte ich sein Geld nie annehmen dürfen.«

Sonia: »Wär besser, ich hätte dir nie von ihm erzählt.«

Mamma: »Wie hätte ich es sonst hierher schaffen sollen? Einen Flugticket-Baum pflanzen vielleicht? Ich würde immer noch zu Hause sitzen und meine Münzen in eine Milo-Dose stecken, zehn Pesewa hier, fünfzig da. Ich habe mich selbst dafür entschieden, keiner hat mich gezwungen. Ich hab es für mich getan, für die Kinder hier. Solange ich meine Schulden abzahle, sind sie sicher und versorgt. Wenn sie groß sind, werden sie es weiter bringen, als ich sie je hätte tragen können. Ich bin jetzt hier, also lass mich dir helfen. Sag mir einfach, was du brauchst.«

Tante Sonia: »Deinen Herd. Ich spüre, wie langsam mein altes Ich nachwächst.«

Mamma: »Das wird aber auch Zeit. Ich hab dein altes Ich vermisst.«

Tante Sonia rieb sich ganz traurig und langsam über die Fingerspitzen. Ich wartete, dass die glänzende schwarze Oberfläche abblätterte wie alte Farbe und die neuen Linien sichtbar wurden. Wenn einem Skink der Schwanz abgebissen wird, wächst ihm einfach ein neuer, das habe ich in meinem Reptilienbuch gelesen. Ein Skink hat es gut.

Mamma: »Du kannst nicht ewig weglaufen.«

Tante Sonia: »Nein, aber ich könnte wieder zum Anfang zurück und es noch mal versuchen; diesmal würde ich die fünfzig Dollar extra zahlen, um auf ein Boot zu kommen, dessen Skipper den Unterschied zwischen Fischern und der Küstenwache kennt. Ich sag dir, du willst gar nicht wissen, wie ein Gefängnis in Libyen stinkt, ich träume immer noch von diesem Gestank. Auweh, mein Bein juckt wie verrückt! Gib mir mal den Stift.«

Tante Sonias Bein ist bis ans Knie eingegipst. Ich denke, es war der Überzeuger, aber Lydia glaubt, Julius wär mit seinem Auto drübergefahren. Wer recht hat, kriegt hundert Punkte. Tante Sonia will nichts verraten. Sie sagt bloß, es wäre ihre eigene Schuld, weil sie nicht aus dem Weg gegangen ist. Ich durfte ein Bild auf ihren Gips malen, ich wollte dich malen, als Glücksbringer, aber es ist mehr so was wie eine Ente geworden. Sorry!

Tante Sonia: »Ist ja auch egal, er würde mich nie weglassen, ich weiß zu viel. Ich kann ja noch froh sein, immerhin komme ich an vernünftige Schmerzmittel ran. Ich hab Percocets geschluckt, als wären es M&Ms; kommt mir vor, als wäre ich wieder in den Staaten, es ist toll. Kann ich von denen noch mal Nachschlag haben, Herr Doktor? Danke schön!«

Ich musste ihr die Krücken zurückgeben. Aber auf denen

wurde mir ohnehin schwindelig. Ich machte Tante Sonia die Tür auf und kontrollierte den Flur nach Feinden. Die Luft war rein.

Tante Sonia: »Habt ihr gesehen, was sie mit eurer Tür gemacht haben?«

Wir guckten alle dahin, wohin Tante Sonia guckte. Ins Holz geritzt stand da in großen Buchstaben:

TOT

Die Buchstaben waren ganz spitz und dünn, denn sie waren mit einem Messer geschrieben, nicht mit einem Stift. Mir wurde kalt im Bauch, bevor ich es verhindern konnte.

Tante Sonia: »Wer war das?«

Ich: »Wahrscheinlich irgendein Junky. Von denen gibt's hier Millionen.«

Ich fuhr mit den Fingern über die Buchstaben, um nach Hinweisen zu suchen. Das war nur Show: Ich wusste schon, wer es war und wer gemeint war. Jordan schreibt seine Warnungen immer mit seinem Kriegsmesser, das zeigt seinen Feinden, dass er es ernst meint, und jagt ihnen Angst ein. Ich hab wenigstens keine Angst vor diesen Fäden an Bananen. Ich ess die mit. Jordan zieht sie immer ab. Das sind bloß Bananenfäden, die tun einem nichts. Jordan ist überhaupt nicht so hart. Ich zog mir einen Splitter vom O ein, es tat aber nicht weh.

Lydia: »Ihr solltet mal sehen, was sie auf die Treppenstufen geschrieben haben: Ich hab Gott in den Arsch gef–. (Sie hat es nur geflüstert, damit Mama uns nicht den Kopf wusch.)

Tante Sonia: »Lydia!«

Lydia: »Ich sag's ja nur.«

Ich: »Wer füttert deinen Baum, wenn du weg bist?«

Tante Sonia: »Den kann ich mitnehmen, der ist bloß aus Plastik.«

Ichschwör, davon wurde mir ganz elend. Ich hatte nicht gewusst, dass der Baum aus Plastik war. Ich hatte ihn für einen echten Baum gehalten. Es war ein gemeiner Schwindel.

Ich: »Warum machen die Bäume aus Plastik? Das ist doch verrückt.«

Tante Sonia: »Sie sind leichter zu pflegen. Echte Bäume brauchen Nahrung und das richtige Wetter. Einen Plastikbaum kannst du überallhin mitnehmen, und er geht nicht ein, wenn er eine Zeitlang nicht gegossen wird. Es gibt Menschen, denen kann man keine lebenden Bäume anvertrauen.«

Mamma: »Sag so was nicht.«

Tante Sonia: »Du weißt, dass ich recht hab.«

Es ist tatsächlich eine gute Idee, wenn man so darüber nachdenkt. Es ist sicherer als ein echter Baum. Ein Plastikbaum ist nur dann ein Schwindel, wenn er so tut, als wäre er ein echter Baum, wenn man weiß, dass es Plastik ist, kann es auch kein Schwindel sein.

Einige Superhelden sind schon so geboren worden. Superman kommt von einem Planeten, auf dem alle Superkräfte hatten. Storm, Cyclops und Iceman hatten von Anfang an das X-Gen.

Altaf: »Das ist schon von Geburt an in ihrem Blut. Sie haben ihre Superkräfte schon gezeigt, als sie noch Babys waren.«

Ich: »Cool!«

Altaf: »Ich hab es lieber, wenn sie normal geboren werden. Wie Spiderman, der war ganz normal, bis diese Spinne ihn gebissen hat. Er wollte nicht mal was Besonderes sein. Er wollte einfach sein Leben leben. Aber als er seine Kräfte bekam, begriff er, dass er sie schon die ganze Zeit brauchte.«

Ich: »Warum?«

Altaf: »Er musste stark sein, als die schlimmen Verbrechen anfingen. Er wusste selber gar nicht, dass sie passieren würden, aber Gott wusste es schon. Gott schickte die Spinne, um ihn zu wappnen. Ich wünschte, es würde immer so kommen. Dann hätte ich meinen Papa retten können.«

Ich: »Wieso, was ist mit ihm passiert?«

Altaf: »Er ist im Krieg gestorben.«

Ich: »Hast du das selbst gesehen? Haben die Hubschrauber Waffen gehabt?«

Altaf: »Ich weiß nicht, ich hab sie nicht gesehen. Wir sind geflohen, bevor die Äthiopier gekommen sind. Aber die Panzer hab ich gehört. Die waren total laut, es war wie ein Erdbeben. Mein Papa wollte nachkommen, wenn die Kämpfe vorbei waren, aber dann ist er von einer Rakete getroffen worden. Sie wollten ihn gar nicht treffen, er stand nur im Weg. Er löste sich einfach in Rauch auf. Wenn ich meine Superkräfte gehabt hätte, hätte ich die Rakete fangen können, aber ich war noch nicht an der Reihe. Ich wusste damals noch nicht mal was über Superhelden, davon hab ich erst gehört, als ich hierhin kam.«

Altaf widmete sich wieder seiner Zeichnung. Es sah aus wie halb Mensch, halb Löwe. Ich wette, er nennt ihn Lion Man. Altaf ist der mit Abstand beste Zeichner.

Ich: »Du solltest ihm Nachtaugen geben. Löwen können im Dunkeln sehen.«

Altaf: »Mach ich auch.«

Ich: »Stell dir vor: Snakeman gibt's wirklich. Ich hab ihn gesehen.«

Altaf: »Wo?«

Ich: »In YouTube. Ich sah, wie er geboren wurde. Tipp einfach ›Schlange frisst Jungen‹ ein und du wirst es sehen. Keine Angst, sie spuckt ihn wieder aus. Was Tolleres hast du noch nie gesehen. Ich wusste, es war echt!«

Altaf: »Cool!«

Ich habe es lieber, wenn sie normal geboren werden. Dann kann es jedem passieren. Es könnte sogar mir passieren, ich muss nur einer radioaktiven Spinne begegnen oder das richtige Gift schlucken. Was ich mir wünschen würde, wären Unsichtbarkeit, fliegen können, Gedanken lesen und superstark sein. Das sind die besten Superkräfte, um Kriege zu gewinnen und Mörder zu fangen. Ich würde aber kein Kostüm tragen, damit würde ich nur unnötig auffallen. Diese Kostüme sehen einfach schwul aus.

Ich hoffe, wir kriegen keine Hausaufgaben für die großen Ferien. Das würde echt arsch saugen. Das finden alle.

Connor Green: »Das würde ultra saugen.«

Kyle Barnes: »Definitiv.«

Ich: »Allerdings. Das würde total saugen.«

Wenn was saugt, heißt das, es ist total schlecht. Das sagen sie in Amerika. Wir schlossen einen Pakt. Ich war dabei, Dean, Connor Green und Kyle Barnes.

Dean: »Wenn wir für den Rest des Schuljahrs auf keinen Spalt im Gehweg treten, scheint in den Ferien jeden Tag die Sonne, und wir kriegen keine Hausaufgaben auf. Abgemacht?«

Wir alle: »Abgemacht!«

Der Erste, der auf einen Spalt tritt, kriegt seinen Kopf im Klo runtergespült. Wenn man nur winzige Pinguinschritte macht, kann man stehen bleiben, bevor man den Spalt erreicht. Das ist sicherer so. Die großen Ferien werden toll. Zuerst gehen wir in den Zoo. Papa, Agnes und Grandma Ama werden dann schon hier sein. Manchmal darf man sogar die Pinguine füttern. Agnes wird sich schlapplachen, sie hat noch nie einen gesehen. Agnes kann die tollsten Umarmungen, selbst wenn sie dir dabei die Finger in die Nase steckt.

Dann mache ich eine ultralange Fahrradtour. Nur ich und Dean. Und zwar auf unseren neuen Rädern, die wir uns von der Belohnung kaufen. Wir werden ganz frühmorgens aufbrechen und erst zurückkommen, wenn es schon richtig dunkel ist. Wir werden durch ganz London fahren, zum Eye, zum Palast und zum Dinosauriermuseum.

Dean: »Wir können uns zwischen den Rippen des T-Rex verstecken, dann kommen wir raus, wenn sie für die Nacht abgeschlossen haben, und haben den ganzen Laden für uns allein. Das wär cool.«

Ich: »Ja, das wär super, vor allem, wenn dann alles lebendig wird.«

Dean: »Wir wollen aber nicht, dass der T-Rex lebendig wird, der wird uns auffressen.«

Ich: »Allerdings!«

Wir liehen uns Lydias Handy aus. Ich erzählte ihr nur, es wär für geheime polizeiliche Ermittlungen. Ich sollte das Filmen übernehmen. Ich richtete die Kamera auf Dean. Ich war bereit, loszulegen, sobald der Geist des toten Jungen zurückkam. Wir checkten den Basketballplatz, denn der tote Junge war hier oft gewesen. Dass wir versuchten, seinen Geist mit der Kamera festzuhalten, war meine Idee gewesen. Ein Teil des toten Menschen verbleibt immer an den Orten, die er gekannt hat, selbst wenn seine Seele bereits beim lieben Gott ist. Es mag nur ein winziges Stückchen sein, aber wenn man genau genug hinguckt, kann man es manchmal sehen.

Ich: »Das ist, wie wenn man in eine Pfütze tritt und beim Rauskommen einen Fußabdruck auf trockenem Boden macht. So lange wie es dauert, bis der Fußabdruck getrocknet ist und verschwindet, so lange bleibt auch dein Geist am Boden. Wenn du stirbst, ist es das Gleiche, nur dass es viel länger dauert, weil dein ganzer Körper und all deine Gefühle und Gedanken dort sind, und die wiegen viel mehr als ein Fußabdruck.«

Dean: »Schon kapiert, schon kapiert. Los, beeil dich.«

Ich hielt das Foto des toten Jungen fest in der Hand, für die Extra-Energie. Ich betete stumm, dass er uns findet.

Wenn wir ihn nur lang genug zurückholen könnten, dass er uns sagt, was passiert ist, und den Namen von dem, der ihn erstochen hat, hätten wir alle Beweise, die wir brauchten, und er könnte in Frieden ruhen.

Ich: »Spürst du schon irgendwas?«

Dean: »Ja, ich fühl mich voll bescheuert. Das funktioniert nicht, Alter. Komm, lass uns abhauen.«

Ich: »Streng dich an. Stell dir vor, du wärst der tote Junge. Stell dir vor, du kannst spüren, was er gespürt hat, und sehen, was er gesehen hat. Es klappt besser, wenn du dich konzentrierst.«

Der tote Junge war ein toller Basketballspieler gewesen. Einmal hat er quer über den ganzen Platz einen Korb geworfen. Ichschwör, das war ein Wurf wie einer unter einer Million. So einen sieht man nur einmal im Leben. Alle sagten, das wär reines Glück gewesen, doch er hat bloß gegrinst, als hätte er das genau so geplant. Er hat sich nicht mal damit gebrüstet, er hat einfach weitergespielt. X-Fire hat ihn die ganze Zeit als Angeber beschimpft, aber er hat sich gar nicht drum geschert. Als X-Fire und Killa angefangen haben, ihn zu schubsen, hat er einfach zurückgeschubst. Der hatte vor nichts Angst.

X-Fire: »Scheißangeber. Den Wurf hätte jeder machen können.«

Toter Junge: »Na los, dann mach doch.«

X-Fire: »F– dich, Alter, mach mich bloß nicht blöd an.«

Killa: »Sonst gibt's aufs Maul.«

Toter Junge: »Regt euch ab, Kinder. Schön friedlich bleiben, ja?«

Ich sah von draußen zu. Ich konnte alles durch den Zaun beobachten. Zuerst schubste X-Fire den toten Jungen, dann schubste Killa den toten Jungen. Dann schubste der tote Junge Killa, dann schubste wieder X-Fire den toten Jungen. Mittlerweile hatten sie alle rote Augen. Das Rumgeschubse wurde heftiger. Sah ziemlich unangenehm aus. Der tote

Junge stieß Killa so fest weg, dass der sich auf den Hosenboden setzte. Man hörte sogar die Stöße. Keiner würde zurückstecken, es war, als hätte jemand den falschen Knopf gedrückt, und nun müssten sie sich so lange schubsen, bis ihre Batterien leer waren. Alle anderen Spieler standen nur herum und guckten zu. Die meisten waren kleinere Kinder wie ich. Die drei hörten erst auf, als eins von den Kleineren versuchte, das Fahrrad des toten Jungen zu klauen. Er musste hinterherrennen, um sich sein Rad zurückzuholen.

Killa: »War ja klar, du Memme!«

X-Fire: »Ja, renn ruhig weg!«

Ich dachte, jetzt wäre alles vorbei, aber der tote Junge kam auf dem Fahrrad zurück. Er nahm einen großen Schluck aus der Wasserflasche und spuckte ihn auf Killas Rücken. Es spritzte sein ganzes T-Shirt und alles nass.

Toter Junge: »Du bist die Scheißmemme, du Memme!«

Dann fuhr er weg. Killa war voll auf rote Augen. Das Wasser tropfte von ihm runter. Eins der kleineren Kinder warf mit dem Basketball nach ihm.

Kleineres Kind: »Memme!«

Da wusste ich, dass jemand sterben würde. Ich rannte bloß husch-husch weg, bevor ich es sein würde. Das ist ewig her, als ich hier gerade angekommen war. Jetzt ist der Basketballplatz fast immer ausgestorben. Irgendwer hat alle Netze zerrissen und versucht, die Stangen in Brand zu setzen. Ein Korb ohne Netz ist irgendwie nicht dasselbe.

Dean lag unter dem Korb auf dem Boden. Seine Augen waren geschlossen und seine Arme zu den Seiten ausgestreckt wie bei einem Engel.

Dean: »Wenn ich's dir doch sage: Ich empfange nichts!«

Ich: »Das liegt daran, dass er dich nicht gekannt hat, sein Geist weiß nicht, ob du ihm wohlgesonnen bist. Es ist okay, Geist, er gehört zu mir. Wir wollen nur helfen.«

X-Fire: »Was macht ihr beiden Lutscher denn da?«

X-Fire und Dizzy versperrten das Tor. Killa stand hinterm Zaun. Miquita hing an ihm wie an einem Baum. Ich ließ Lydias Handy husch-husch durch den Zaun fallen, damit es im Gras verschwand.

Dizzy: »Wisst ihr nicht, dass hier Betreten verboten ist? Jetzt müsst ihr wohl die Gebühr bezahlen. Wie viel habt ihr?«

Dean: »Nichts.«

Dizzy: »Zwing mich nicht, dir wehzutun.«

Dizzy ließ Dean seine Taschen leeren. Er hatte bloß 63 Pence und zwei Blackjacks. Dizzy nahm das alles. Ich konnte nichts machen, wir konnten nirgendwo hin.

Dizzy: »Was ist mit deinen Turnschuhen?«

Dean: »Was ist damit?«

Dizzy: »Zieh sie aus, bevor ich dir eine scheuere. Ohne Scheiß, Alter.«

Dean zog seine Turnschuhe aus. Auf seinen Strümpfen war ein Tennismann. Es blieb keine Zeit mehr, ihn zu fragen, ob das seine Lieblingssocken waren. Er leerte seine Turnschuhe aus, aber es war nichts drin.

X-Fire: »Was ist mit dir, Ghana? Was versteckst du?«

Ich: »Nichts.«

Mein Bauch wurde kalt. Ich umklammerte das Portemonnaie des toten Jungen in meiner Hosentasche. Ich hatte das Foto nicht mehr rechtzeitig wegstecken können.

Dizzy: »Was hast du da?«

Dizzy packte meinen Arm und zog. Ich versuchte, die Hand tiefer reinzustecken. Ich drückte sie richtig fest nach unten und presste meine Finger zusammen, damit sie wie Kleber waren. Ich konnte das Gesicht des toten Jungen sehen, er lächelte und war am Leben. Niemand würde das kaputtmachen. Ich musste erst loslassen, als Dizzy mir auf den Fuß trampelte. Er steckte die Hand in meine Tasche, bevor ich ihn daran hindern konnte, und zog das Portemonnaie raus.

Dizzy: »Was haben wir denn hier? Da ist hoffentlich Kohle drin.«

Dizzy durchsuchte das Portemonnaie, aber es war leer. Er warf es weg, als wär es bloß Müll, als hätte es nie jemandem gehört. Killa sah das Foto des toten Jungen am Boden. Er kam rüber und hob es auf. Alles wurde still. Killas Gesicht versteinerte. Er starrte das Foto an, als wollte er es dadurch verschwinden lassen.

Killa: »Wo hast du das her?«

Dean: »Das haben wir gefunden.«

Miquita: »Lasst doch. Das ist doch bloß n Foto, das heißt doch nichts.«

Killa: »Was weißt du denn? Du weißt doch einen Scheißdreck.«

Miquita: »Ich mein ja bloß, Rotznasen.«

Killa: »Geh mir von der Backe.«

Killa stieß Miquita beiseite. Sie prallte gegen den Zaun. Es war ihre eigene Schuld, weil sie ihn zu sehr liebte. Dean zog seine Turnschuhe wieder an. Die Luft war schwer und voller Mordgedanken. Ich versank in einem schwarzen Ozean, so fühlte es sich an. Killa starrte weiter auf das Bild des toten Jungen. Ich dachte, gleich fängt es Feuer in seiner Hand.

X-Fire: »Komm zu Potte, Alter. Schmeiß es weg, klar? F–, lass uns endlich abhauen.«

Killa: »Und wenn ich nicht will? Dieser Scheiß ist schon zu weit gegangen, Alter. Es ist gelaufen.«

X-Fire: »Ich sag, wenn's vorbei ist. Jetzt kneif bloß nicht, du hast uns schließlich in die ganze Scheiße reingeritten. Jetzt gib mir das verf– Foto und hau ab!«

X-Fire nahm Killa das Bild weg und trat ihm in den Hintern, damit er abhaute. Miquita ging ihm nach, sie wollte ihn wieder als Baum benutzen, aber er stieß sie weg. Er weinte beinahe. Als er an der Straße war, begann er zu rennen, seine Ellbogen standen vor wie bei einem Mädchen.

Er tat mir sogar leid, er war magerer, als ich ihn in Erinnerung hatte. Wenn sie wegrennen, erkennt man, wer sie wirklich sind.

X-Fire verbrannte das Foto des toten Jungen mit seinem Feuerzeug. Sein Geist machte ganz schnelle Funken, niemand würde sie je fangen können. Der Rauch löste sich in der Luft auf. Es gab keinen Ausweg.

X-Fire: »Dizzy, sperr das Tor ab, Alter. Die gehen nirgendwo hin.«

Dizzy versperrte uns den Weg. Ich suchte nach einem Loch im Zaun, das groß genug war, um zu entkommen, aber alles war zu eng. Ich und Dean blieben dicht beieinander. X-Fire kam auf uns zu, er hatte nicht einmal mehr rote Augen. Er hatte einen Entschluss gefasst. Er griff nach hinten in seinen Hosenbund. Ich wusste, da hatte er sein Kriegsmesser. All die Fenster in den Häusern waren leer, niemand würde uns retten. X-Fire setzte seine Kapuze auf.

Ich sah dich aus der Sonne kommen. Bitte, Taube, steh uns bei!

Lydia: »Geh weg von ihm! Ich hab die Polizei angerufen!«

Ichschwör, mein Herz wäre mir fast durch die Haut gesprungen! Ich drehte mich um: Lydia stand auf der anderen Seite des Zauns. Sie filmte alles mit ihrem Handy, sie muss es da gefunden haben, wo ich es hab fallen lassen. Sie muss gewusst haben, dass ich sie brauchte.

X-Fire: »Schnapp sie dir!«

Ich: »Renn!«

Dizzy rannte hinter meiner Schwester her. Ich konnte nur noch beten. Ich sah deine Kacke fallen und direkt vor X-Fires Gesicht vorbeisegeln. Er musste beiseitespringen, um ihr auszuweichen, und in der Sekunde tauchten ich und Dean an ihm vorbei und liefen durch das Loch, das Dizzy gelassen hatte.

X-Fire: »Ich bring euch um, ihr verf– Arschlöcher!«

Wir hatten keine Zeit, ihm zu glauben, wir rannten einfach. Ich konnte Lydia vor mir sehen, ich folgte ihr einfach. Ich konnte nicht zulassen, dass sie verloren ging. Mein Mund schmeckte nach Regen. Renn einfach weiter, bleib nicht stehen. Wenn du stehen bleibst, wird alles zusammenstürzen. Ich warf husch-husch einen Blick nach hinten. X-Fire war weg und Dizzy auch. Ich rannte trotzdem weiter, nur zur Sicherheit. Wir verlangsamten erst, als wir die Ladenpassage erreichten.

Lydia: »Die Bücherei! Schnell!«

Wir rannten in die große Bücherei, dort müssten wir in Sicherheit sein. Wir liefen die Treppe hoch zu den Computern. Lydia zeigte uns den Film. Sie hatte alles drauf: Killa mit seinem reuigen Gesichtsausdruck, und X-Fire, wie er das Bild des toten Jungen verbrannte. Sie hatte uns gerade noch rechtzeitig gerettet.

Dean: »Lösch es bitte nicht.«

Lydia: »Mach ich nicht. Auf was habt ihr euch da bloß wieder eingelassen?«

Ich: »Wir haben nur unsere Pflicht getan.«

Lydia: »Mamma wird dir den Kopf waschen.«

Zur Sicherheit schickte Lydia das Video auch per E-Mail an Abena. Es dauerte ewig und drei Tage, es zu versenden. Wir warteten, bis sie wirklich abgeschickt war. Als wir nach Haus kamen, schloss ich alle Schlösser ab und trank ein ganzes Glas Wasser mit geöffneten Augen. Mir war nicht mal mehr danach, mich auf einer Wolke zu erleichtern. Ich wusste, es waren bloß die Blasen vom Reinigungsmittel.

Ich hätte mehr tun können, aber mir tun noch die Knochen weh von der Kabbelei mit den Elstern. Ich hätte dich retten können, aber es steht mir nicht zu. Wie der Boss immer sagt: Sie sind bloß Fleisch, das locker um einen glühenden Stern gewickelt ist. Wir betrauern nicht die Verpackung, ist sie erst einmal abgeworfen, wir feiern die Befreiung des

Sterns. Mit den Tauen, die ER gedreht hat, schleppen wir ihn an seinen rechtmäßigen Platz, lassen ihn dort über der abblätternden Farbe eines vergangenen Lebens strahlen, einer trauernden Mutter auf dem Weg heim zu ihrem Gott leuchten.

Der Regen fällt wie immer, die See wogt wie immer, und du machst weiter wie immer. Du hälst durch aus Bosheit oder erhabenem Trotz, du hälst durch aus stählernem Instinkt oder wattweichem Konsens heraus, du hälst durch, weil du nun mal so gemacht bist. Du hälst durch, und wir lieben dich dafür. Wir vermissen dich, wenn du fort bist.

Connor Green stand auf einer Gehwegspalte. Er hatte das mit Absicht gemacht, er war genau draufgesprungen. Nun ist der Eid gebrochen, und die Sommerferien sind ruiniert, und nur Connor Green ist schuld. Wir haben ihm alle einen gemeinen Schlag auf den Arm gegeben. Er hat es sogar zugelassen. Er hat gesagt, wär ihm doch egal.

Kyle Barnes: »Du Arschloch! Warum hast du das gemacht?«

Connor Green: »Darum eben. Was soll's? Es gibt sowieso keinen Eid, das ist doch alles gequirlte Scheiße.«

Kyle Barnes: »Du bist gequirlte Scheiße.«

Connor Green: »Ach ja? Tja, ich weiß was, was du nicht weißt. Ich weiß, wer diesen Jungen umgebracht hat.«

Nathan Boyd: »Welchen Jungen?«

Connor Green: »Den, den sie vor Chicken Joe's erstochen haben, wen sonst? Ich hab gesehen, wie es passiert ist.«

Mein Bauch wurde ganz kalt. Alles kam zum Stillstand, selbst mein Blut.

Connor Green: »Echt. Ich fuhr gerade vorbei. Ich hab gesehen, wie der Junge erstochen wurde, und ich hab gesehen, wie Jermaine Bent weggerannt ist. Ich hab das Messer gesehen und alles.«

Kyle Barnes: »Und wieso hast du das nicht den Cops erzählt?«

Connor Green: »F– dich, Alter, ich lass mich nicht abstechen. Sollen die ihre Drecksarbeit selber machen.«

Nathan Boyd: »Ich glaub dir kein Wort. In wessen Wagen hast du denn gesessen?«

Connor Green: »Dem von meinem Bruder.«

Kyle Barnes: »Was für einen hat der?«

Connor Green: »Einen Beemer. Einen 5er.«

Da wussten wir, dass er log. Connors Bruder kann gar keinen BMW haben, dafür ist er nicht reich genug. Connor trägt bloß Reebok Trail Burst. Nathan Boyd begann mit der Nase in der Luft zu wittern. Alle bereiteten sich vor, zu lachen.

Nathan Boyd: »Ich riech da was. Riecht ihr das nicht? Was ist das? Hundescheiße? Nein, keine Hundescheiße. Kuhscheiße? Nein, wartet. Es könnte Pferdescheiße sein.«

Connor Green: »F– dich doch, Alter.«

Nathan Boyd: »Jetzt hab ich's, es ist GEQUIRLTE SCHEISSE!«

Ich konnte es nicht glauben, es war zu bitter. Ich hoffte nur, dass es noch einen anderen Jermaine Bent außer Killa gäbe, dann müsste es nicht wahr sein, und ich könnte wieder zum Normalzustand zurück. Ich wollte es so verzweifelt kitten, dass ich nicht wagte, die Scherben aufzuheben, weil ich fürchtete, es könnte gleich wieder kaputtgehen. Vielleicht habe ich doch nicht das Zeug zum Detective. Vielleicht ist das einfach zu gefährlich.

Habt ihr schon mal Schlagball gespielt? Ichschwör, das saugt. Ich finde es zum Kotzen. Der Ball ist so schwer zu treffen. Der Schläger ist zu klein und hat die falsche Form. Ich treffe nie. Ich wünschte, ich hätte stattdessen den Überzeuger, der ist wenigstens groß genug. Man möchte unbedingt der Schlagmann sein, denn das ist die beste Position, du wartest ewig und drei Tage, bis du drankommst, und dann kannst du nicht mal den Ball treffen. Das ist voll nervend. Alle feuerten mich an.

Alle: »Na los, Harri, du packst das!«

Ich wollte den Ball bloß so weit schlagen wie Brett Shaw-cross. Bei ihm sieht das ganz leicht aus. Ich traf ihn nicht ein einziges Mal. Ichschwör, ich kriegte voll die roten Augen. Am Schluss spielte ich einfach Feldspieler. Da wartest du bloß darauf, dass der Ball in deine Nähe kommt. Wenn er in deine Nähe kommt, versuchst du ihn zu fangen. Es ist langweilig. Der Ball kam die ganze Zeit nicht in meine Nähe. Ich gab's auf. Ich setzte mich auf den Boden, bis Mr Kenny mich aufforderte, einmal um den Platz zu laufen.

Mr Kenny: »Hoch mit dir, Opoku! Eine Platzrunde!«

Keiner wusste von meinem Plan. Er musste geheim bleiben oder er würde nicht funktionieren. Ich wartete, bis ich so weit weg war, dass sie mich nicht mehr sehen konnten, dann quetschte ich mich durch ein Loch im Zaun. Wenn ich die Holzäpfel essen würde, bekäme ich all die Superkräfte, die ich brauchte. Dann wäre ich geschützt. Es war Altaf, der mich auf die Idee gebracht hatte. Ich war es leid geworden, darauf zu warten, dass eine radioaktive Spinne mich beißt, deswegen würde ich lieber die magischen Giftfrüchte nehmen. Dann könnten die Bösen mir nichts anhaben und ich wäre den ganzen Sommer über sicher.

Zuerst prüfte ich, ob Asasabonsam in den Bäumen waren. Ich guckte, ob ich ihre Beine von den Ästen baumeln sah. Die Luft war rein. Die Bäume waren gar nicht groß genug, sie zu tragen, die Äste waren zu dünn. Der Wald wirkte ziemlich langweilig. Ich war ganz allein. Die Luft roch nach Regen. Ich konnte die Vögel nicht sehen, sondern nur ihr Geplapper hoch über meinem Kopf hören.

Ich: »Hallo, Taube, bist du das? Halt die Augen ein bisschen für mich offen, ja?«

Taube: »Ist geritzt!«

Der Wald war viel kleiner, als ich gedacht hatte. Ich konnte durchsehen bis zur anderen Seite, zur Straße und den Häusern. Ich wäre gerne der erste Mensch gewesen, der ihn je betreten hat, doch es war schon jemand vor mir da gewesen: Am Boden lagen zerbrochene Flaschen und massenhaft Bonbonpapier, alle verwaschen und hart. Das war sehr ärgerlich. Ich hatte doch der Erste sein wollen. Ich ging tiefer rein. Ich nahm die beiden besten Äpfel vom besten Baum. Sie waren ganz klein. Sie sind nur für die anderen giftig, für mich sind sie wie ein Meteor. Es ist die einzige Möglichkeit, an Superkräfte zu kommen.

Ich setzte mich auf einen Baumstumpf. Es war schön und still. Ich dachte an all die wichtigen Dinge, die ich zu erledigen hatte, und an die Superkraft, die ich dazu brauchen würde, dann holte ich tief Luft und biss in den ersten Apfel.

Ich schwöre bei Gott, das war das Widerlichste, das ich je im Mund hatte! Ich wollte es ausspucken, musste es aber runterschlucken, damit der Zauber wirkte. Ich legte mir die Hand auf den Mund, damit ich es nicht ausspucken konnte. Ich schloss die Augen und kaute. Mein Bauch fühlte sich ungut an. Ich brauchte all meinen Mut, es runterzukriegen. Ich schluckte das ganze Ding, bis auf die Kerne. Ich öffnete die Augen. Alles war grau, und ich hatte das Gefühl, ich müsste kotzen. Ich holte ein zweites Mal tief Luft und biss in den zweiten Apfel. Ich musste mir sehr viel Mühe geben. Ich musste mich konzentrieren und die Übelkeit und den Geschmack vergessen. Es dauerte ewig und drei Tage, aber ich kaute und schluckte, kaute und schluckte. Nur ganz am Schluss habe ich ausgespuckt, um den Geschmack loszuwerden.

Mein Magen fühlte sich anschließend richtig schlecht. Ich konnte nicht sofort aufstehen. Scheißen wäre jetzt gut gewesen, aber ich verkniff es mir, damit ich nicht alle Superkräfte gleich wieder ausschiss. Ich wartete. Mir wurde ständig heiß und kalt. Das mussten die Superkräfte sein, die in mein Blut übergingen. Es musste funktionieren. Ich brauchte sie zum Schutz und um sie dafür bezahlen zu lassen, was sie getan hatten. Ich ließ einen langen Specht-furz fahren. Er war feucht am Schluss, aber es kam kein Land mit. Ich war nicht Hosenscheißerman, ich war DER UNBEZWINGBARE. Als ich aus dem Wald kam, war ich immer noch zittrig. Mr Kenny erwartete mich.

Mr Kenny: »Wo bist du gewesen?«

Ich: »Mir war übel, Sir.«

Nathan Boyd: »Der war im Wald eine qualmen.«

Connor Green: »Der hat sich einen runtergeholt.«

Ich: »Nein, hab ich nicht.«

Mr Kenny: »Das reicht jetzt.«

Mr Kenny ließ mich den Rest des Spiels aussetzen. Schlagball ist sowieso langweilig. Ich treff nie den Ball, weil der Schläger eine falsche Form hat. Sie sollten ihn flacher machen. Ich weiß nicht, wieso da noch keiner draufgekommen ist.

Der Krieg hatte angefangen. Er war echt, du wusstest es einfach. Überall war Rauch, er war tiefschwarz und verdunkelte den ganzen Himmel. Man spürte das Feuer meilenweit. Alle liefen hin, um zuzusehen, wie der Spielplatz unterging.

Dean: »Zuerst dachte ich, ein Flugzeug wär abgestürzt. Ich wünschte, es wär so, das wär cool.«

Irgendwer hatte die Schaukeln in Brand gesteckt. Von da kam der meiste Rauch. Der Gummigestank von den Sitzen stieg mir in die Nase, ich konnte nichts anderes mehr riechen. Kennt ihr das, wenn ein Gestank so stark ist, dass man lachen muss? Tja, so hat es sich angefühlt. Nur dass man nicht lachen durfte, weil alle Erwachsenen zusahen. Das Feuer war eine Katastrophe, und man musste betreten sein.

Deans Mamma: »Das waren diese verdammten Kids. Ich hab sie gesehen, als ich von der Apotheke kam. Da haben sie versucht, sie anzuzünden.«

Lady mit dicken Armen: »Wann war das?«

Deans Mamma: »Vorhin. Ich kam gerade von der Apotheke. Ich wusste gleich, dass die irgendwas vorhatten.«

Maniks Papa: »Kleine Drecksäcke.«

Das Klettergerüst brannte auch. Das ganze Metall war schwarz geworden, und die Taue vom Netz waren ausgebrannt und kokelten nur noch. Das Feuer war sehr heiß. Als ich näher heranging, machte es mich ganz kribbelig. Es fühlte sich schön und schläfrig an. Es war das größte Feuer, das ich je gesehen habe.

Einige kleinere Kinder spielten, wer sich am nächsten rantraut. Sie rannten alle aufs Feuer los, und wer am nächsten rankam, bevor sie alle umkehrten, hatte gewonnen. Es sah krass aus. Ich hätte gern mitgespielt, aber ich musste ja ehrerbietig sein. Wenn man in der 7. Klasse ist, muss man ein Beispiel geben. Alle sahen dem Feuer zu. Sie wollten nicht mal mehr darüber reden, sondern nur noch zusehen. Sie konnten nicht anders. Sie waren gebannt. Der Spielplatz ging unter, aber niemand versuchte ihn zu retten. Sie wussten, dass sie nichts tun konnten, es war zu heiß und schön. Sie wussten, das Feuer würde immer gewinnen. Es war wunderschön, traurig und schrecklich, alles zur gleichen Zeit.

Jedes Mal, wenn ein neuer Zuschauer kam, musste ihm jemand erzählen, was bis dahin passiert war, von den Jugendlichen, die das Feuer gelegt hatten. Dann sagte der Neue so etwas wie:

Der Neue: »Kleine F–er.«

Und sah dann mit zu wie alle anderen. Es war wie ein tolles Geheimnis, nur dass man es jedem erzählen durfte. Es war, als hätten wir alle ein gemeinsames Geheimnis. Es gab einem das Gefühl, zusammenzugehören, als würden sich alle kennen, selbst wenn sie vorher noch nie miteinander geredet hatten und nicht mal die Namen kannten. Alle waren auf deiner Seite. Das ist das Beste am Krieg.

Lydia machte ein Foto vom Feuer. Auf dem Bild sah man nichts als schwarzen Rauch.

Ich: »He, man sieht ja gar nicht das Feuer! Mach noch mal!«

Lydia: »Nerv nicht! Da schmilzt mir noch das Handy!«

Ich: »Nein, wird's nicht. Knips das Piratenschiff, bevor es untergeht!«

Lydia: »Nein, ich geh nach Haus, der Rauch tut meinen Augen weh. Kommst du mit?«

Ich: »Nein, ich bleib noch. Ich geh mit Dean zusammen nach Haus.«

Lydia: »Aber sei vorsichtig. Pass auf, dass sie dir nicht nachkommen.«

Ich: »Mach ich!«

Ich wollte bloß noch mal das Piratenschiff knipsen, bevor es unterging. Ich wollte einfach dabei sein, wenn der Spielplatz starb, damit ich wusste, dass er da gewesen war und ich ihn bis zum Schluss geliebt habe.

Terry Takeaway: »Also, junger Mann. Was ist hier passiert?«

Ich: »Bloß ein Feuer. Asbo! Hallo, mein Freund! Braver Hund! Braver Hund, Asbo!«

Asbo sprang hoch und leckte mein Gesicht. Es war voll lustig, sogar, als er seine Zunge in meinen Mund steckte. In den großen Ferien werd ich ihm beibringen, wie man Geister jagt.

Terry Takeaway: »Willst du n paar DVDs kaufen? Ich hab ein paar gute, irgendwo ist auch eine mit Zombies dabei.«

Ich: »Nein danke. Wenn ich eine Raubkopie kaufe, geht das Geld an Osama Bin Laden. Das haben wir in der Schule gelernt.«

Terry Takeaway: »Wie du willst.«

Dann kam die Feuerwehr. Ich hörte die Sirene schon von weitem. Sie fuhren quer durch den Park. Alle waren ziemlich verstimmt, als sie die Sirene abstellten, denn sie hätten sie gerne aus der Nähe gehört.

Feuerwehrmann: »Alle zurückbleiben!«

Stattdessen gingen alle wieder näher ran. Sie konnten nicht anders. Die kleineren Kinder waren die mutigsten. Sie hörten gar nicht auf die Feuerwehrleute und gingen immer näher und näher. Sie liebten es eben, sich unter die Feuerwehrleute zu mischen, das sah man. Sie wollten helfen. Sie wollten Feuerwehrleute sein.

Einer der kleineren Jungen versuchte den Wasserschlauch aufzuheben, aber er konnte ihn nicht mal bewegen, so schwer war der. Er fing an zu weinen. Das war das Witzigste.

Feuerwehrmann: »Alles klar, Sportsfreund. Ich hab ihn. Du kannst beim nächsten Mal helfen, okay?«

Das Wasser kam wie eine Kugel rausgeschossen, superschnell. Die Feuerwehrleute waren sehr erfahren, sie hatten das ganze Feuer in einer Minute gelöscht. Als das Feuer aus war, war der Spielplatz nur noch hässlich. Schwarz überall, wo es gebrannt hatte. Es war alles nur noch dreckig und traurig. Du fühltest dich dabei selber tot. Du wünschtest dir das Feuer zurück, um den Dreck zu verdecken.

Alle klatschten hinter dem Feuerwehrwagen her. Ich war traurig, sie wegfahren zu sehen. Wir wussten nicht, wann wir sie wieder im Einsatz sehen würden.

Dean: »Wenn ich gewusst hätte, dass die so schnell sind, hätte ich noch ein paar Feuer gelegt, die sie hätten löschen können.«

Deans Mamma: »Ja, und von mir hättest du dafür einen Arschtritt bekommen.«

Dean: »Ich hab doch nur Spaß gemacht.«

Jetzt, wo das Feuer vorbei war, konnte ich Dinge sehen, die ich vorher nicht hatte sehen können, traurige und verrückte Dinge, die einem vorkamen, als sollten sie nicht sein. Ich sah ein Stück des toten Taus vom Kletternetz. Es war ganz schwarz und glänzend. Es sah aus wie eine Schlange. Ich dachte die ganze Zeit, gleich bewegt sie sich und gleitet unter dem gesplitterten Holz davon. Ich sah einen toten Penny im Boden neben dem Marienkäfer. Ich stellte mir vor, der Marienkäfer hätte ihn ausgeschissen. Der Marienkäfer hat vor dem Feuer so viel Angst gehabt, dass er sich eingeschissen hat. Da tat er mir leid, auch wenn er nur aus Plastik war. Sein Kopf war ganz verbogen und geschmolzen von der Hitze.

Die kleineren Kinder begannen ein neues Spiel, wer sich traute, die verkohlten Holzsplitter anzufassen. Sie waren immer noch sehr heiß. Keiner konnte sie länger als zwei Sekunden halten. Durch den Rauch sah ich Killa. Er war allein. Er hatte sich bloß wie alle anderen das Feuer angeguckt. Er hob einen Holzsplitter auf, schloss seine Hand darum und stand dann einfach da und wartete, während er ihm die Hand verbrannte. Ihm gefiel das richtig, ihm machte es nichts aus. Er hielt den Span für ewig und drei Tage, ich zählte nicht von Anfang an mit, kam aber bis 28, bevor er ihn wieder fallen ließ. Der Trick ist, deine Faust so fest wie nur möglich zu schließen. Dann steckte er die Hände in die Taschen und ging weg, ohne irgendjemanden anzusehen. Es war, als wäre er so traurig wie ich, auch wenn er das Klettergerüst nur zum Leuteschikanieren benutzt hat.

Dann war das Licht wieder da. Der Rauch wurde allmählich weggeweht, und mir fiel wieder ein, dass ja Tag war. Ich war nicht mehr schläfrig. Die Leute begannen nach Haus zu gehen. Ich und Dean wollten noch bleiben, selbst jetzt, wo es bedeutete, dass der Spielplatz tot war. Es war zu spät, etwas zu ändern, aber es erschien dir einfach zu wichtig, um jetzt schon zu gehen. Wir mussten sehen, was unter der Asche hervorkam, irgendwelche Mächte, wichtige Nachrichten oder irgendwelche toten Dinge, die vorher verborgen waren.

Ein kleineres Kind weinte immer noch.

Kleineres Kind: »Jetzt kann ich nicht mehr auf die Rutsche.«

Die Mamma vom kleineren Kind: »Keine Sorge, die stellen eine neue auf. Die wird sogar noch besser als die alte, du wirst schon sehen.«

Ich hoffte, die neue Rutsche würde die längste auf der Welt werden. Ich hoffte, es würde ewig dauern, bis man unten ankam. Wenn es nur eine Sekunde dauert, ist das einfach zu nervig. Ich weiß das noch von früher, bevor ich zu groß für die Rutsche wurde. Ich wäre für einmal rutschen gerne noch mal klein genug.

Ich machte einen Gang rund um die Spielplatzruine und ließ den Ruß meine orangenen Füße beflecken. Ich hatte gehofft, die Flammen würden ein Zugeständnis bedeuten, eine Änderung des Plans in letzter Sekunde. Ich hatte gehofft, mir die Flügel in der Glut zu versengen, aber es ist nichts daraus geworden, ich bin immer noch hier und in einem Stück. Habe immer noch einen Job zu machen. Keine Atempause für die Gottlosen, ja, ja. Wir bevorzugen es, wenn ihr um uns herumgeht statt mitten durch uns hindurch. Wir ziehen es vor, in Frieden gelassen zu werden, während wir essen und unsere Balzrituale vollziehen. Wir beanspruchen nur dieselben Rechte wie ihr: Wir wollen unser Leben leben, uns einen Platz suchen, einen Platz zum Scheißen und zum Schlafen, einen, in dem wir unsere Kinder aufziehen. Vergiftet uns nicht, nur weil wir Dreck machen. Ihr macht schließlich auch Dreck. Es reicht für alle, wenn jeder sich mit seinem fairen Anteil begnügt.

Lasst uns in Frieden, und es wird keinen Ärger geben. Seid freundlich zu uns, und wir werden diese Gefälligkeit erwidern, wenn die Gefälligkeiten fällig sind. Und bis dahin sei der Friede mit euch.

Zur Sicherheit gingen ich, Dean und Lydia extra zusammen zur Schule. Es kam einem gar nicht so vor, als würde heute der Krieg ausbrechen, es war der letzte Tag vor dem Sommer, und das bewirkte einen unzerstörbaren Zauber. Es war herrliches Wetter und heiß. Alle grinsten von einem Ohr zum anderen. Wir mussten einfach mitbrüllen. Wir konnten es einfach nicht unterdrücken.

Ich und Dean: »DER LETZTE SCHULTAG! BALD SIND WIR FREI!«

Lydia: »Au! Brüll mir doch nicht direkt ins Ohr!«

Ich: »AAARRGHHHH!« (Ich brülle Lydia laut ins Ohr.)

In Erdkunde stellte Mr Carroll den Ventilator an. Er lief schon, als wir reinkamen. Das war eine supertolle Überraschung. Alle waren ganz aus dem Häuschen, als sie es sahen. Wir wechselten uns alle ab, uns anblasen zu lassen, der kalte Wind fühlte sich toll an.

Ein paar von uns taten so, als würde sie ihre Geschlechtsteile lüften wollen. Keiner tat es wirklich, wir zogen stattdessen bloß die Hemden hoch und ließen uns den Bauch belüften. Der kalte Wind auf unseren Bäuchen war das schönste Gefühl überhaupt.

Kyle Barnes: »Guckt mal, Daniels Nippel werden hart! Perversling!«

Daniel Bevan: »Schnauze, stimmt gar nicht.«

Brayden Campbell: »Er hat nen Ständer. Guck mal, Charmaine. Fass mal Daniels Steifen an.«

Charmaine de Freitas: »Verpiss dich!«

Alle banden sich ihre Krawatten um den Kopf. Alle taten so, als wären sie Ninjas. Die aus der 11 beschrieben alle ihre Hemden. Ihre Freunde schrieben ihre Namen und gute Wünsche drauf. Es war das letzte Mal, dass sie dieses Hemd tragen würden. Sie würden nie wieder zur Schule gehen, es war endgültig vorbei. Man muss das Hemd mit guten Wünschen bedecken für seine Reise ins Leben. Das ist ein alter Brauch. Ich fand ihn ganz toll. Ich kann es kaum erwarten, bis ich damit an der Reihe bin.

VIEL GLÜCK   KEEP IT
REAL   spud   NORTHWELL MANOR BIS IN DEN
TOD   TYRONE   TAKE IT EASY   GET RICH OR
DIE TRYIN
naomi   DFC   FUCK SCHOOL
LEWSEY HILL SIND LUTSCHER   FUCK DA POLICE
LEON
DROGBA IST GOTT   Damon   MR PERRY LUTSCHT
HUNDEPIMMEL   Mindestanforderungen für den
Arbeitsmarkt
Cherise   CHEESE TITS RUFUS   RUF US
sprich mir nach: MÖCHTEN SIE FRITTEN DAZU?
ONE LOVE
DEALEN STATT STEUERN   Man sieht sich am
Arbeitsamt   FASAR
FOTZE   Donovan   Frisur: Toni & Guy, Persönlichkeit:
Ronald McDonald   MALACHI   FREAK
SCHWANZFIXIERT   GINGER   Zaida   ME LUV
YOU LONG TIME
Morgen ist der erste Tag vom Rest eures Lebens – und er
wird Scheiße!
Don't worry, be happy!   MUUMBE   NIX
BESONDERES   EM + ST   Für IMMER EVA
Kieron   Ich bin der einzige Schwule im Dorf
JUNGFRAU   Alles Fotzen außer Mutti LEBE
DEINEN TRAUM   MARVIN P ist meschugge!

FICKEN UND BESOFFEN SEIN – DES KLEINEN
MANNES SONNENSCHEIN   Warnung:
Die Zukunft kann auf dich verzichten!
MOTAHIR   Cracknutte im 1. Lehrjahr   NATASHA
VICKY C INDIA   VERDAMMT SCHARF
Gott war mein Co-Pilot, aber nach dem Absturz in den
Bergen musste ich ihn essen
NIEMAND SCHAUT HIN
Jack   LULLI   Ich hab doch gesagt, das macht blind
MUNTER   Kauf
mehr Scheiß   LESTER   HEAVEN IS A HALFPIPE
HUSTLER
MATT   wir sind alle aus Sternen gemacht   Simone
Corinne   SPOON   Wo sind die Bitches?
Aus Hackepeter wird Kacke später
NINJAS GEGEN EMO
Leck mich an meinem glänzenden Metallarsch
GROSSE WORTE   Too cool for school!
ICH BIN JUNG UND BRAUCH DAS GELD
alles wird gut!   Jedes Mal, wenn ich dir nicht
gesagt habe, dass ich dich liebe, habe ich gelogen.   Nahid
SPERMANENT   NATURGEIL   SCHLAMPE

Alle guckten von den Fenstern aus zu. Die aus der 11 wurden vor uns rausgelassen. Ein paar von ihnen warfen ihre Pullover in die Bäume. Ein paar hatten Supersoakers und Wasserbomben mitgebracht, und es gab eine große Wasserschlacht. Sie spritzten sich gegenseitig total nass. Es sah krass aus. Manchmal wurde es zu einer Keilerei, dann war es wieder mehr Spaß. Wir konnten es kaum erwarten, rauszudürfen. Wir liefen alle wie Hunde im Kreis. Fünf Minuten vor Schluss begannen wir zu singen.

Alle: »Freiheit! Freiheit!«

Es war Kyle Barnes' Idee gewesen. Alle machten mit, selbst die Ängstlichen. Ichschwör, es war krass. Wir schlugen alle auf unsere Tische wie in einem verrückten Film.

Alle: »Freiheit jetzt! Freiheit jetzt! Freiheit jetzt!«

Schließlich gab sich Mr Carroll geschlagen. Er musste uns rauslassen, oder es hätte einen Aufstand gegeben.

Mr Carroll: »Na, dann los mit euch. Euch allen schöne Ferien. Und baut keinen Mist!«

Alle: »Mal sehen!«

Dass man auf der Treppe nicht rennen durfte, hattest du völlig vergessen. Deine Beine wollten einfach raus, du musstest ihnen bloß folgen. Es war wie ein Wettrennen um die Zukunft. Dem Ersten, der draußen war, würde der Sommer gehören.

Alle banden sich die Krawatten um den Kopf und tranken den Regen. Ich und Poppy gingen gemeinsam durchs

Tor. Wir hielten Händchen, die profimäßige Art, es war unheimlich sexy. Mein Herz schlug total schnell. Poppy war schöner als je zuvor. Es machte dir glatt Angst. Es mag verrückt klingen, aber es ist wahr, es war so, als würde ich mich daran erinnern, wie schön sie war, und das machte mir Angst. Mein Bauch machte einen Looping.

Ich: »Ich wünsch dir schöne Ferien.«

Poppy: »Ich dir auch. Gehst du zurück nach Ghana?«

Ich: »Nein. Ich geh aber in den Zoo. Willst du mitkommen?«

Poppy: »Geht nicht. Ich fahr nach Spanien.«

Ich: »Für immer?«

Poppy: »Nein, bloß für zwei Wochen.«

Ich: »Kommst du danach zurück an diese Schule?«

Poppy: »Na klar. Und du?«

Ich: »Ich glaub schon.«

Poppy: »Das ist schön.«

Ich wollte ihr sagen, dass ich sie liebe, aber ich kriegte es nicht raus. Es kam mir zu groß vor. Allein schon das Wort. Es fühlte sich zu groß und dumm an, es jetzt zu sagen. Ich musste es für später in meinem Bauch aufbewahren. Ich musste es wieder runterschlucken.

Poppy: »Sollen wir uns SMS schicken?«

Ich: »Okay.«

Poppy schrieb mir ihre Nummer auf die Hand. Ihr Stift war lila und kitzelte. Es war ein irres Gefühl, besser als die guten Wünsche auf den Hemden. Ich sagte ihr nicht, dass ich kein Handy hab. Ich leihe mir einfach das von Lydia, sie muss es mir überlassen. Vielleicht wünsch ich mir zum Geburtstag auch ein Handy statt einer Xbox. Bis dahin ist es nur noch ein Monat. Es ist mir egal, ob es eine Kamera hat, Hauptsache, ich kann damit mit Poppy telefonieren. Ich werde niemals mit ihr Schluss machen, ich –

Und in dem Moment küsste Poppy mich. Ich hatte keine Zeit, mich darauf vorzubereiten. Sie küsste mich einfach, genau auf den Mund. Es war großartig. Diesmal hatte ich gar keine Angst. Es war warm und nicht zu feucht. Ich bekam keine Zunge. Ihr Atem schmeckte nach Tic Tac Orange. Ich vergaß Miquita, es hatte überhaupt keine Bedeutung.

Ich schloss nur die Augen und folgte Poppy. Ihre Lippen waren sehr weich. Es war sehr entspannend. Ich verspürte davon den Wunsch, auf ewig einzuschlafen. Ich presste meine Beine ein bisschen zusammen, damit mein Bulla aufhörte zu kribbeln.

Connor Green: »He, guckt mal, Harri hat n Steifen! Was ist los? Ist heute der Tag des großen Steifen, oder was? Reiß dich mal zusammen!«

Connor Green bespuckte uns mit Papierkügelchen. Wir mussten aufhören. Es war, als würde man aus einem süßen Traum erwachen, obwohl man es überhaupt nicht will.

Poppy: »Verpiss dich, Connor.«

Wir waren am Tor. Poppys Mamma wartete auf sie. Ich wünschte, ihr Auto würde explodieren, damit ich Poppy nach Haus bringen könnte.

Poppy: »Dann tschüs.«

Ich: »Tschüs.«

Poppy winkte mir durchs Autofenster zu. Ich winkte zurück. Es fühlte sich überhaupt nicht schwul an, es fühlte sich wie die tollste Sache der Welt an. Deswegen winken Leute sich zu, weil sie dann zusammengehören. So zeigen sie es der ganzen Welt. Ich leckte mir über die Lippen. Ich konnte immer noch Poppys Atem dort schmecken. Er war die einzige Superkraft, die ich brauchte.

Dean sagt, wir sollten bis Montag warten, bevor wir es der Polizei erzählen. Wir müssten alle unsere Beweise ordnen und uns zurechtlegen, was wir sagen. Dean muss entscheiden, welche Spiele er für seine Playstation will, und wir müssen es unseren Mammas sagen. Sie müssen mit uns zur Polizeiwache kommen, falls die Cops uns unsere Geschichte nicht glauben. Dean sagt, vielleicht bekommen wir eine Führung, ich hoffe, sie zeigen uns die Folterkammer. Sie werden Killas Kopf einfach in einen Eimer Wasser stecken, bis er gesteht. In England darf man im Gefängnis fernsehen, und selbst die Billardkugeln laufen geradeaus. Das ist besser, als tot zu sein. Wir müssen bloß bis Montag überleben, dann wird alles gut.

Es regnete jetzt stärker. Ich holte tief Luft und machte mich bereit, loszurennen. Ich würde zählen, wie lange ich bis nach Hause brauchte.

Wenn ich in unter sieben Minuten zu Haus bin, bedeutet das, dass Poppy mich nicht vergessen wird UND wir den Fall lösen werden.

Ich begann zuerst meine Arme zu schwenken, um sie aufzuwärmen. Ich schwenkte sie stärker und stärker. Ich konnte spüren, wie meine Kraft wuchs. Als ich so weit war, rannte ich los.

Ich lief schnell. Ich lief den Hügel hinunter und durch den Tunnel. Ich brüllte:

Ich: »Poppy, ich liebe dich!«

Es gab ein Riesenecho. Niemand sonst hörte es.

Ich rannte an der echten Kirche vorbei. Ich rannte am Kreuz vorbei.

Ich rannte am Jubilee vorbei.

Ich rannte an der Überwachungskamera vorbei. Ich ließ mich knipsen, damit es mir Glück bringt.

Ich lief an den anderen Tauben vorbei. Ich tat so, als hätten sie hallo zu mir gesagt.

Ich: »Tauben, ich liebe euch!«

Es kam mir nicht mal dumm vor, es fühlte sich toll an. Ich rannte am Spielplatz und dem toten Klettergerüst vorbei. Ich rannte superschnell. Ich rannte schneller, als ich je gerannt bin, meine Füße waren nur noch ein verschwommener Fleck. Niemand würde mich einholen, ich würde den Weltrekord brechen.

Ich rannte an der Lady in dem Autostuhl vorbei. Sie sah mich nicht mal kommen! Ich rannte an den Häusern und der Schule für die kleinen Kinder vorbei. Meine Beine wurden müde, aber ich wurde nicht langsamer. Ich rannte sogar noch schneller. Meine Lippen kribbelten immer noch von Poppys Kuss. Meine Kräfte wuchsen in mir. Ich rannte an einem Baum in einem Käfig vorbei.

Ich: »Baum, ich liebe dich!«

Ich kickte eine Coladose aus dem Weg. Beinahe wäre ich gestolpert, aber ich stolperte nicht. Ich konnte die Siedlung sehen. Ich war fast zu Hause. Die Außentreppe wäre Sicherheit. Wenn ich die Treppen erreichte, würde die Zauberkraft wirken.

Ich rannte durch den Tunnel. Mein Atem war fast aufgebraucht. Ich bekam keine Worte mehr heraus. Ich machte stattdessen einfach ein Geräusch:

Ich: »AAAAAAHHHHH!«

Ichschwör, es war das tollste Echo überhaupt. Es war niemand sonst da, um es kaputtzumachen.

Ich rannte an den Häusern vorbei und um die Ecke zu den Treppen. Ich war außer Atem. Ich blieb stehen. Der Schweiß juckte auf meinem Gesicht. Es kam mir vor wie weniger als sieben Minuten, es kam mir wie nur fünf vor. Ich hatte es geschafft! Die Treppe war einladend und kühl. Ich musste nur die Treppe hochgehen und wäre zu Hause und in Sicherheit. Ich würde ein wunderbar großes Glas Wasser auf einen Zug leertrinken. Das Wasser aus dem Hahn in der Küche ist unbedenklich.

Ich sah ihn nicht kommen. Er kam aus dem Nichts. Er hatte auf mich gewartet. Ich hätte ihn sehen sollen, doch ich hatte nicht aufgepasst. Man bräuchte Augen im Hinterkopf.

Er sagte nichts. Sein Blick verriet alles: Er wollte mich auslöschen, und es gab nichts, was ich dagegen tun konnte. Ich konnte nicht ausweichen, er war zu schnell. Er rannte einfach in mich rein und lief dann weg.

Ich sah es gar nicht reingehen. Ich dachte, es wäre ein Scherz, bis ich vornüberfiel. Ich bin vorher noch nie gemessert worden. Es fühlte sich einfach zu verrückt an.

Ich konnte die Pisse riechen. Ich musste mich hinlegen. Das Einzige, woran ich denken konnte, war, dass ich nicht sterben wollte. Das Einzige, was ich sagen konnte, war:

Ich: »Mamma.«

Es kam nur als Flüstern heraus. Es war gar nicht laut genug. Mamma war auf der Arbeit. Papa war zu weit weg, er würde es niemals hören.

Halt durch, ich komme. Halt durch.

Ich hielt meinen Bauch fest, damit ich nicht aus mir rausfiel. Meine Hände waren nass. Mein Fuß kam in eine Pissepfütze, die Pisse zog hoch in meine Hose. Ich konnte den Regen sehen. Die Regentropfen knallten alle gegeneinander. Sie bewegten sich in Zeitlupe. Ich habe nicht mal einen Lieblingsregentropfen, ich habe sie alle gleich gern.

Es war zu kalt, und alles juckte, ich konnte bloß noch Metall schmecken. Es hatte sich gar nicht scharf angefühlt, es war bloß überraschend. Ich hatte nicht damit gerechnet. Ich hatte nur für eine Sekunde den Griff gesehen, er könnte grün oder braun gewesen sein. Es hätte alles ein Traum sein können, nur dass ich, als ich die Augen aufmachte, eine noch größere Pfütze sah, und das war keine Pisse, das war ich. Ich blickte auf, du hast auf dem Geländer gehockt und mich beobachtet; deine rosa Augen waren nicht tot, sondern voller Liebe, wie eine Batterie. Ich wollte lachen, aber das tat zu sehr weh.

Ich: »Du bist gekommen. Ich wusste es.«

Taube: »Keine Angst, bald bist du zu Haus. Wenn es Zeit ist, zu gehen, zeige ich dir den Weg.«

Ich: »Kann ich nicht hierbleiben?«

Taube: »Das liegt nicht in meinem Ermessen. Du bist heimgerufen worden.«

Ich: »Es tut weh. Arbeitest du für Gott?«

Taube: »Es tut mir leid, wenn es wehtut. Aber es wird nicht mehr lange dauern.«

Ich: »Ich mag deine Füße. Die sind hübsch und so kratzig. Mir gefallen alle deine Farben.«

Taube: »Danke sehr. Ich mag dich auch, ich mochte dich schon immer. Es gibt nichts, wovor du Angst haben musst.«

Ich: »Erzähl Agnes meine Geschichte, die von dem Mann im Flugzeug mit dem falschen Bein. Du musst aber warten, bis sie alt genug ist, alle Wörter zu verstehen.«

Taube: »Wir erzählen es ihr, keine Sorge.«

Ich: »Die wird ihr gefallen. Ich hab Durst.«

Taube: »Ich weiß. Entspann dich einfach. Alles wird wieder gut.«

Man konnte das Blut sehen. Es war dunkler, als ich gedacht hatte. Es war einfach zu verrückt, ich konnte die Augen nicht offen halten. Ich wollte mich bloß erinnern können, solange ich mich erinnern konnte, war alles in Ordnung. Agnes winzige dicke Finger und ihr Gesicht. Ich konnte es nicht mehr erkennen. Alle Babys sehen gleich aus.

FSC

Mix

Produktgruppe aus vorbildlich
bewirtschafteten Wäldern und
anderen kontrollierten Herkünften

Zert.-Nr.GFA-COC-001278
www.fsc.org
© 1996 Forest Stewardship Council

Die Originalausgabe erschien 2011 unter dem Titel
Pigeon English bei Bloomsbury Publishing, London, Berlin and New York
© 2011 Stephen Kelman
Für die deutsche Ausgabe
© 2011 BV Berlin Verlag GmbH, Berlin
Alle Rechte vorbehalten
Umschlaggestaltung: Nina Rothfos & Patrick Gabler, Hamburg
Illustrationen © Holly Macdonald
Typografie: Birgit Thiel, Berlin
Gesetzt aus der Sabon von Greiner & Reichel, Köln
Druck & Bindung: CPI – Ebner & Spiegel, Ulm
Printed in Germany
ISBN 978-3-8270-0975-3

www.berlinverlage.de